Bricolaje

PARA DUMMIES™

Bricolaje

PARA DUMMIES™

Gene Hamilton y Katie Hamilton

Edición publicada mediante acuerdo con Wiley Publishing, Inc.
...Para Dummies, el señor Dummy y los logos de Wiley Publishing, Inc.
son marcas registradas utilizadas con licencia exclusiva de Wiley Publishing, Inc.

Título original: *Le bricolage pour les Nuls,* a su vez traducido de *Home improvement for Dummies*

© Gene & Katie Hamilton, 2011
© de la ilustración de la portada, Shutterstock, 2015
© de la traducción ebc, serveis editorials, 2015 (Raquel Duato y Susanna Esquerdo)

© Centro Libros PAPF, S.L.U., 2015
Grupo Planeta
Avda. Diagonal, 662-664
08034 – Barcelona

ISBN: 978-84-329-0246-8
Depósito legal: B. 9.286-2015

Primera edición: mayo de 2015
Preimpresión: Victor Igual, S.L.
Impresión: T. G. Soler

Impreso en España - *Printed in Spain*

www.paradummies.es
www.planetadelibros.com

¡La fórmula del éxito!

Tomamos un tema de actualidad y de interés general, añadimos el nombre de un autor reconocido, montones de contenido útil y un formato fácil para el lector y a la vez divertido, y ahí tenemos un libro clásico de la colección Para Dummies.

Millones de lectores satisfechos en todo el mundo coinciden en afirmar que la colección Para Dummies ha revolucionado la forma de aproximarse al conocimiento mediante libros que ofrecen contenido serio y profundo con un toque de informalidad y en lenguaje sencillo.

Los libros de la colección *Para Dummies* están dirigidos a los lectores de todas las edades y niveles del conocimiento interesados en encontrar una manera profesional, directa y a la vez entretenida de aproximarse a la información que necesitan.

¡Entra a formar parte de la comunidad Dummies!

El sitio web de la colección *Para Dummies* está pensado para que tengas a mano toda la información que puedas necesitar sobre los libros publicados. Además, te permite conocer las últimas novedades antes de que se publiquen y acceder a muchos contenidos extra, por ejemplo, los audios de los libros de idiomas.

Desde nuestra página web, también puedes ponerte en contacto con nosotros para comentarnos todo lo que te apetezca, así como resolver tus dudas o consultas.

También puedes seguirnos en Facebook (www.facebook.com/paradummies), un espacio donde intercambiar impresiones con otros lectores de la colección, y en Twitter @ParaDummies, para conocer en todo momento las últimas noticias del mundo Para Dummies.

10 cosas divertidas que puedes hacer en www.paradummies.es, en nuestra página en Facebook y en Twitter @ParaDummies

1. Consultar la lista completa de libros *Para Dummies*.
2. Descubrir las novedades que vayan publicándose.
3. Ponerte en contacto con la editorial.
4. Suscribirte a la Newsletter de novedades editoriales.
5. Trabajar con los contenidos extra, como los audios de los libros de idiomas.
6. Ponerte en contacto con otros lectores para intercambiar opiniones.
7. Comprar otros libros de la colección.
8. Publicar tus propias fotos en la página de Facebook.
9. Conocer otros libros publicados por el Grupo Planeta.
10. Informarte sobre promociones, descuentos, presentaciones de libros, etc.

Presentación de Frank Lecor

El *slide*, el esquí, las motos y los deportes del automóvil marcan el ritmo de la vida de Frank. Nació en las afueras de París y su vida es como la de cualquier joven: le gusta salir, la música, las motos, los coches deportivos y sus colores.

Después de estudiar decoración de interiores, este deportista crea una empresa de organización de celebraciones e instalación de estands, diseña decorados y visita las mejores ferias y los platós de cine. Frank tuvo la suerte de que su excepcional creatividad relacionada con la decoración coincidiera con la oportunidad de conocer a algunas figuras de la televisión, lo que le ha permitido adentrarse más en ese medio tan particular, con toda su plenitud. Gracias a su capacidad de escucha, de intuición y, sobre todo, de compromiso, se dio cuenta de que su creatividad necesitaba aflorar.

Frank trabaja durante algunos años para el programa *Teva Déco* en Teva con Cendrine Dominguez, como coordinador técnico y responsable de obras. Posteriormente lo llaman de M6, el canal de televisión privado más popular de Francia, para un nuevo programa de decoración. Se ve lanzado al *prime time* en M6 con el nuevo programa *D&Co*. Hábil con las manos en todos los campos del bricolaje y la decoración, tiene una capacidad de reacción sorprendente. En el programa sabe encontrar cada día el equilibro entre sus preferencias y el gusto de los clientes. Sin forzarlos, a través de sus consejos de especialista los guía para que consigan que su vivienda refleje su personalidad.

Frank posee un magnetismo del cual no ha podido escapar el programa más prestigioso de decoración. Siempre buscando buenas ideas, va más allá y quiere basar su notoriedad en los valores de la calidad, la solidez y la durabilidad.

@ Stéphane de Bourgies

Sumario

· ·

Introducción

*B*ienvenido a *Bricolaje para Dummies*. Este manual está totalmente concebido para que puedas realizar todos los trabajos habituales de reparación, decoración y mantenimiento con alegría y buen humor. ¿Eres alérgico al olor del yeso o a la llave del 12? No te preocupes. Estoy seguro que este libro sabrá convencerte de que asomes la nariz a una caja de herramientas. Sí, hacer los trabajos tú mismo es bueno, y no solamente para tu casa y para tu cartera. Para empezar, es una actividad social, que se puede practicar sin moderación y entre amigos (sobre todo si no te dejan plantados para instalarse en Zimbabwe de un día para otro, con tal de no pasar otro domingo colocando lana de vidrio en el desván) o, para mayor seguridad, en familia. En mi caso, fueron mi abuelo y luego mi padre quienes me iniciaron en los misterios del taladro y los encantos del bricolaje. Más tarde pude volar solo gracias a aquellas bases sólidas, que me permiten acometer obras a veces titánicas en la televisión. Pero en el bricolaje, como en las motos, no es cuestión de salir a la carretera sin una preparación sólida y una buena formación. ¡Olvidémonos por ahora de las categorías superiores y empecemos con ciclomotor! Antes de cambiar completamente el aspecto de toda la casa en menos de una semana, te aconsejaría que comenzarás por elegir bien las herramientas, el material y los compañeros de bricolaje, para evitar acabar tirándoos las herramientas a la cabeza o que las obras se eternicen; porque no olvidemos que hacer bricolaje es invertir dinero y tiempo, dos cosas cada vez más escasas en el mundo actual.

Pero, cuidado, aunque tengas carros de buena voluntad y sigas al pie de la letra las consignas, las obras no se hacen sin más ni más. A veces te será útil, e incluso indispensable, tener a tu lado a un experto en bricolaje o, incluso, un profesional.

En los grandes proyectos de obras no se pueden hacer las cosas a ojo. Ten en cuenta que podrían salirte incluso más caros si hay algún estropicio. Tendrías que deshacerlo todo y volver a empezar... esta vez llamando a un profesional.

Mientras decides si hacer las cosas por ti mismo o no, y antes de transformar la casa en un campo de minas, es preferible ver en qué estado se encuentra lo que quieres cambiar de la habitación que vas a transformar, así como estudiar bien el proyecto final para no llevarte una sorpresa desagradable.

Para mí, que soy profesional, es lo más duro. A veces es difícil conjugar lo que quiere el cliente con lo que es factible y con el resultado final. Por eso, mi primer consejo es no tomarse a la ligera la primera fase de cualquier obra de bricolaje: el estudio.

Y sí, aunque te mueras de ganas de recorrer las secciones de tu tienda preferida para descubrir esa nueva herramienta que te falta, tómate un poco de tiempo para reflexionar. Luego recuerda que el bricolaje es como cualquier deporte: piensa en el surf, por ejemplo; para llegar a a ser campeón, tienes que pasar muchas horas en la arena, remando y aprendiendo a levantarte sobre la tabla antes de atreverte con las olas.

De modo que si no quieres caerte al agua demasiado a menudo, sé razonable y no dudes en llamar a un profesional para algunos trabajos que te parezca que no están a tu alcance (albañilería, aislamiento, electricidad, fontanería, decoración de interiores y reparaciones diversas...) y entonces, deja hacer, aunque los plazos te parezcan terriblemente largos.

Con un simple vistazo a este libro te darás cuenta de que no está repleto de terribles detalles técnicos ni consejos incomprensibles. Mi objetivo ha sido escribir un libro útil y entretenido a la vez, que explique, con lenguaje claro y simple, cómo emprender proyectos muy diversos y realizarlos con éxito. Esta guía práctica se dirige tanto a los principiantes que no han tenido nunca un destornillador en las manos como a los manitas más experimentados.

Para poner en práctica tu habilidad (a veces muy oculta) con el bricolaje y que el interior de tu casa sea aún más agradable y confortable, te animo a quitarle el polvo a esa caja de herramientas que duerme en el armario y a hacer tú mismo algunas reparaciones y trabajos sencillos. Te bastará con dejarte guiar por las explicaciones concisas y eficaces —pasos para seguir repletos de ilustraciones—, desenfadadas y a veces divertidas, pero nunca inútiles.

Cómo leer este libro

Puedes usar este libro de dos formas distintas:

✔ Si buscas información sobre un tema en concreto, por ejemplo cómo aislar tu casa o limpiar los desagües, consulta el índice para acceder directamente al apartado que contiene tu respuesta. (Te aseguro que volverás a tu querido sofá en un santiamén con el sentimiento del deber cumplido.)

✔ Si quieres convertirte en un gurú del bricolaje, léete todo el libro, de la primera a la última página. Tesoros de conocimiento brotarán de tus labios cada vez que la palabra *casa* aparezca en una conversación. Sabrás tanto que acabarás creando un blog de bricolaje en internet.

Este libro se articula en torno a seis partes, en las que cada capítulo trata un tema específico. Puedes consultar cualquier capítulo sin leer el anterior, de modo que no perderás el tiempo con apartados que no te sirven para tu caso. De vez en cuando encontrarás una pista para ir a otro apartado del libro en el que ampliar la información de un tema en particular.

Parte I: Salir con bien del bricolaje

Es cierto: el bricolaje cuesta dinero, tiempo y esfuerzo. Pero, en la mayoría de los casos, la mayor barrera para superar las etapas de un proyecto está en tu cabeza. Sin saber por dónde empezar, la mayoría de las personas viven en espacios poco confortables e incluso peligrosos. Los primeros capítulos de este libro te proponen algunas ideas para poner en marcha obras sencillas, consejos para identificar los trabajos que puedes abordar y los que es mejor que reserves para los especialistas, pequeños trucos para gastarte menos en reparaciones y una lista de herramientas y aparatos que todos deberíamos tener.

Parte II: Pintura y decoración

"Solamente necesita una capa de pintura". ¿Cuántas veces has oído pronunciar esa frase, que parece que va bien para todas las situaciones: una casa destartalada, la cómoda comprada en un anticuario o aquel salón con un papel pintado demasiado chillón? El problema es que suele ser más difícil dar la capa de pintura que decirlo.

¿Qué pasa con la pintura estropeada, con el papel pintado viejo o con el barniz deslucido?

¿Qué tipo de pintura hay que usar? ¿Qué tienes que hacer si quieres dar un pequeño toque personal con un friso, una moldura o algún otro elemento decorativo? ¿Por dónde se empieza a colocar un papel pintado? Preguntas como esa impiden a menudo que las buenas intenciones tomen cuerpo. Por suerte para ti, esta parte te ofrece respuestas rápidas y procedimientos sencillos por etapas para remodelar el interior y el exterior de tu casa.

Parte III: Revestimientos de suelo y carpintería

Suelos que chirrían, puertas que se encallan y ventanas rotas son una lata para cualquiera. Pero no tienes por qué vivir con estas molestias. Solucionarlas es un juego de niños.

Los capítulos de esta parte te ayudarán a mantener en buen estado las puertas del garaje, instalar un suelo nuevo, arreglar suelos o escalones que chirrían, cambiar cristales rotos, instalar persianas y muchas cosas más.

Parte IV: Fontanería y electricidad

Las reparaciones de fontanería y electricidad cuestan una fortuna. La mala noticia es que podrías haberte encargado tú mismo de la mayoría de esas reparaciones; solo necesitas saber cómo hacerlo. La buena noticia es que esta parte contiene toda la información necesaria para que domines los electrodomésticos, las tuberías y los cables eléctricos.

Parte V: Reformas interiores y exteriores

Esta parte es el cajón de sastre de las obras de acondicionamiento y reparación del interior y el exterior de tu pequeño paraíso. Si hablamos del interior, aprenderás a instalar estanterías, a arreglar una grieta en la pared, a colocar y cambiar azulejos, y a aislar la casa. En cuanto al exterior, descubrirás cómo limpiar y arreglar los desagües, dejar en buen estado la fachada, tapar grietas, arreglar escapes y limpiar a alta presión la fachada y la terraza.

Parte VI: Los decálogos

Ningún libro de la colección "... para Dummies" estaría completo sin esta última parte al estilo Mac Gyver: un popurrí de trucos y astucias que te facilitarán la vida en cualquier terreno. Léela si quieres saber cómo proteger tu casa contra los intrusos y a los pequeños contra los peligros domésticos, ahorrar, elegir el mejor contratista para una obra, evitar caer en los errores más habituales, hacer tu casa más acogedora, y muchas cosas más.

¡Sigue la guía!

Para guiarte a lo largo de este libro hemos utilizado los famosos y no menos simpáticos iconos... para *dummies*:

Busca este icono si quieres encontrar trucos que te ayuden a ahorrar energía, tiempo y dinero.

Este icono indica que es un truco que jamás debes olvidar en cualquier campo del bricolaje.

No quiero asustarte, pero algunas obras que se tratan en este libro pueden ser peligrosas, incluso mortales, si no se llevan a cabo correctamente. Este icono te avisa de un peligro potencial y te explica cómo evitarlo. Lo utilizo tanto para identificar consejos de seguridad como para invitarte a tomar todas las precauciones necesarias para que tu casa no se convierta en terreno minado, sobre todo para los más pequeños.

Algunos errores son tan corrientes que se ven a venir a kilómetros. Este icono te avisa de que estás jugando con fuego. ¿Para qué aprender de los propios errores si puedes hacerlo de los errores de los demás?

Algunos productos del mercado dan un resultado tan fantástico que hemos querido compartirlos contigo. Este icono identifica productos y técnicas para ayudarte a alcanzar tu objetivo más fácilmente y con más rapidez.

Algunas personas se sumergen en el mundo del bricolaje para distraerse, otras para dar salida a su imaginación, otras para aumentar el valor de su vivienda y otras lo hacen... por las herramientas. Si te obsesionan las herramientas y los chismes que agujerean, taladran, atornillan, lijan y matan de envida a tu vecino, y de paso te facilitan el trabajo, no pierdas de vista este icono.

Aunque mucha gente se conforma con que la cisterna funcione, hay quien no será feliz hasta que sepa cómo funciona. Este libro no te bombardea con datos técnicos, pero si quieres saber más te quedarás a gusto con las informaciones más profesionales identificadas con este icono.

Dales a dos personas unas cuantas herramientas y una reparación por hacer y obtendrás historias increíbles. Este icono recoge algunas anécdotas realmente impagables.

Te toca a ti

Tanto da si empiezas por el índice o por el capítulo 10, o incluso por el principio (¡qué idea tan innovadora!), lo importante es que te decidas. Ahora te toca a ti. Un pequeño paraíso te espera a la vuelta de la página...

Parte I
Salir con bien del bricolaje

—Cariño, ¿los tiradores de cerveza iban en el cuarto de baño?

En esta parte...

¿**P**or dónde empezar? ¿Qué herramientas, materiales y conocimientos necesitas? ¿Puedes arreglártelas solo? En estos primeros capítulos verás cómo ponerte en marcha para tener éxito con las reformas de interior y de exterior.

La tarea de reunir las herramientas necesarias y los materiales adecuados para funciones concretas no tiene por qué ser una odisea. Tampoco hace falta que te lleves la brújula a la tienda de bricolaje, aunque, vistas las dimensiones de algunos centros comerciales de hoy, igual te conviene ir con vituallas.

Si quieres una estimación del tiempo y del coste necesario para una tarea concreta o añadir algunas reformas sencillas de acondicionamiento a tu lista de cosas que hacer, en esta parte encontrarás todos los datos necesarios.

Capítulo 1

La habitación más grande de la casa

¿**C**uál es la habitación más grande de tu casa? ¿El comedor? ¿El salón? Piénsalo bien: si eres como la mayoría de la gente, la habitación más grande es la que tienes que reformar.

La casa perfecta no existe. Incluso si en la tuya no chirría el suelo, ni hay puertas que se encallen, grifos que goteen ni tuberías atascadas, una capa de pintura rejuvenecerá el salón. Y para los que tienen papel pintado en las habitaciones, aunque el color naranja de la década de 1970 vuelva a estar de moda, es hora de cambiarlo por algo más actual.

Las ventajas de las obras de acondicionamiento

Hay pequeños trabajos que mejoran el estado de tu casa y son más sencillos de lo que imaginas; y, créeme, cuando el metro cuadrado va casi a precio de oro, pasar un sábado por la tarde arreglando tu casa o tu apartamento puede cambiarte la vida. Un altillo en el cuarto de los niños, una cocina bien acondicionada o un garaje transformado son el resultado de reformas que pueden permitirte aplazar una mudanza. Transforma los espacios perdidos en armarios empotrados o instala estanterías debajo de los lavabos; no te llevará muchas horas pero te permitirá despedirte de un armario y dar la bienvenida a un salón más amplio. Sí, se calcula que el 20 por ciento de la superficie de nuestras casas sirve para guardar cosas. De modo que vale más que saques provecho de los rincones muertos en vez de sobrecargar las habitaciones con muebles voluminosos.

Los profesionales del sector solamente invertirían dinero en lo que se ve en una casa o un apartamento: una capa de pintura en todas las habitaciones, moqueta nueva, sanitarios más modernos y, por qué no, tapar ese agujero de la pared. Cuando se hacen reformas para uno mismo está bien ocuparse de lo que se ve, de la decoración, pero también de lo que no se ve.

Si tienes alma de constructor, antes de emprender obras faraónicas ponte en contacto con un agente inmobiliario. Te hará una valoración gratuita de tu casa y de las obras de mejora que puede necesitar. Esos datos te servirán para estimar cuánto se revalorizará al instalar un suelo nuevo o reformar la cocina. Sin embargo, tu decisión definitiva no debería depender de esos cálculos. Sin duda es importante pensar en el rendimiento de un proyecto inmobiliario, pero vivir en una casa en la que estés a gusto y en la que toda la familia se sienta bien, no tiene precio.

Las tareas de bricolaje y mantenimiento son lo que suele dar más valor a tu casa, ya que la convierten en un lugar más seguro y probablemente te ayuden a consumir menos energía.

Todos soñamos con una casa que respete más el medio ambiente, pero, aunque existan ayudas o créditos para facilitar la instalación de materiales que consuman menos energía o reciclables, la casa verde no está al alcance de todos los bolsillos. De todos modos, algunas pequeñas reformas pueden ayudarnos a ahorrar. Instalar bombillas de bajo consumo, dedicar una tarde a poner silicona en las juntas de la puerta de entrada o en las ventanas, o transformar a tus amigos en cazafantasmas y aislar el tejado con lana de vidrio (no olvides las mascarillas además de los guantes y el mono, porque pica un montón) son trabajillos que te ayudarán a ahorrar de verdad. ¿Y por qué no optar por un termostato centralizado, otra inversión útil para ahorrar energía (se habla de ello en el capítulo 14)? Con un sistema de control así saldrás ganando en cuanto el termómetro baje. Si bien no será fácil que un invitado se quede boquiabierto ante la belleza de ese aparato, tú lo apreciarás en cuanto llegue la primera factura.

Levantarse del sofá y hacer un poco de bricolaje durante el fin de semana también te ayuda a actuar antes de que los pequeños o grandes desastres se transformen rápidamente en catástrofes ruinosas... Con un mínimo de mantenimiento, conservar una casa en buen estado durante mucho tiempo es fácil y poco costoso.

Cuando hayas aprendido a cambiar el filtro de la caldera o a limpiar los desagües, esos trabajillos se convertirán en tareas periódicas que te evitarán preocupaciones mayores a largo plazo. Y lo mismo con las juntas de la ducha o de la bañera.

Convertirte en tu propio reparador conlleva otras ventajas apreciables: para un propietario con poca o ninguna experiencia en el terreno del mantenimiento y de las reparaciones domésticas, aprender a realizar pequeños trabajos de acondicionamiento proporciona una gran satisfacción. Cuando pintas el salón o arreglas una cisterna te sale un "¡Lo he hecho yo!" lleno de orgullo; para el ego, no hay nada mejor. Con un martillo en la mano derecha y un taladro en la izquierda, eres el dueño del mundo y, de paso, de tu casa.

Aunque ahora, leyendo estas líneas apalancado en el sofá te cueste creerme, te prometo que la confianza en ti mismo aumentará con cada pequeño logro. Cuando hayas aprendido a cambiar ese cristal roto porque alguien ha chutado mal una pelota, estarás preparado la próxima vez que suceda. ¡Créeme! O, si puedes, pon cristal de seguridad, pero, aun así, cuidado. El grosor de un cristal de seguridad es mucho más importante que un simple cristal de 1-5 mm. Pero no te preocupes. Estoy aquí para enseñarte a instalarlo.

¡Sí, tú puedes!

La intimidación es una técnica que puede servir ante un semáforo en rojo con una moto de las grandes, pero en casa no es cuestión de dejarse impresionar. Es cierto que algunas reformas pueden resultar intimidatorias; te aconsejo que las evites y empieces tu carrera de manitas por pequeñas tareas. Antes de ponerte a mover un tabique, empieza tapando los agujeros de los clavos. Antes de embarcarte a decapar y barnizar todo el comedor, empieza haciendo pruebas en un rincón escondido de la mesa de centro, por ejemplo. ¿Pillas la idea? Quizá sea tentador creerse de buen principio el rey de la caladora y comprendo que a veces cuesta reprimir el entusiasmo. Pero antes de sumergirte en el océano, quizá sea mejor chapotear un rato en la orilla. Cuando ya puedas lanzarte de cabeza, nada te impedirá convertirte en un manitas de pies a cabeza.

Antes muchos trabajos requerían fuerza, aunque fuera simplemente para levantar las herramientas o transportar los materiales, pero los tiempos han cambiado. Las herramientas son cada vez más ligeras y compactas, por lo que las dos cualidades necesarias antaño para terminar con éxito un proyecto han sido sustituidas por dos nuevos componentes: energía y entusiasmo. Los materiales de construcción se presentan hoy en piezas para facilitar su transporte. Puedes cargar en el coche familiar un armario grande totalmente desmontado, y después montarlo e instalarlo sin problemas. Sin contar con que la entrega de materiales a domicilio nunca había sido tan sencilla y, a menudo, es gratuita. ¡Piénsalo! Puedes ahorrarte un ataque de lumbago o una escena de película cómica.

Además, los productos modernos están pensados y comercializados para quienes desean llevar a cabo sus propios trabajos. Las mismas herramientas de uso profesional se comercializan hoy para particulares. Los artilugios para quitar papel pintado, aislar una ventana y otras herramientas específicas que antes se distribuían únicamente a los profesionales, se encuentran hoy en los centros de bricolaje y en almacenes de materiales de todo el país. Además, como más del 60 por ciento de los aficionados al bricolaje son mujeres, los fabricantes piensan en ellas y diseñan herramientas y productos a su medida.

Todos queremos sentirnos a gusto en casa. Por eso muchas revistas de bricolaje organizan talleres y cursos para enseñar cómo llevar a cabo una gran variedad de proyectos. Esas demostraciones son una oportunidad ideal para observar las distintas etapas de una tarea, ver qué herramientas se necesitan y hacer preguntas a un profesional. Las mismas marcas de bricolaje elaboran fichas técnicas lúdicas y variadas sobre trabajos de renovación o reforma de la vivienda. Se encuentran casi siempre a la entrada de las tiendas. Búscalas y léelas antes de ir de compras. No vale la pena arrasar con el almacén y derretir la tarjeta de crédito.

Piensa también en internet. Aunque todavía no es posible usar el ordenador como nivel para indicarte si un estante está recto, es ideal para investigar a fondo. Hay muchas páginas especializadas en bricolaje. Así que, ¡manos al teclado!

Empieza con buen pie

Este libro cubre un amplio abanico de trabajos de bricolaje. Si consultas el índice verás que los apartados principales son la pintura y la decoración; la carpintería; la fontanería y la electricidad; y los trabajos de renovación del interior y el exterior. No es poca cosa. Te sugiero que empieces despacito si estás dando tus primeros pasos en el mundo del bricolaje. Empieza por lo más pequeño: concéntrate en algo sencillo, como arreglar un escape o ajustar una ventana y ya habrás dado el primer paso.

Antes de empezar una reparación que vayas a acabar el mismo día, analiza qué materiales y herramientas vas a necesitar. Eso te evitará mayores problemas; es decir, si te falta una herramienta y el vecino con quien contabas no está, si no tienes junta de estanqueidad para arreglar un escape de agua, si tu mujer se ha llevado el coche y es domingo y todo está cerrado... Seguro que ves claro lo que quiero decir: fíjate bien. Una reparación pequeña que no se puede terminar durante el día puede hacerte perder los nervios y dejar a toda la familia sin agua durante varios días; todo por una maldita junta. Con organización y previsión todo va mejor.

Hagas lo que hagas, no emprendas más de un proyecto a la vez si no quieres convertir tu casa en un almacén de bricolaje. Hasta que te hayas ganado la primera estrella como manitas no podrás abordar varios proyectos a la vez. ¡Cuántas casas con obras a medias ilustran este error de principiante!

A veces, el tiempo y las estaciones pueden ayudarte a decidir cuál es el mejor momento para emprender alguna reparación o reforma. Programa tus trabajos en función del tiempo y de las estaciones para reunir todas las condiciones que ayuden a que se desarrollen lo mejor posible. El invierno, por ejemplo, es una buena estación para la decoración. Cuando llega la primavera, irá bien aislar el desván antes de que el calor resulte insoportable allá arriba y que las facturas de calefacción aumenten en invierno. Reparar y pintar las fachadas son tareas ideales para los primeros días de verano, cuando llueve poco y el calor no aprieta. Y, para terminar, el otoño es el mejor momento para arreglar la caldera y aislarlo todo antes de que llegue el invierno.

Capítulo 2

Algunos consejos prácticos

. . . .

. . . .

Al hacer un trabajo de bricolaje tú mismo puedes ahorrarte entre el 20 y el 100 por ciento del precio. Además, experimentarás ese sentimiento de orgullo y de éxito tan preciado que acompaña al trabajo bien hecho.

Dicho esto, recuerda que vivimos en una época en la que el tiempo y la energía se han convertido en recursos muy apreciados, y que algunos proyectos requieren habilidades y herramientas que la mayoría de la gente no tiene en casa. Pueden ayudarte las empresas de alquiler de material, especialmente para las herramientas de usos muy concretos (pulir el parqué, cortar material, despegar papel pintado, decapar, etc.). No obstante, no te recomiendo que te metas en esas labores complejas. Al contrario, hay muchos más trabajos, como decapar un mueble o quitar el papel pintado, que son menos exigentes en cuanto a material y a destreza. Si empiezas por pequeñas reparaciones, quizá menos espectaculares, como arreglar un cristal roto o una bisagra un poco floja, rápidamente ganarás en conocimientos y en confianza en ti mismo. Estas pequeñas reformas te permitirán vivir en una vivienda mejor acondicionada y más confortable, y a nadie le pasará desapercibida esa comodidad. Instala un ventilador en el techo y tus amigos y familiares sentirán la suave brisa refrescante; repinta el garaje y solamente lo verás tú. La idea consiste en elegir proyectos de reforma con resultados visibles y que, al mismo tiempo, pongan los cimientos de tu habilidad y tu confianza.

¿Cómo vas a conocer tus límites? Esta es la pregunta del millón. Sé que no hay nada que un manitas no pueda hacer, pero ese no es el problema. Cuando se trata de proyectos complejos, como reparar el aislamiento de una casa o añadir una habitación suplementaria, hay que pensar en otros factores. A medida que ganes experiencia irás desarrollando un sexto sentido que te permitirá valorar tus límites y tu situación. De eso trata este capítulo.

Factores que debes valorar

Antes de pensar en emprender un proyecto, tienes que valorar tres facto-res: el tiempo, el presupuesto y tu habilidad. Si tienes mucho tiempo libre, puedes embarcarte casi en todo tipo de proyectos, con un mínimo de herramientas de base y desarrollando tus conocimientos mientras traba-jas. Si tienes mucho dinero, puedes permitirte todas las herramientas y ar-tilugios que ponen el bricolaje al alcance de cualquiera o llamar a un pro-fesional para que se encargue de todo el trabajo en tu lugar. Y, si eres un as del bricolaje, podrás hacer rápidamente y con menos gastos todos los trabajos que quieras sin ninguna ayuda.

La mayoría de nosotros, simples mortales, necesitamos encontrar un equilibrio entre esos tres factores (presupuesto, plazos y habilidad, sin olvidar un buen cálculo de la envergadura de la intervención), antes de decidir si puedes hacerlo tú solo o tienes que llamar a un profesional.

Presupuesto

Para empezar, valora el coste de los materiales, ya que si son caros, te arriesgas mucho al intentar hacer la obra tú mismo. Si, por ejemplo, po-nes una preciosa moqueta a 30 € el metro cuadrado y te equivocas al cortar, tendrás que sustituir el material estropeado y a lo mejor acabarás llamando a un profesional para que acabe el trabajo. No habrás ahorrado nada y, además, habrás perdido un tiempo precioso.

Para evitar ese tipo de problemas, ten en cuenta que hay herramientas de corte adaptadas para revestimientos de suelo.

Si tienes un proyecto en mente y quieres tener una valoración aproximada de la mano de obra necesaria, ponte en contacto con un almacén de brico-laje y pregunta si disponen de servicio de instalación, que ofrecen mu-chos distribuidores. Esos almacenes suelen indicar dos precios: instalado y sin instalar; la diferencia entre las dos cifras corresponde al coste de la mano de obra.

Analiza bien el presupuesto final, con todas las partidas e impuestos antes de tomar una decisión. Esa cifra será un buen punto de partida para eva-luar objetivamente el coste de un proyecto. Pero no olvides el otro térmi-no de la ecuación: el precio de las herramientas que vas a necesitar. Pien-sa en las herramientas como en una inversión a largo plazo: si te gusta el bricolaje, con un poco de suerte ya habrás ido arrasando las estanterías de los almacenes y tendrás ya todas las herramientas de base, además de miles de puntos en tu tarjeta de fidelidad para seguir comprando los que te faltan.

No todo el mundo tiene la posibilidad ni las ganas de gastarse medio sueldo en Leroy Merlin, Bauhaus, Aki o Brico Depôt. Así que si un proyecto requiere una herramienta muy cara que quizá no vuelvas a necesitar en toda tu vida, quizá sea preferible que la alquiles o la pidas prestada a un amigo.

Desde hace unos años internet se ha convertido en el aliado ideal de los manitas. Hay muchas webs que proponen intercambios de material o incluso la posibilidad de revender excedentes. Puedes hacer buenos negocios si tienes un poco de tiempo y te sobra espacio para almacenar tus compras.

Aunque la mayoría de las herramientas se alquilan a precios muy asequibles, hay personas que siempre encuentran una excusa para comprarse su propio equipo. ¿Y por qué no deberían hacerlo? Ellas mismas podrían responder que su deber de ciudadanos consiste en alimentar el mercado del bricolaje para que contribuya decididamente al crecimiento de la economía nacional. El capítulo 3 presenta mis herramientas y hallazgos preferidos.

Plazos

En los últimos años, la decoración de interiores y los programas dedicados a este tema han invadido la pequeña pantalla. Pinturas más vistosas, adhesivos a tutiplén, espacios rediseñados... estos programas dan miles de ideas a los telespectadores, pero también pueden transmitir la falsa impresión de que todo puede hacerse con un simple chasquido de dedos o, por hablar como en la tele, en un *antes y después*. En la vida real, hay que dejar secar la masilla antes de lijar y pintar. En la vida real, a menos que tengas a tu disposición una cuadrilla de ebanistas, transformar un quiosco en un chalet suizo repleto de artesonado no es cosa de una tarde. El bricolaje se parece más a una carrera de fondo que a un esprín.

Las grandes superficies dedicadas al bricolaje también se han apuntado a la moda de la popularización de la decoración de interior, se han transformado y ahora puedes considerarlas tus aliados en la batalla de las reformas. Por ejemplo, además de una estimación ajustada del coste de los materiales y del tiempo necesario, puedes contar con sus herramientas y sus consejos.

El tiempo es un factor que hay que tener muy presente si decides hacer cambios o reformas por tu cuenta. Tanto da si eres principiante o ya tienes experiencia, cualquier trabajo en casa lleva tiempo; a veces, mucho tiempo. Los manitas de experiencia probada (o en ciernes) saben que calcular el tiempo necesario para llevar a cabo una tarea no es una ciencia exacta. Si eres nuevo en el mundo del bricolaje, apréndete bien esta fórmula mágica para calcular el tiempo de trabajo: escribe las etapas necesarias (como las imaginas), no olvides el tiempo para las compras, el trabajo y la limpieza. Conviértelo en número de horas y... multiplícalo por tres. Es probable que el resultado obtenido se aproxime mucho a la realidad. A medida que vayas acabando proyectos te darás cuenta de la importancia de evaluar con precisión el tiempo que necesitas.

Muchos principiantes cometen el error de subestimar el factor tiempo y se encuentran atados por tener que acabar un trabajo en un plazo demasiado corto, como repintar el comedor antes de Navidad o acabar la terraza antes del verano. Son buenas iniciativas pero requieren mucho más tiempo del que se había previsto al empezar. Tus primeros trabajos necesitarán mucho más tiempo que el previsto, aunque simplemente sea por las idas y venidas a la ferretería para comprar el tornillo o el perno sin el cual no puedes avanzar. Marcarte unos plazos rígidos no hace más que aumentar el estrés.

Habilidad

Vamos a tocar ahora un tema más delicado: reconocer tu grado de competencia. Algunos nacen más manitas que otros. Es un don natural, como tener los ojos azules o ser pelirrojo. Hay personas que tienen un sentido práctico muy desarrollado: colocar papel pintado o arreglar un escape resultará algo natural para ellas. Otras van más justas por ese lado, por lo que las tareas más sencillas les parecerán tan inimaginables como construir el Taj Mahal en un fin de semana.

Recuerda cuando el profesor de educación física compartía generosamente su sabiduría con estas palabras: "Quizá tengas dotes para el deporte, pero se necesita mucho más que eso para ser un atleta profesional". Bien, ahora la suerte se ha puesto de tu lado: quizá no hayas nacido con un martillo en la mano, pero podrás progresar rápidamente y adquirir una cierta habilidad que te permitirá realizar trabajos increíbles. Incluso puedes convertirte en un manitas sin necesidad de levantar pesas ni de correr por las mañanas para mantenerte en forma. ¡Al contrario! Serás como el buen vino: mejorarás con la edad.

Envergadura de la intervención

Aunque no seas un manitas ni tengas ninguna intención de serlo, puedes intervenir en algunos proyectos y ahorrar dinero haciendo pequeños arreglos, como rascar la pintura, quitar el viejo papel pintado o un suelo antiguo, y muchas más pequeñas tareas que exigen más tiempo y entusiasmo que talento.

Resumiendo, si eres novato elige proyectos que no superen los límites de tus habilidades y que no requieran materiales ni herramientas caros. Evita limitarte con plazos muy cortos y esfuérzate: ¡cada gota de sudor y cada minuto dedicados a una tarea son un euro ganado!

Cuándo y cómo llamar a un profesional

Si el proyecto solamente requiere una pequeña intervención, como cambiar una puerta o arreglar un lavaplatos estropeado, el método es bastante sencillo. Pide dos o tres presupuestos y compáralos. Asegúrate bien de especificar todo el trabajo y la calidad de los materiales que deseas. Recuerda: solamente puedes comparar lo que es comparable.

Este método es más difícil de aplicar cuando el proyecto es más complejo, como reformar un cuarto de baño en el que hay que tirar un tabique, modernizar las instalaciones y cambiar el suelo. Son tantas tareas que pueden aparecer sorpresas, costes ocultos o complicaciones inesperadas. Ni siquiera los profesionales pueden evaluar un trabajo sin saber qué se van a encontrar detrás de una pared o debajo de un suelo embaldosado. Una buena valoración solo puede basarse en informaciones completas y precisas.

Encontrar un buen contratista

Dedica algo de tiempo a ponerte en contacto con varios contratistas antes de elegir. Empieza por el barrio y ve ampliando tu campo de investigación en función de las referencias que te den tus amistades y conocidos. La mayoría de los contratistas figuran en las páginas amarillas y muchos tienen página web, pero buena parte de los nuevos clientes llegan más gracias a la buena reputación.

Fíjate en las camionetas de profesionales que circulan por tu barrio. No es mala idea ponerse en contacto con las que veas más a menudo. Llama a la puerta de algún vecino (¡no seas tímido!) y explícale que estás buscando a un contratista. Pídele que te cuente su experiencia. ¿Está satisfecho del contratista que trabaja para él? La gente suele extenderse al hacer críticas o comentarios, tanto si son negativos como si son positivos. Para encontrar un contratista competente es el mejor método que conozco: directo, inmediato y obtendrás toda la información que te interesa de una fuente fiable, un propietario como tú.

Tanto da que vivas en un apartamento o en una casa adosada, un chalet, una casa de campo o una vieja granja reformada; lo que quieres es encontrar un contratista acostumbrado a trabajar en casas como la tuya. Por las mismas razones que no vas a ver al proctólogo por un problema de oído, no llamarás a cualquier carpintero para un trabajo delicado de ebanistería. Sí, el carpintero sabrá hacer el trabajo, pero obtendrás mejores resultados si llamas a alguien con las cualidades y la experiencia necesarias para este tipo de trabajo.

Antes de hablar con un contratista tienes que saber exactamente lo que quieres. No, no hace falta que tengas el número de serie del grifo nuevo, pero en cambio deberías tener una idea del tipo y del estilo del material que deseas. Un contratista no puede valorar un trabajo sin saber qué es lo que esperas que instale, reforme o construya. Por otra parte, para comparar las valoraciones de distintas empresas, tienes que asegurarte de que se basan en las mismas especificaciones.

Algunas personas recomiendan pedir un presupuesto a tres empresas distintas para elegir el del medio. Es más fácil de decir que de hacer. Si has pensado detenidamente en tu proyecto y estás satisfecho con el enfoque del primer contratista con el que has hablado, ¿por qué no firmar con él en vez de perder un tiempo precioso seleccionando dos más? En este terreno más que en cualquier otro tienes que recurrir a tu buen juicio. Si parece que el contratista con el que te has puesto en contacto te conviene desde todos los puntos de vista pero tiene la agenda sobrecargada en las próximas semanas, ten paciencia y espera a que esté disponible. No te decidas nunca por una u otra persona en función de su disponibilidad. Al fin y al cabo, no harás una reforma o una construcción así más que una vez en tu vida... bueno, eso si el trabajo se hace bien a la primera.

Más vale prevenir

Cuando ya hayas dado con el contratista perfecto para el trabajo que quieres acometer, puedes empezar a negociar. En ese momento es esencial ponerlo todo por escrito:

- ✔ **Responsabilidad.** Pídele los seguros que tiene contratados y comprueba que el contratista ofrece todas las garantías necesarias. Esta precaución es muy importante, ya que podrías ser considerado responsable de los accidentes que puedan sobrevenir durante las obras. Verifica también con tu agente de seguros si puedes beneficiarte de una cobertura suplementaria durante un proyecto mayor de construcción o de rehabilitación.

- ✔ **Contrato.** Un contrato completo tiene una descripción detallada del proyecto con la lista de materiales y productos específicos que se van a utilizar y las superficies exactas de los lugares de intervención. Si es una intervención que implique varias etapas de realización, habrá que incluir un calendario de pagos con el importe correspondiente. También hay que prever el procedimiento en caso de que pueda surgir un litigio entre ambas partes, así como las disposiciones en caso de modificaciones en el desarrollo de los trabajos o de los materiales utilizados.

✔ **Limpieza y residuos.** Si los trabajos implican cascotes, escombros u otros residuos que hay que gestionar, asegúrate de que el contrato incluye una cláusula que especifica que el contratista tiene la responsabilidad de dejar el lugar de trabajo totalmente limpio.

✔ **Rescisión.** La mayoría de los contratos tienen una cláusula de rescisión que deja tres días de reflexión para retractarse.

✔ **Garantía.** Si el contratista ofrece una garantía, comprueba que las provisiones incluyen el nombre y la dirección de la persona o de la empresa que proporciona la garantía, así como la duración de validez. Lee atentamente el documento para asegurarte de que está redactado con claridad y que comprendes todos su términos y condiciones. Una garantía completa incluye la reparación o la sustitución del producto o incluso el reembolso de tu dinero en un plazo determinado. Si la garantía es limitada, asegúrate de que conoces sus límites.

✔ **Permisos.** Para ampliar o modificar una propiedad, instalar una calefacción o incluso instalar una ventana, a menudo hay que solicitar un permiso al Ayuntamiento. Este trámite debe hacerlo el propietario, ayudado si es necesario por el arquitecto o el contratista. Según el tipo de permiso, puede tardar y requerir un informe técnico. Además, en el transcurso de la construcción, puedes tener inspecciones de las obras para verificar que se respetan los planes. Estas inspecciones garantizan que el trabajo esté bien hecho o, por lo menos, que se ajuste al reglamento.

Capítulo 3

El equipo del perfecto manitas

*E*s imposible hacer magia sin una varita mágica y es igualmente incon-cebible pensar en llevar a buen puerto las reformas en una casa sin las herramientas adecuadas.

Algunos manitas encuentran siempre las mejores razones del mundo para ampliar su colección de herramientas: nunca tienen las suficientes; sin embargo, otros solo se equiparán con lo estrictamente necesario para una tarea. Los dos puntos de vista pueden defenderse por igual, pero opines lo que opines sobre el tema, es imprescindible contar con un equipo de base.

En este capítulo te presentaré la caja de herramientas ideal para empezar bien, además de algunas herramientas y accesorios que harán las delicias de los manitas.

Para trabajar bien es indispensable tener un espacio de trabajo. No te acon-sejo que trabajes al aire libre en una caseta de jardín. ¡Imagina que los ca-cos te hacen una visita! Tu cabaña se convertirá en el baúl de los tesoros para los ladrones. Además de que les habrás proporcionado todas las he-rramientas necesarias para forzar las puertas o romper los cristales, debes saber que tu seguro no se hará cargo del siniestro. Si pones al alcance de los maleantes las herramientas que necesitan para actuar, puedes conside-rarte su cómplice. A no ser que el jardín esté cerrado y puedas demostrar que lo han forzado, guarda las herramientas dentro de casa.

No necesitas un taller o un espacio de almacenaje muy sofisticado. Un rincón luminoso y con toma de corriente será perfecto. Si tienes poco espacio, consigue una mesa plegable que puedas guardar en un rincón después de usarla.

El material básico

Todas las herramientas que se presentan en esta sección se encuentran en las tiendas de bricolaje, en las ferreterías o en las grandes superficies. No intentes comprarlo todo a la vez; es mejor que vayas comprando según tus necesidades y que prefieras siempre la calidad a la cantidad.

La primera expedición a un centro de bricolaje quizá sea una experiencia desconcertante. No te dejes impresionar por ese increíble despliegue de herramientas que llenan las estanterías y no dudes en pedir ayuda a un dependiente y explicarle, si es necesario, que eres novato en el mundo del bricolaje. Un buen vendedor sabrá ayudarte a tomar una decisión explicándote que el abanico de precios refleja la calidad, las funciones y la composición de cada herramienta.

Aquí va la lista del material básico antes de aventurarte en el mundo del bricolaje:

✔ **Taladro de velocidad variable con inversor.** Esta herramienta, eléctrica o inalámbrica, utiliza accesorios (brocas, cinceles, lijadoras, etc.) para atornillar, desatornillar, hacer agujeros, decapar. Pronto se revelará como una herramienta indispensable para un sinfín de trabajos domésticos (observa la figura 3-1). Al comprarlo, no dudes en pedirle al vendedor que te enseñe, por lo menos, dos gamas de herramientas de calidad. Los fabricantes ofrecen modelos dirigidos a aprendices, semiprofesionales y profesionales.

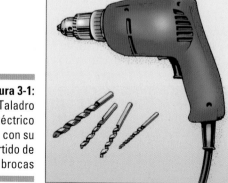

Figura 3-1:
Taladro
eléctrico
con su
surtido de
brocas

Figura 3-2: Las herramientas de la gama profesional son más caras

El precio de las herramientas de la gama profesional (como las de la figura 3-2) es más elevado, ya que no utilizan los mismos materiales. Un profesional busca resultados a largo plazo, resistencia y ventilación del motor para trabajos intensivos y regulares.

Las herramientas de la gama destinada al gran público son más ligeras ya que los materiales son menos costosos. Pero si no estás pensando en reformar tu casa de arriba abajo, te servirán sin problemas para un uso esporádico.

Las dos gamas de una misma marca se distinguen por el color. Así que para elegir bien, abre los ojos.

✔ **Linterna frontal.** Lleva una cinta elástica para aguantarla en la cabeza, te permitirá trabajar con las manos libres incluso en los rincones más oscuros.

✔ **Cinta métrica.** De 3 m con bobina, no ocupará espacio ni en tu caja de herramientas ni en tu bolsillo.

✔ **Martillo.** Te recomiendo un martillo mediano (200-300 g) de carpintero, llamado también martillo remachador, con mango de fibra de vidrio para amortiguar los golpes. Piensa también en un martillo de doble uso, que por un lado puede servir para arrancar clavos. Menos práctico pero más polivalente.

✔ **Sargento.** Herramienta con mordazas que puede usarse para ejercer presión que una o que separe. Es una muy práctica y sirve casi como una tercera mano.

✔ **Sierra.** Para madera es ideal un serrucho dentado, ya que permite cortes precisos.

Para metales, elige una sierra con láminas intercambiables.

✔ **Destornilladores surtidos.** Asegúrate de que tienes destornilladores de los dos tipos (planos y de estrella) y en varios tamaños (por lo menos tres o cuatro de cada tipo). Los primeros tienen la punta plana; los segundos tienen cuatro puntos de contacto en forma de estrella. También puede resultarte útil un destornillador eléctrico; para evitar la electrocución, la parte que atornilla está protegida por una funda de plástico

✔ **Cúter.** Elige un cúter compacto con cuchillas retráctiles lo suficientemente sólidas para abrir cajas de cartón y lo bastante precisas para cortar papel pintado, pelar cables eléctricos, etc. Opta por uno con láminas retráctiles e intercambiables. ¡Lo agradecerás el día que tropieces y lleves el cúter en el bolsillo!

✔ **Llave inglesa.** Permite apretar y aflojar todas las tuercas.

✔ **Grapadora de pistola** (neumática o no). Para todo tipo de fijaciones (aislamientos, zócalos, regletas, etc.).

Figura 3-3:
El marcador permite obtener una línea recta

Figura 3-4:
Nivel
clásico de
burbuja

✔ **Nivel de burbuja.** Una herramienta de base plana con una serie de espacios huecos (uno vertical, otro horizontal y a veces uno a 45°) rellenos de un líquido que contiene una burbuja de aire. Se trata de hacer corresponder la burbuja con la señal marcada en el tubo de cristal para obtener una línea recta vertical, horizontal u oblicua, como se aprecia en las figura 3-3 y 3-4.

✔ **Limas de metal.** Estas herramientas, ilustradas en la figura 3-5, se componen de una montura metálica con relieves en forma de dientes finos y un mango. Pueden tener distintos perfiles (semirrondea-das, planas, planas y redondas llamadas de cola de ratón, etc.) para que se adapten al máximo al uso que se les quiere dar.

✔ **Limas de madera.** Son idénticas a las de metal, pero tienen los dientes más marcados.

✔ **Llaves allen.** Estas barras metálicas en forme de «L», que suelen venderse en conjuntos como el de la figura 3-6, sirven para los tornillos con cabeza hexagonal. Es una herramienta indispensable para para montar los muebles que se venden como un kit completo.

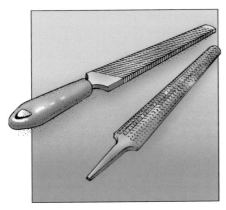

Figura 3-5:
Las limas
de metal
son muy
útiles (y no
solo para
limar los
barrotes
de una
cárcel)

Artilugios y accesorios

Para ser un buen manitas no basta con las herramientas. También tendrás que hacerte con algunos artilugios y accesorios que te facilitarán la vida y te convertirán en un manitas más organizado y eficaz:

✔ **Cuaderno de notas.** Lleva una libreta en el coche o en la bolsa con todo lo que necesitas en cuanto a herramientas y otros materiales de bricolaje, y sácala cuando vayas a comprar. ¿Tienes que comprar una bombilla esférica, de vela o con reflector? Apunta la referencia y la potencia en la libreta. ¿Necesitas un grifo termostático nuevo? Apunta el número de modelo.

Apunta en el cuaderno todas las referencias de las herramientas eléctricas que necesitan complementos específicos (pulidora, caladora, sierra eléctrica, taladro). Te simplificará la vida cuando dejes de encontrarlos en el estante de siempre. Gracias a la referencia de la máquina, podrás encontrar más fácilmente accesorios adaptados.

✔ Apunta también las referencias exactas de los colores de la pintura de tu casa, del papel pintado y un montón de detalles igualmente importantes (como la fecha de tu aniversario de boda) en ese cuaderno. Te lo aseguro, ¡te salvará la vida!

✔ **Caja de herramientas.** Guarda las herramientas que utilizas más a menudo en una caja plegable. No olvides añadir un poco de cordel, unas tijeras y todos los accesorios que sueles usar (cinta adhesiva, lápiz, goma, etc.). Muchas reparaciones necesitan que trabajes *in situ*. Una caja con herramientas que puedas transportar fácilmente te hará ganar un tiempo precioso. Y, para ahorrarte el lumbago, elige una caja con ruedas, con compartimientos divisibles.

✔ **Rodilleras.** Estas almohadillas que se fijan a las rodillas con cintas elásticas te protegerán las articulaciones cuando tengas que arrodillarte sobre superficies duras (como puedes ver en las figuras 3-7 y 3-8)). Son indispensables cuando tienes que trabajar en lugares con cascotes o escombros. Úsalas antes de que la edad haga que las necesites. Sería una lástima tener que dejar el bricolaje cuando ya hayas ganado la experiencia necesaria. Si no quieres invertir en unas rodilleras, puedes usar las que los niños utilizan para patinar o incluso guardar cartones o trozos de gomaespuma de algún embalaje y colocártelos debajo de las rodillas.

Figura 3-7:
Las rodilleras protegen las articulaciones durante los trabajos pesados; un cartón doblado también sirve

Figura 3-8:
Una rodillera

✔ **Gafas de protección.** ¿Recuerdas que tu madre siempre te obligaba a ponerte un gorro cuando hacía frío? Pues si ahora te viera con un martillo o una pulidora en la mano te diría: "¡Ponte las gafas de protección!". Una astilla de madera, una esquirla de metal o un resto de pintura endurecida pueden dañarte los ojos, así que protégelos. Las madres siempre tienen razón.

Hace algún tiempo las gafas de protección eran, por decirlo de alguna manera, tan retro que nadie quería ponérselas. Hoy se encuentran en varios estilos por un precio un poco más elevado. También son más ligeras, protegen mejor los ojos por los lados, dejan pasar el aire para evitar que se empañen y no resbalan.

✔ **Máscaras de protección.** Muchos de los productos que suelen utilizarse en el bricolaje desprenden sustancias que pueden ser tóxicas. El picor en los ojos y el intenso dolor de cabeza son los síntomas más evidentes de que has inhalado productos químicos. Para ahorrarte problemas, compra máscaras de protección para la boca y la nariz. Y, sobre todo, no dejes de usarlas cuando te pongas a decapar o trabajes con pintura.

✔ **Cinta adhesiva reforzada.** Este tipo de cinta, que suele utilizarse en fontanería, resulta siempre muy eficaz en otros terrenos. Pero, ¡no olvides que los apaños no son una reparación definitiva!

✔ **Probador de corriente.** Este accesorio es extraordinariamente útil cuando se trabaja con electricidad. Está ilustrado en la figura 3-9, pero puede tener también la forma de un destornillador con un pequeño neón en el mango. Antes de manipular tomas de corrientes, enchufes u otros conductores eléctricos, asegúrate de que no pasa la corriente.

Figura 3-9: Trabajar con electricidad puede ser peligroso. Usa un probador de corriente antes de manipular los cables

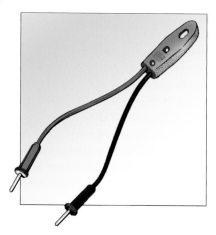

✔ **Cepillo metálico.** Este accesorio (puedes verlo en la figura 3-10), parece un cepillo de dientes metálico. Sirve para realizar todo tipo de decapado, como rascar pintura, eliminar el óxido de los metales o limpiar en profundidad una tabla de madera.

Al elegir el cepillo, su forma y su dureza dependerán del trabajo que haya que realizar.

Figura 3-9:
No es un buen cepillo para enjabonarse la espalda en la ducha...

✔ **Escaleras.** Elige una escalera mediana para los trabajos del interior, como cambiar una bombilla o pintar las paredes de una habitación, y una escalera extensible para los trabajos de exterior, como arreglar goteras o podar. Las escaleras de aluminio son las más ligeras y, al mismo tiempo, las más sólidas; las escaleras de madera son sólidas, baratas y no conducen la electricidad. Si puedes permitírtelo, elige una de fibra de vidrio.

Para trabajar con más facilidad y seguridad, te aconsejo que compres un miniandamio. Ocupa poco más que un taburete y cuesta menos de montar que un andamio de verdad. Le encontrarás mucha utilidad y te proporcionará seguridad.

Parte II
Pintura y decoración

—Te aseguro, Frank, que no es un timo de esos piramidales. Tú ayudas a unos cuantos a hacer sus chapuzas y cuando diez de tus amigos han entrado en el grupo, los fines de semana te parecerán mucho más agradables.

En esta parte...

¿**N**ecesitas cambiar de entorno? ¿Los muebles y la decoración de tu habitación ya no te entusiasman? Espera, no lo desmontes todo. Quizá bastará con una capa de pintura en la pared para cambiar tu vida. Esta parte del libro presenta todo lo que debes saber sobre toda la variedad de papeles pintados, pinturas, barnices y otros complementos necesarios para renovar y embellecer tu deslucido paisaje interior.

Capítulo 4

Pintura interior

La opción más radical para transformar una habitación es pintarla. Colores vivos o pastel, acabado mate o brillante, liso o con textura... en la decoración, como en el amor, hay infinitas posibilidades. Los estantes de las tiendas especializadas rebosan de novedades, hasta el punto de que a veces cuesta más elegir la pintura que aplicarla. Además, una visita en pareja para elegir colores puede tener efectos secundarios tan brutales como el lanzamiento de muestrarios o el aterrizaje intempestivo de botes de cinco litros sobre el pie. ¡Vale más andarse con ojo!

Una vez superada la delicada fase de la elección, pintar una habitación es una actividad perfecta para un principiante. Aprenderás muy deprisa y el coste de la pintura y del material es ridículo en comparación con el provecho que obtendrás. Por otra parte, con algunas precauciones, pintar una habitación es una tarea que a priori no comporta ningún riesgo y que podrás hacer a tu ritmo.

No te dejes intimidar por algunas formalidades. Si nunca has usado los pinceles (excepto para pintar aquellos dibujos infantiles, quizá en las paredes de casa), puede que la idea de pintar una habitación te impresione. No te preocupes. Cuando hayas terminado este capítulo, te sentirás capaz de abordar los trabajos más delicados de pintura; y en cuanto empieces a ver los primeros resultados, nada podrá detenerte.

¿Qué objetivos te planteas?

Del mismo modo que Miguel Ángel no empezó su carrera de pintor por la Capilla Sixtina, no debes plantearte objetivos que queden fuera de tu alcance. Sé razonable y realista. Si es la primera vez que pruebas con el bricolaje, empieza por un proyecto sencillo, que puedas llevar a cabo rápidamente y sin apenas preparación. Aquí tienes tres posibles enfoques, en función de tu habilidad y tu disponibilidad:

✔ **Para los principiantes.** Si pintas las paredes y el techo del mismo color, correrás pocos riesgos. Este método te evita las junturas rectilíneas, una labor muy delicada necesaria para obtener la unión perfecta entre dos paredes de colores distintos. La técnica de aplicar un color para todas las superficies es la más simple y rápida para transformar una habitación o rejuvenecerla.

✔ **Para los más atrevidos.** Si el enfoque monocromático no te convence, puedes usar colores distintos para el techo y las paredes. Aplicar dos colores distintos, o incluso dos tonos distintos de blanco, exige tiempo y habilidad a fin de que los límites sean impecables. Cuanto más acentuado sea el contraste de colores, más destacarán las manchas de pintura o las imprecisiones. La menor gota de pintura oscura sobre una superficie clara será visible. Empieza por pintar el techo y tómate todo el tiempo del mundo para definir una línea neta entre las paredes y el techo.

Yo empiezo siempre por el techo y pinto primero los colores claros. Te ahorra los chorretones de pintura del techo sobre la pared, que no suelen resultar atractivos, excepto para los entusiastas del arte moderno. Deja secar el techo (da dos capas como mínimo). Luego pinta las paredes. Piensa que los colores claros aumentan el espacio visual mientras que los tonos oscuros lo limitan.

✔ **Para los pintores habilidosos.** Venga, los aspirantes a Miguel Ángel ya pueden afilar los pinceles. Si crees que estás preparado para tu primera obra maestra, utiliza colores o tonos distintos en el techo, las paredes y los muebles. No es una técnica aconsejable para principiantes, pero con un poco de paciencia y perseverancia, no hay nada imposible.

La pintura es una cuestión de paciencia. Resiste a la tentación de arriesgarte a ir deprisa. Deja secar lo que pintes con un color antes de empezar con lo que irá al lado. Te ayudará mucho usar cinta de carrocero, de la que hablamos más adelante en este capítulo.

Elegir la pintura

Ya te lo he advertido: el mayor problema con el que puedes encontrarte cuando decides cambiar la decoración no está en las paredes ni en el techo, sino en los pasillos de la tienda de bricolaje. Da la impresión de que la primera preocupación de los jefes de las grandes superficies de bricolaje es impresionar a sus clientes con muchísimos productos y accesorios asombrosos. Los que los visitan por primera vez suelen sentirse aterrados al acercase a la sección de pintura, repleta de estanterías interminables rebosantes de botes de pintura y otros accesorios. Y allí se quedan, como hechizados, preguntándose cómo van a averiguar qué tipo de pintura necesitan y cuál es la más rentable.

El miedo a lo desconocido es un sentimiento muy natural. No pierdas la confianza. Quizá no poseas ciencia infusa, pero seguro que puedes aprender deprisa. Antes de sacar el GPS, pídele consejo a un dependiente.

No hay pintura buena y mala. Lo que cuenta es que sea adecuada a la superficie que vas a pintar. Examina tus paredes antes de correr a arruinarte en tu tienda favorita. ¿Las paredes están cubiertas de papel pintado o de pintura? Si es pintura, ¿está en buen estado? También debes tener en cuenta el peso del bote de pintura para calcular la cantidad. Algunas pinturas cubren bastante más que otras, por lo que resultan más baratas. Averigua cuántos metros cuadrados puedes cubrir con un solo bote. Es la mejor forma de comparar dos tipos de pintura.

Tipos de pintura

Hay dos tipos de pintura de base: las pinturas al aceite (gliceroftálicas) y las pinturas al agua (acrílicas). Las pinturas al aceite hacen que la superficie pintada sea más resistente y lavable, pero son más difíciles de manipular y hay que limpiar a fondo los pinceles y rodillos con aguarrás.

Teniendo en cuenta que pueden limpiarse con agua y jabón, las pinturas al agua son mucho más fáciles de manipular. Son la mejor elección para los principiantes. Aunque muchos profesionales prefieren las pinturas al aceite, sobre todo por su resistencia, te prometo que se pueden lograr trabajos de aspecto profesional con pintura al agua. Además tiene la ventaja de que se seca más rápido y no presenta los problemas de olores característicos de la pintura al aceite (y eso te permite pintar incluso en pleno invierno, con las ventanas cerradas).

De todos modos, dentro de poco no tendrás que dudar entre pintura al aceite y pintura al agua, porque una directiva europea adoptada en marzo de 1999 prohíbe la pintura gliceroftálica porque es contaminante, tanto al producirla como al usarla. Para hacer frente a la desaparición programada de los disolventes y otros materiales químicos presentes en las pinturas, los fabricantes han imaginado pinturas mixtas, síntesis de las acrílicas y las gliceroftálicas, que combinan las ventajas de ambos tipos de pinturas. Estas pinturas mixtas se llaman alquídicas.

Un buen método consiste en utilizar las acrílicas para las paredes y las gliceroftálicas para las ventanas y los marcos de las puertas, donde un acabado más resistente permitirá lavados frecuentes e intensivos con esponja y detergente.

¿Mate o brillante?

Las pinturas modernas ofrecen una amplia gama de acabados:

✔ Las pinturas mates se sitúan en el nivel más bajo de la escala de brillo. Se suelen utilizar para las paredes y los techos, ya que descansan más la vista. Apenas restan luz a las paredes y reducen considerablemente las posibles imperfecciones de la superficie. Marrón, gris o chocolate de aspecto aterciopelado llenan las páginas de las revistas de decoración. Pero, cuidado, aunque tengan encanto, también tienen muchos inconvenientes, por ejemplo, que suelen no ser lavables. Algunos fabricantes proponen productos mates resistentes al lavado, pero fíjate bien en el precio. Es mejor evitar estas pinturas en las zonas de paso o al alcance de las manitas de los niños.

✔ Las pinturas satinadas ofrecen un ligero brillo. Generalmente son más fáciles de aplicar y de lavar que las mates. Son acabados perfectos para los pasillos y cualquier zona de paso que exija limpiar a menudo. Fíjate en el estado de la pared antes de pintar, los defectos se pondrán en evidencia.

✔ Las pinturas brillantes, también llamadas lacadas, dejan un acabado entre brillante y muy brillante y son muy resistentes. Generalmente se usan en los marcos de puertas, en ventanas y en muebles. Las pinturas brillantes no quieren ver el agua de cerca. La superficie que se va a pintar debe estar perfecta, ya que el acabado depende mucho de la calidad de la superficie que se vaya a pintar. Para obtener un buen resultado es obligatoria una capa de imprimación previa, ya que este tipo de acabado revela todas las pequeñas imperfecciones de la superficie.

✔ Mi querido manitas, al optar por el acabado brillante, debes saber que colocas el listón bastante alto. Se impone una mínima preparación de la superficie. Antes de sacar el rodillo, es primordial que apliques varias capas de base al aceite sobre todas las superficies, en aplicación cruzada: la primera capa vertical, la segunda horizontal, la tercera vertical... Piensa en el hojaldre. Y entre capa y capa dale bien a la lija al agua.

✔ En pocas palabras, cuantas más capas de preparación al aceite des sobre la superficie antes de desenfundar los pinceles, más resistente será tu pintura brillante y mejor aspecto lacado tendrá, como un espejo en el que te encantará verte reflejado después de tanto esfuerzo.

✔ Sea cual sea el acabado, aplica siempre una capa previa antes de dar color a la superficie. Esta capa, llamada *imprimación*, uniformizará la superficie y te asegurará un resultado final perfecto.

Bueno pero no necesariamente caro

La marca de la pintura es otro factor importante. Hay marcas de todas clases; de las más conocidas a las menos reputadas, con una gama de precios muy amplia. No dudes en comprar pinturas de calidad; el resultado de tu trabajo mejorará. El precio se justifica desde el momento en que la cantidad de pintura aplicada, su poder de cobertura y la facilidad de aplicación garantizan un resultado final, perfecto, siempre que la aplicación se haya hecho rigurosamente.

Algunas marcas de calidad alta se han especializado en ciertas gamas de colores que despliegan hasta el infinito: marrones, rojos, beiges... Si te gustan los colores oscuros, regálate una pintura oscura cara para una pared y opta por una pintura blanca de una marca de gran distribución para las otras paredes.

Las pinturas están constituidas por tres elementos principales: un pigmento que da el color, una amalgama, una materia de carga que une los pigmentos y proporciona la estructura de la pintura, además de un solvente (que determinará su facilidad de aplicación y de secado) que es también el diluyente (agua para la pintura al agua y aguarrás para la pintura al aceite).

Cantidad de pintura necesaria

Para calcular la cantidad de pintura necesaria para pintar una habitación tendrás que recuperar una vieja fórmula matemática que te devolverá a tus primeros años de colegio. Multiplica la longitud de cada pared por su altura. Suma las superficies que has hallado. El resultado son los metros cuadrados de la habitación. ¿Te suena esta lección de mates?

A continuación tienes que determinar la cantidad de superficie que tienes que pintar a partir de esta cifra. Si utilizas una pintura distinta para las puertas y las ventanas, tendrás que restar sus dimensiones del total. Que no cunda el pánico. Resta simplemente 2 m² por cada puerta y 1,5 m² para cada ventana de tamaño mediano. El resultado se aproximará bastante a la superficie que tienes que pintar. Divídelo ahora entre 15 (la cobertura en metros cuadrados por litro de pintura) para hallar el número de litros de pintura que tendrás que comprar.

La tabla 4-1 presenta las superficies medias que se cubren con un litro de pintura en función de los tipos de pintura y los fabricantes. En general, todos los botes de pintura indican su contenido y la superficie media de cobertura.

Tabla 4-1. Superficie que cubre 1 l de pintura

Tipos	*Superficies*
Imprimación universal	12 m²
Primera capa	16 m²
Acabado	14 m²

Un litro de pintura cubre una superficie de unos 15 m². Un poco menos si las paredes son porosas, porque absorberán más pintura. Por eso es preferible aplicar primero una buena capa de imprimación. Si preparas así las paredes ahorrarás, porque una sola capa de pintura no basta.

No olvides observar muy bien las paredes antes de desenvainar el pincel. Recuerda siempre que el estado de la superficie (manchas, viejas marcas de humedad, paredes amarillentas por el paso del tiempo, pintura que ha saltado, paredes sucias, etc.) determina cuál va a ser la imprimación más adecuada para tapar, uniformizar, dar adherencia, sanear. Después, podrás aplicar las dos capas de acabado, sin olvidar un suave lijado entre capa y capa. Eso evitará problemas de adherencia y garantizará mejores resultados a largo plazo.

En las superficies de color oscuro, añade color a la imprimación blanca. Otro buen sistema para ahorrar pintura. Los tintes para pinturas al aceite y al agua se encuentran en la mayoría de los establecimientos especializados. Son universales, sea cual sea el disolvente de la pintura. Para un resultado rápido, elige un tinte que se parezca al máximo al color de la segunda capa. Este truquillo te ayudará a ahorrar tiempo y dinero. Pero para evitar cualquier problema o decepción con la calidad del acabado, sigue siendo preferible aplicar las dos capas finales de la misma composición.

Es indispensable respetar siempre el tiempo de secado que indica el fabricante. La pintura es una actividad que, además de provocarte dolor de espalda, te enseñará a ser paciente. Y sí, seco cuando lo tocas con los dedos no significa seco para pintar. Respeta las indicaciones del fabricante para evitar que se despegue la primera capa o aparezcan grietas, y para asegurar que el aspecto sea mejor con el paso del tiempo.

Adopta una actitud zen y ten paciencia si no quieres pagar el precio de ver la pintura despegándose o resquebrajándose muy pronto.

Herramientas

Este apartado presenta el material básico de la pintura interior y sus usos. No dudes en comprar productos de calidad y conservarlos en buen estado con un mantenimiento periódico.

Si tienes que pintar un garaje o una gran superficie abierta, quizá lo más acertado será alquilar una pistola para proyectar la pintura sobre las paredes (se explica en el apartado "Proyectar la pintura", más adelante, en este mismo capítulo).

Rodillos

Para aplicar la pintura sobre superficies extensas y planas, como paredes y techos, utiliza un rodillo y una cubeta rectangular de plástico con alguna superficie en relieve o una rejilla para escurrir el rodillo.

Elige un rodillo compuesto por una estructura metálica y un mango cómodo que permita fijar un alargador (para pintar la parte alta). La parte del rodillo que sirve para aplicar la pintura puede desmontarse para limpiarlo y guardarlo. Si lo limpias después de cada uso, te durará años.

Si vas a acometer grandes obras, te aconsejo que compres rodillos buenos para conservarlos mucho tiempo y reutilizarlos después de limpiarlos bien.

Abre bien los ojos en las secciones de las grandes superficies especializadas en bricolaje ya que hay rodillos distintos y marcados para cada tipo de pintura (agua o aceite). Un rodillo especial para pintura al agua solamente sirve para este tipo de pintura. Y lo mismo para las pinturas al aceite. El rodillo para pintar de blanco debe servir solamente para ese color. Y lo mismo para los demás. Sé exigente con los rodillos si no quieres ver cómo aparece de pronto un resto de color y modifica el tono que vas a aplicar en la pared. Te lo aseguro: el jaspeado no está de moda.

¿A dormir con los rodillos?

¿Qué vas a hacer con los rodillos por la noche o mientras esperas a dar la segunda capa?

✔ Si lo has usado con pintura acrílica, guarda el rodillo en una bolsa de plástico y sumérgelo, con la bolsa cerrada, en un cubo de agua. Se conservará perfectamente para continuar al día siguiente.

✔ Si lo has usado con laca o pintura al aceite, escurre bien el rodillo con ayuda de un cuchillo (o una espátula) y mételo sin bolsa dentro del agua. Al día siguiente, escurre el agua y el resto de pintura, y ya lo tendrás listo.

✔ Cuando hayas terminado, para conservar los rodillos, separa la esponja de la montura.

✔ Si lo has usado con pintura acrílica, limpia abundantemente con agua y jabón de Marsella hasta que le quede un color uniforme. Y como los manitas son también ecologistas, sobre todo no tires el agua sucia por el desagüe.

✔ Si has usado pintura al aceite, limpia primero con un disolvente; después sigue los mismos pasos que si lo hubieras usado con pintura al agua, hasta que no salga espuma cargada de pintura.

Si no tienes ningún trabajo previsto durante varios meses, después de esta limpieza intensiva sumerge los rodillos limpios en un barreño de agua limpia. Tendrás que cambiar el agua de vez en cuando, ya que tenderá a ennegrecerse. El día que quieras pintar, una limpieza rápida con jabón de Marsella y listos. ¡Un buen ahorro!

Después de limpiar el rodillo, guarda el agua que hayas usado y viértela en una cubeta de decantación (1 para el agua/1 para el aceite). Llévalo todo al punto de reciclaje o donde traten residuos (si lo necesitas, ponte en contacto con el ayuntamiento para que te indiquen cómo hacerlo). No tires el agua sucia en el campo ni en el fregadero o el inodoro si no quieres contaminar el suelo y las aguas.

¡Cuánto más viejo es el rodillo, menos pelo suelta y mejor acabado proporciona! Y hablando de ahorrar, es mejor comprar un buen rodillo que cueste más pero que no deje rastro y puedas conservar que uno barato que tendrás que tirar después de usarlo una vez.

Para utilizar el rodillo, primero humedécelo con agua (para la pintura acrílica o vinílica) o con aguarrás (para la pintura al aceite) y hazlo rodar sobre la rejilla para repartir la pintura de manera uniforme y evitar los chorretones.

Indispensable: el rodillo de pata de conejo. Un rodillo de diámetro y longitud inferiores al rodillo clásico, que te facilitará la vida. Permite pintar incluso detrás del radiador y en otros lugares que el rodillo clásico no alcanza.

Brochas

Para pintar una habitación necesitarás algunas brochas (ese es el nombre profesional que reciben los pinceles): redondas (de oliva), de encalar (para los trabajos menos delicados), planas (paletinas), con codo (para los radiadores), *spalter* y de recorte; estas últimas, pequeñas y con la punta más abombada, permiten pintar con precisión los marcos, los bastidores de puertas y ventanas, y también las molduras y otros elementos que hay que pintar a mano alzada. Como en el caso de los rodillos, no se debe emplear una brocha usada con pintura acrílica para otro tipo de pintura.

No uses brochas de pelo natural para aplicar pintura acrílica. El agua de la pintura reblandece el pelo, que se vuelve flácido e inservible. Es mejor comprar brochas con cerdas de nilón o de poliéster.

Las brochas de pelo natural o de poliéster funcionan bien con las pinturas al aceite. Olvídate de las brochas baratas, porque las cerdas suelen estar mal encajadas en la virola (anillo plano entre las cerdas y el mango), se desprenden y aparecen pegadas en la superficie que estás pintando, con lo que te echan a perder el acabado. El precio de una brocha de cerdas naturales de calidad profesional es muy elevado, de modo que si no prevés pintar bastante, la inversión puede resultar superflua. Para conservarlas, sumérgelas en aceite de linaza. Podrás conservar las cerdas suaves (cerdas de jabalí) y facilita la aplicación (antes de pintar no olvides aclararlas con esencia de trementina o con aguarrás).

Una buena brocha de cerdas de poliéster es la mejor solución para los trabajos habituales de pintura de interior.

Tipos de brochas

Puedes ver todo el surtido ilustrado en la figura 4-1 y una representación del uso en la figura 4-2.

- ✔ **Brochas redondas.** Permiten perfilar los ángulos antes de pasar el rodillo o pintar superficies medianas (puertas, tablas, etc.).

- ✔ **Brochas de encalar.** Idénticas a las redondas, pero mucho más grandes para pintar grandes superficies (revoque...) o al aplicar el encalado (técnica poco utilizada actualmente), o para crear efectos de estructura en decoración.

✔ **Brochas planas.** Diseñadas para aplicar barniz o esmalte sobre madera, han evolucionado a la aplicación de pintura. Muy prácticas para los bastidores de puertas, ventanas, etc. Permiten dar una capa lisa y recta.

✔ **Brochas acodadas.** Son planas y acodadas, pensadas para acceder a rincones difíciles, como radiadores, tuberías, etc.

✔ **Spalter.** Muy utilizada en pintura decorativa, para crear efectos Permite pintar grandes superficies para un acabado más uniforme. Muy utilizada en la década de 1970 para las lacas brillantes, ya que permite trabajar con pintura al aceite en grandes superficies.

✔ **Brocha de recorte.** Es la brocha ideal si se conserva bien. Cuanto más vieja sea mejor, ya que las cerdas se afinarán por la punta y será más fácil llegar a los ángulos y recortar a mano alzada. Olvídate de gastar cinta de carrocero o de perder tiempo protegiendo los bordes. La brocha de recorte es tu mejor aliado antes de pasar el rodillo.

No confundas ninguna de estas brochas con la brocha de encolar, que no sirve para pintar sino para aplicar la cola sobre el papel pintado o sobre la superficie.

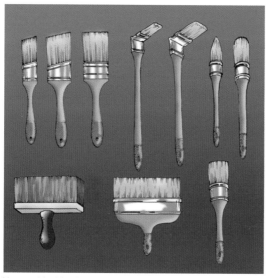

Figura 4-1:
Un surtido de brochas

Un surtido ideal está formado por brochas planas, acodadas, de recorte, de encolar, spalter y de encalar.

Figura 4-2:
Una
brocha en
acción

Otros accesorios

Las brochas y los rodillos son las herramientas más populares para aplicar pintura sobre paredes y madera, pero hay otros accesorios que te ayudarán a trabajar mejor y con más rapidez. Puedes ver algunos ilustrados en la figura 4-3.

Cubeta

Cubo con rejilla

Figura 4-3:
Algunos
utensilios
que te
facilitarán
la vida

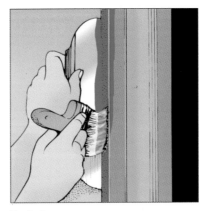
Espátula

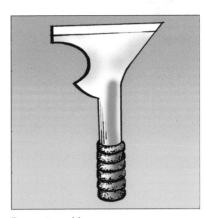
Rasqueta multiusos

Aunque no te chiflen las herramientas, sabrás apreciar estos complementos tan asequibles. Préstaselos a tus amigos y creerán que eres un experto en pintura.

✔ **Cubeta.** Si vas a usar una cubeta de pintura, vale más que compres una de plástico rígido que pueda fijarse a una escalera (observa la figura 4-3). No te quedes con una cubeta barata y enclenque, porque la pintura puede escaparse por una de las esquinas y acabarías decorando tu casa al estilo del arte contemporáneo.

✔ **Cubo con rejilla.** Es un cubo de pintor con una rejilla metálica. Este recipiente desempeña el mismo papel que la cubeta, pero con algunas particularidades que los expertos suelen apreciar mucho. Tiene una capacidad claramente superior a la cubeta (unos 15 litros de pintura, lo que te ahorra pararte una y otra vez para llenarlo). Además es más práctica de transportar y, lo que todavía es más importante, reduce las posibilidades de que metas los pies dentro. Hay cubos de distintos volúmenes. Pueden ser de acero o de PVC grueso. Su punto fuerte: la limpieza. Para limpiarla, vierte disolvente y con ayuda de la brocha redonda espárcelo con movimiento circular de arriba a abajo, hasta que no quede pintura en las paredes; luego, vacía el recipiente en el cubo de decantación.

Los pintores usaban cubos de acero porque podían reutilizarlos muchas veces. Para limpiarlos, quemaban los restos de pintura seca de las paredes y rascaban la pintura. Hoy en día es mejor evitarlo, porque esa combustión es contaminante.

Cuando quieras tomarte un descanso, deja caer la rejilla en el cubo, tapa el recipiente y envuelve el rodillo con una bolsa de plástico. Así todo el material se conservará impecable durante horas.

✔ **Pértiga.** Para no tener que estar subiendo todo el día la escalera, hazte con un mango de madera (un palo de escoba servirá) y fíjalo al extremo del mango del rodillo (fíjate bien en la forma del mango). Hay pértigas más evolucionadas, de acero o aluminio con extensiones telescópicas. Elige en función del precio, del peso y de la superficie que vas a pintar.

✔ **Espátula de metal o de plástico.** Una espátula es un accesorio muy útil cuando tienes que delimitar una pequeña superficie para pintarla (como el alféizar de la ventana o el zócalo). Apoya la espátula sobre la superficie que tienes que proteger mientras aplicas la pintura sobre la otra parte (observa la figura 4-3). Al pintar una ventana, evita manchar los cristales siguiendo el mismo procedimiento. Para el suelo, apoya la espátula contra la moqueta o cualquier otro revestimiento mientras aplicas la pintura sobre el zócalo que delimita el espacio entre la pared y el suelo. Limpia la espátula a menudo para que resulte lo más eficaz posible. Si no, te arriesgas a ir dejando rastros de pintura.

✔ **Rodillo pequeño o rodillo de pata de conejo.** Estos pequeños rodillos son muy útiles para pintar esquinas o dentro de un radiador. Para los acabados que impliquen usar un rodillo pequeño, busca una pequeña rejilla metálica que puedas fijar en un cubo de tres o cuatro litros.

✔ **Lonas.** De plástico o de tela, son indispensables para proteger los muebles y el suelo. Las encontrarás en cualquier tienda dedicada al bricolaje. Los elementos que vas a proteger deben quedar herméticamente envueltos para evitar las salpicaduras del rodillo. La cinta de carrocero, que se vende de todas las formas y tamaños, elimina el riesgo de infiltración y permite trazar una línea recta impecable. Existen pequeñas lonas de protección con cinta adhesiva ya colocada, y de distintos tamaños. También puedes reciclar trapos viejos o restos de moqueta como protecciones antimanchas.

✔ **Cinta de carrocero.** Utiliza cinta de dos centímetros o más con una sola cara adhesiva. Aplica el lado adhesivo sobre el cristal y cualquier otra superficie que quieras proteger de salpicaduras, chorretones y derrames de pintura. Presiona con fuerza la cinta para que se adhiera bien a la pared para evitar las infiltraciones.

✔ **Taburete.** ¡No se trabaja en la escalera! Es simplemente un medio de acceso a una pared o una fachada. No creas que una vieja escalera inestable es una plataforma adecuada para tus trabajos de pintura. Nada hace perder más tiempo que caerse de una escalera y romperse el brazo. Invierte en un buen taburete sólido y estable con una tabla plegable que pueda aguantar un bote de pintura o un cubo. Para la mayoría de los trabajos de interior basta con un buen taburete o un andamio pequeño. Para los techos altos y los huecos de la escalera, se necesita un andamio.

✔ **Secadora de rodillos.** Los profesionales valoran mucho este pequeño accesorio, parecido a una mancha de bicicleta, porque les permite limpiar perfectamente las brochas y los rodillos. Primero limpias la brocha o el rodillo con agua o con aguarrás (la figura 4-4 te ayudará a ver cómo hacerlo); luego completas la tarea con este pequeño utensilio fijándolo al extremo de la herramienta y haciendo movimientos de vaivén. La fuerza centrífuga resultante extrae cualquier resto de pintura, de agua o de aguarrás. Imagina un perro que se sacude al salir del agua. Muy práctico pero casi imposible de encontrar. Si das se te aparecen, ¡hazte con uno para mí!

Asegúrate de colocar bien lo que quieres limpiar dentro de un recipiente vacío antes de poner en marcha este pequeño aparato o llenarás la habitación de salpicaduras.

No es fácil escurrir una brocha redonda. Para hacerlo, colócala entre las palmas de las manos, debajo de un cubo de basura o una bolsa de plástico, y efectúa un movimiento de fricción rápido y sostenido. Piensa en tu lavadora centrifugando. La brocha también se secará gracias a la fuerza centrífuga.

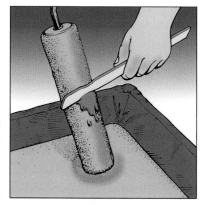

Figura 4-4:
Cómo
limpiar un
rodillo

Preparativos

¿Vas a pintar? Pues piensa en proteger. Protégete la ropa, por supuesto, y también el pelo, las manos y la cara, si no quieres terminar la tarde de bricolaje con una constelación de manchas blancas o fucsia que quizá no te apetezca llevar al día siguiente al trabajo. Busca unos zapatos viejos que no te importe que se llenen de manchas de pintura; y un jersey viejo de manga larga y unos pantalones con bolsillos grandes donde guardar los trapos siempre indispensables para secar los chorretones inoportunos. Además, no olvides los buenos consejos de tu madre: "¡Ponte el gorro". El pelo siempre es lo primero que se vuelve blanco. Ponte también unas gafas para protegerte los ojos de posibles salpicaduras de pintura. Y he dejado lo mejor para el final: no escatimes con los guantes. Elije unos guantes de pintor que cubren el brazo para protegerte al máximo.

Preparar la habitación

Para preparar bien cualquier proyecto de pintura, actúa como si fueras a hacer una mudanza. Limpia o recicla todas las revistas que se amontonan en un rincón, líbrate de aquella butaca horrorosa que nunca te ha gustado y quita todo lo que esté colgado en la pared. La idea consiste en vaciar la habitación al máximo para que puedas moverte libremente. Necesitarás espacio para desplazar un taburete y la superficie de suelo suficiente para instalar todo el material. Quita los muebles que puedas desplazar y guárdalos en el pasillo, en otra habitación o en cualquier lugar donde no estorben. Protege todo lo que no puedas apartar con lonas o sábanas viejas. (No te destroces la espalda intentando mover un sofá demasiado pesado, vale más que reserves la energía para el rodillo.) Si no tienes lonas, usa papel embalar o papel de periódico dispuesto en capas.

Aquí tienes algunos consejos para preparar bien una habitación antes de entrar en acción. Después de aplicarlos, la habitación debería parecerse a la de la figura 4-5.

✔ Si la habitación es grande, instala los muebles tapados en dos zonas distintas, con espacio suficiente entre ellas. Si es pequeña, amontónalo todo en el centro, a una distancia de como mínimo un metro de la pared.

✔ Guarda la alfombra y las cortinas y coloca una lona sobre el suelo para protegerlo de las salpicaduras de pintura.

✔ Quita todos los cuadros de las paredes, así como los clavos y otras fijaciones. Retira también las lámparas y deja las bombillas desnudas mientras dure el trabajo.

✔ Quita todos los interruptores y las tomas eléctricas con ayuda de un destornillador. No desconectes los cables. Simplemente se trata de despegarlos de la pared para trabajar mejor. Haz esta operación de día, después de cortar la electricidad. Si trabajas de noche, instala una fuente de luz en la habitación, enchufada en otra habitación. Si

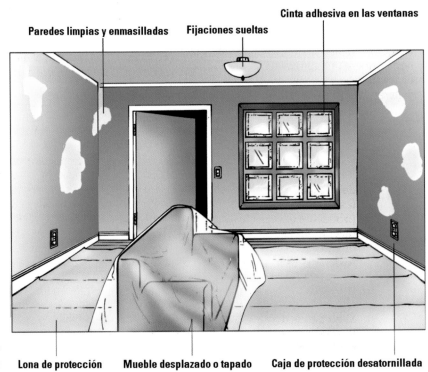

Figura 4-5: Cuando lo hayas apartado, quitado o limpiado todo, puedes empezar a pintar

Paredes limpias y enmasilladas — Fijaciones sueltas — Cinta adhesiva en las ventanas

Lona de protección — Mueble desplazado o tapado — Caja de protección desatornillada estás embalado con el proyecto, ¿por qué no compras interruptores nuevos para instalarlos cuando termines de pintar? Te sorprenderá ver cómo estos pequeños cambios pueden transformar una habitación. También puedes pintar algunos interruptores. Es ideal para una pared de color intenso.

Eliminar la pintura anterior

Aunque se puede pintar sobre cualquier superficie, en algunos casos la pintura original se encuentra en tan mal estado que es preferible quitarla. La carpintería de la mayoría de las casas viejas, y de algunas no tan viejas, necesita algo más que una buena limpieza antes de pintar. Si hay capas de pintura descascarillada o resquebrajada, tendrás que hacer algunos trabajillos antes de pintar.

Decapar la pintura con base de plomo

Si la pintura de tu casa tiene más de quince años, es probable que su contenido de plomo sea elevado hasta el punto de representar un peligro para la salud al decapar. Aunque el riesgo es mínimo con los productos modernos, no ocurre lo mismo con pinturas antiguas cuya concentración de plomo es elevada. Estas pinturas pueden provocar saturnismo, que es una intoxicación crónica particularmente peligrosa para los niños y las mujeres embarazadas.

Como medida de precaución, decapa y lija la pintura antigua con las ventanas abiertas, no dejes que estén los niños por ahí cerca y lleva los restos de pintura al punto de tratamiento de residuos.

Eliminar las viejas capas de pintura no es un trabajo demasiado duro, pero requiere tiempo y darle a la muñeca. Por desgracia, no conozco ninguna fórmula milagrosa para hacer este trabajo sin esfuerzo, aunque las técnicas de decapado han mejorado lo suficiente para que resulte menos largo y fastidioso que antes. Además de las lijadoras eléctricas, hoy en día hay productos decapantes químicos o biológicos, mucho más fáciles de utilizar que los que se usaban hace algún tiempo, así como decapadores térmicos que ofrecen una solución más económica (y menos arriesgada que un producto tóxico); si usas de este último tipo, ten cuidado con las quemaduras.

El lijado

Si no tienes decapador térmico y no quieres usar productos químicos, o si la superficie que has de decapar no es muy grande, prueba con la técnica tradicional:

1. Rasca con una espátula la zona desconchada. Utiliza un taco con papel de lija de grano grueso, n.° 80, para reducir las irregularidades de las capas de pintura.

2. Lija la superficie con papel de lija de grano medio, n.° 100, para alisarla e igualarla.

3. Rellena todos los agujeros y las grietas de la madera.

4. Rellena todos los agujeros y las grietas de las paredes.

   Este es el procedimiento que hay que seguir para las puertas, las ventanas y los zócalos. Suelen estar pintados con pintura al aceite o acrílica satinada. Para preparar la superficie y obtener un buen resultado, es preferible rellenar los agujeros y las grietas con una resina de dos componentes para madera ya pintada. En la madera natural bastará con pasta de madera. Elige un tono que se aproxime al máximo al tipo de madera.

   Utiliza un producto de relleno en polvo que se disuelva en agua o uno listo para usar, en tubo, para las grietas pequeñas. Los tubos son muy prácticos pero un poco caros. Te irán bien si no tienes que rellenar mucho. Da una segunda capa de relleno después de lijar. Para los agujeros grandes tendrás que aumentar la cantidad de relleno, ya que al secarse se habrá hundido. Puedes dar una capa de acabado para obtener una superficie lisa.

5. Líjalo todo con papel de lija de n.° 100/120, y aplica la pintura de imprimación en todas las paredes.

CONSEJO

Recicla una vieja lámpara halógena instalándola en la esquina de la habitación que vas a pintar. Iluminará con tanta fuerza la superficie que hay que lijar que destacará todas las imperfecciones.

El decapado con calor (decapado térmico)

Un decapador térmico es un aparato eléctrico parecido a un secador de pelo de gran tamaño (puedes ver una representación en la figura 4-6), aunque si hablamos de grados, ese chisme se parece más a un lanzallamas que a un plancha para el pelo, así que cuidado con las manos y el cabello. A pesar de los riesgos que comporta, el decapador térmico ofrece una solución ideal para eliminar rápidamente todas las capas de pintura de superficies planas como una puerta o el tablero de una mesa.

Estas pistolas de aire caliente se encuentran en ferreterías y grandes superficies de bricolaje; y no olvides las empresas de alquiler. Como ocurre con la mayoría de las herramientas, las hay de todos los precios, desde 75 euros para un decapador de uso doméstico a 100 euros o más para los profesionales. Si no tienes que decapar una superficie muy grande, inclínate por el alquiler. A menos que seas un coleccionista obsesivo de herramientas, solo los grandes trabajos que impliquen varios días o semanas de trabajo justificarán que compres un decapador térmico. Sin embargo, ten en cuenta que la renovación de los postigos, una tarea que deberías realizar periódicamente, puede justificar por sí sola que compres esa herramienta.

Los decapantes térmicos suelen incluir diversos accesorios, aunque la mayoría de ellos se venden con boquillas regulables que permiten orientar el calor en distintas direcciones. Estas boquillas dirigen una peligrosa cantidad de aire caliente concentrada sobre una superficie pequeña, así que toma la precauciones necesarias para garantizar tu seguridad mientras lo usas.

Ponte guantes de cuero para protegerte las manos y presta especial atención al usar la pistola. Si elimina la pintura, también puede fundir el plástico, provocar quemaduras graves o causar otros daños. Ponte también gafas de protección, para evitar las salpicaduras de trocitos de pintura quemada. En el exterior, el viento hace que resulten indispensables.

Dirige la pistola hacía la superficie pintada y desplázala lentamente con pequeños movimientos circulares hasta que empiecen a formarse burbujas en la pintura (como se aprecia en la figura 4-7). No concentres el calor sobre un solo punto de forma continua o te arriesgas a quemar la pintura en vez de fundirla. Retira la pintura fundida con ayuda de una espátula o una rasqueta. Aguanta la pistola con una mano y la rasqueta con la otra; cuando te pese demasiado, cambia de mano (o descansa). Quizá al decapar descubras una segunda capa de pintura; en ese caso tendrás que repetir la misma operación sobre la segunda capa.

Figura 4-6:
Decapador
térmico

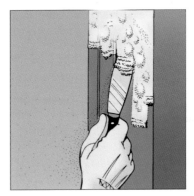

Figura 4-7:
Uso de un
decapador
térmico

A. Desplaza la pistola a algunos centímetros de la superficie.

B. Rasca la pintura reblandecida.

Los disolventes

Los decapantes químicos ofrecen otra solución muy práctica para eliminar cualquier capa anterior de pintura, y son especialmente eficaces en la madera trabajada, las molduras y los muebles. Si te preocupa la protección medioambiental, elige decapantes a base de agua: son biodegradables y eliminan las capas de pintura sin productos químicos tóxicos. Encontrarás estos decapantes en forma de gel en la mayoría de las tiendas de bricolaje y de pintura. Son más espesos que un líquido por lo que resultan perfectos para las piezas fijas, como las molduras de los techos. Lee atentamente las instrucciones del fabricante antes de usarlos, ya que los pasos suelen variar según el producto.

Por regla general, estos productos se aplican sobre la superficie pintada con ayuda de una vieja brocha gruesa. El tiempo de reposo varía. Cuando la pintura empieza a formar burbujas, puedes comenzar a rascar. Aunque las instrucciones no aconsejen llevar guantes, protégete las manos con guantes de caucho. Es fácil que la pintura que decapas se cuele debajo de las uñas y te costará mucho sacarla; ahora bien, si tienes fama de no dar golpe, quizá te ayude a demostrar lo contrario.

Estos son algunos accesorios útiles de decapado:

✔ Un rascador triangular (mira la figura 4-8).

✔ Una rasqueta multiusos (las cuchillas flexibles y finas se deslizan bajo la pintura con más facilidad que las cuchillas rígidas, y hay menos peligro de estropear la madera).

✔ Para conservar bien las rasquetas, no debes usarlas para nada más. ¡Están condenadas a este uso exclusivo!

Echa los restos de pintura que vayas rascando en una caja de cartón sin la tapa. Quita la pintura pegada a la rasqueta en el borde de la caja.

Figura 4-8: Con las herramientas adecuadas, podrás rascar la pintura de los rincones más inaccesibles

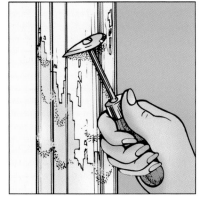

Quitar el viejo papel pintado

A no ser que realmente quieras conservar para siempre tu viejo papel pintado, no caigas en la tentación de pintar directamente sobre él, ya que si aplicas una capa de pintura sobre el papel pintado, te será prácticamente imposible quitarlo después. El resultado final tampoco será de gran calidad, puesto que la pintura pondrá en evidencia todos los defectos del papel, los trozos mal colocados, las zonas despegadas y las burbujas debajo del papel. Además, la pintura siempre queda mejor si se aplica sobre la pared limpia.

Si la habitación que vas a pintar tiene papel pintado, visita el capítulo 7 antes de sacar los pinceles.

Eliminar un acabado brillante

La pintura no se adhiere bien a las paredes brillantes. Si la pintura antigua es satinada, brillante o lacada, utiliza un producto especial para quitarle el brillo. Estos productos, disponibles en las tiendas bricolaje y pintura, contienen disolventes fuertes, que disuelven la capa superior de las pinturas al aceite. Al revés que los decapantes, pierden sus efectos muy rápidamente, aunque solamente afectan al brillo de la pintura y suprimen de paso cualquier rastro de grasa y otras manchas en la superficie.

Para conocer el procedimiento exacto, lee las instrucciones del fabricante. En general, basta con aplicar el producto con ayuda de un trapo limpio y secar a continuación la superficie para retirar la suciedad y el brillo. Es un producto muy fuerte, por lo que es recomendable que te pongas guantes de caucho y ventiles bien la habitación.

La madera tratada suele estar protegida por varias capas de esmalte. Antes de pintar sobre madera barnizada, prepara la superficie como si fuera una superficie lacada: lija para eliminar el brillo o utiliza un producto para conseguirlo. La madera sin barnizar parece tierna y ligeramente rugosa al tacto; en ese caso no se necesita ninguna preparación.

Siempre te queda el viejo método del lijado en seco, que garantiza la eficacia... y también el polvo por toda la casa. Si quieres volver a pintar con pintura satinada o brillante, lija con papel de lija al agua. Lija con el papel húmedo y, después, aclara la superficie; esta vez tendrás que apañártelas con el polvo y con el agua.

La imprimación

Las superficies porosas, las paredes en bruto o enlucidas y la carpintería nueva o lijada necesitan una primera capa de imprimación antes del acabado. Son pinturas especialmente concebidas para adherirse a las superficies en bruto y proporcionar la mejor base posible para todo tipo de pintura. Uniformizan la superficie, las manchas, las esquinas, los rastros de humedad... Son una capa de base que presenta las mismas cualidades que las pinturas de acabado (su precio generalmente es inferior). No dejes de comprarlas, ya que son la base para obtener un buen acabado y una conservación mejor a largo plazo.

✔ En la madera desnuda, utiliza una imprimación a base de agua y aplícala con brocha o rodillo, según el tamaño de la superficie. Elige una imprimación que se seque rápido para trabajar más deprisa.

✔ Hay imprimaciones específicas para maderas exóticas.

✔ En las paredes porosas, utiliza una imprimación pensada para ese efecto, que se adhiera perfectamente a la pared y permita que la pintura de acabado tenga un aspecto más liso.

✔ Si tienes hijos, quizá tengas algunos garabatos de rotulador en las paredes. Podrías cambiar de niños, pero eso no impediría que las manchas aparecieran de nuevo bajo la nueva capa de pintura. Para evitar este fenómeno, empieza aplicando un disolvente selectivo, que elimina las pinturas de aerosol, tinta y rotulador de la mayoría de las superficies. Muchos de estos productos se encuentran en aerosol (como el de la figura 4-9). Además hay imprimaciones de este tipo que se aplican también con rodillo o brocha. Utilízalas sobre las manchas de rotulador. Si es preciso, aplica a continuación la imprimación tradicional sobre toda la superficie, de manera uniforme.

Figura 4-9: Un aerosol especial para borrar grafitis te permite eliminar los murales de los jóvenes artistas de la familia

Limpiar las paredes y la carpintería

Si la superficie que quieres pintar no está estropeada, una buena limpieza bastará para prepararla. Dale una alegría a tu madre: quita las telarañas polvorientas de los rincones del techo y pasa el aspirador por las paredes. No te olvides de limpiar también las ventanas y de quitar el polvo acumulado en el alféizar. Aprovecha para limpiar las rejillas de ventilación de las ventanas y los filtros. Tus pulmones te lo agradecerán.

Limpia las paredes y la carpintería con ayuda de una esponja grande y un producto limpiador sin fosfatos (no te olvides de leer los consejos del fabricante). Para limpiar bien, no tengo receta más milagrosa que tres litros de gimnasia de muñeca y una o dos esponjas. Cambia el agua a menudo. Aclara todas las superficies con agua limpia y déjalas secar. Aunque sea una lata, limpiar es la forma ideal de preparar una pared. Además, quizá rejuvenezca un poco una pintura que se ve pasada o grisácea por el paso de los años y, de repente, te encuentres con que no hace falta pintar.

No te olvides de cortar la electricidad para trabajar con más seguridad. Las paredes suelen estar muy sucias en algunas zonas, de modo que habrá que lavarlas varias veces para que queden bien limpias.

A por el bote

Pon el bote de pintura en el suelo, encima de varias capas de periódicos o de una lona de plástico bastante grande. Quita la tapa del bote de pintura (con un destornillador, la rasqueta o un accesorio específico que podrás comprar en todas las tiendas de pintura). Levanta la tapa haciendo palanca con la herramienta adecuada en tres o cuatro puntos.

Hay estudios científicos que demuestran que muchas personas son alérgicas a las instrucciones y prefieren descubrirlo todo por sí solas en vez de leer los folletos de instrucciones. La pintura es una actividad que no tolera muy bien los cálculos a ojo de buen cubero, por lo que te aconsejo que te reprimas durante cinco minutos, el tiempo suficiente para echar un vistazo a los consejos de aplicación que figuran en el bote de pintura. Pero, cuidado, no basta con leer; lo esencial es aplicar esas malditas instrucciones. Recuerda también que tienes que mezclar correctamente la pintura antes que nada. Suele ser necesario remover la pintura durante unos cinco minutos. Utiliza un palo de madera o de plástico o un mezclador eléctrico. Se parece a un mezclador de cocina gigante, con una hélice fijada sobre una varilla, que se adapta a todos los tipos de taladro o destornillador.

Evita el síndrome BSM (Bote Sucio de Manchas) utilizando un martillo y un clavo para hacer una fila de agujeros en el borde superior del bote de pintura, como se muestra en la figura 4-7. Así, cuando escurras la brocha en el borde o después de haber vertido la pintura en la cubeta o el cubo, la pintura sobrante se escurrirá por los agujeros y caerá sabiamente en el fondo del bote. Con la ayuda de una brocha limpia, quita los chorretones del exterior del bote para que la pintura no tape lo que está escrito en el bote.

Para no tener que limpiar una cubeta, fórrala con papel de aluminio (mira la figura 4-10). Te bastará con tirarlo para reutilizar la cubeta con otro color o para guardarla.

Preparados, listos, ¡a pintar!

Cuando vayas a pintar una habitación, empieza siempre por arriba y avanza hacia la parte de abajo. Pinta primero el techo, luego las paredes, los marcos de la puerta, la puerta y termina por el zócalo. Esta secuencia te puede parecer evidente, pero te sorprendería ver la cantidad de personas que no la respetan y que acaban manchando las zonas recién pintadas.

Figura 4-10:
Para facilitar la limpieza, haz pequeños agujeros en el borde del cubo de pintura, y forra la cubeta con papel de aluminio

 Cuando te decidas a pintar el salón o la habitación, olvídate de salir a correr o de ir al gimnasio. Ya verás que, aunque no lo parezca, pintar no es solamente mover la muñeca. Es mover el taburete o el andamio de un lado a otro de la habitación, levantar los botes, agacharse, levantarse, subir escaleras... Además, solamente se pinta bien adoptando una buena posición, justo en frente de la zona que hay que pintar. Desplaza el andamio tantas veces como sea necesario para estar lo más cerca posible de lo que has de pintar.

Paredes y techos

Un proyecto de pintura se compone generalmente de dos tareas que llevarás a cabo con la ayuda de dos herramientas muy concretas: una brocha y un rodillo. Usas la brocha para pintar los contornos y las superficies pequeñas, y el rodillo para aplicar la pintura sobre el techo y las paredes. Si trabajas en pareja, cada uno se encargará de una de las tareas; si trabajas solo, tienes que asumir los dos papeles y cambiar de herramienta cada vez que sea necesario.

En las esquinas, cuando el rodillo no pasa y la superficie es demasiado grande para usar la brocha, no olvides el rodillo pequeño, la pata de conejo.

 Si trabajas con un compañero, aplica primero una franja de 5 cm de pintura en los ángulos entre el techo y la pared. Deja un poco de ventaja a la brocha por delante del rodillo, pero no mucha: querrás que esa pintura se incorpore perfectamente a la que vas a aplicar con el rodillo. Si dejas pasar demasiado tiempo entre los dos tipos de aplicación (es decir, si dejas que se seque la pintura aplicada con la brocha antes de pintar con el rodillo), aparecen marcas y la pintura del rodillo se comporta como una segunda capa sobre la pintura seca.

Para aplicar la pintura con la brocha, sigue las fases siguientes:

1. Empieza por las molduras del techo, si es que las tienes, y luego aplica una franja de pintura alrededor del techo, en el límite con la pared. Luego pinta el centro del techo (figura 4-11). Empieza a pintar cerca de una ventana. La luz exterior te ayudará a ver la falta de

Figura 4-11:
La parte central es lo último que se pinta en el techo

pintura y te facilitará que encuentres dónde debes seguir pintando para un mejor acabado final.

2. Para las paredes, empieza por los cuatro ángulos y luego pinta la pared.

3. Aplica a continuación una franja de pintura alrededor de las ventanas y las puertas.

4. Pinta con brocha todas las superficies a las que no puedas llegar con el rodillo, como las zonas alrededor de los radiadores y los plafones. Pinta también alrededor de los interruptores y los enchufes.

5. Acaba esta fase de contorno por el zócalo.

Para las superficies rectilíneas, usa una espátula grande para no manchar el zócalo ni el suelo.

Cuando hayas terminado la fase de contorno, el rodillo podrá entrar en escena empezando por el techo y avanzando paralelamente a la pared más larga desde la esquina cercana a la ventana y hacia el interior de la habitación. Pinta así superficies cuadradas de 50 cm de lado, aproximadamente y, cuando llegues a la pared contraria, vuelve a la pared de partida. Este método, ilustrado en la figura 4-12, evita que queden marcas de desfase.

En las paredes, haz lo mismo de arriba abajo. Ve haciendo pequeñas pausas para observar y aléjate algunos pasos para asegurarte de que no falta nada por pintar y que no dejas señales.

Para comprobarlo, acércate a la pared recién pintada con una fuente de luz intensa y observa si hay diferencias de pintura o zonas olvidadas.

Para un trabajo perfecto, sin churretones, excesos de grosor y errores, sigue bien las técnicas para la brocha y el rodillo.

Figura 4-12:
Pinta en pequeñas etapas para que la pintura no se seque antes de pasar a la superficie siguiente

Técnicas para pintar con brocha

No sobrecargues la brocha. Sumérgela dentro de la pintura hasta la virola. Escúrrela sobre el borde de la cubeta o el cubo y sumérgela de nuevo hasta un tercio de las cerdas. A continuación, aprieta la brocha cargada de pintura contra la pared del recipiente, mejor que frotándola con el borde. Este pequeño gesto permite que la pintura penetre bien en las cerdas de la brocha y evita que se sobrecargue de pintura, lo que te ahorrará chorretones y otros desastres.

En las juntas rectilíneas, utiliza una brocha de presionando un poco para aplastar las cerdas y que suelten la pintura sobre la virola. Trabaja sin prisa en superficies pequeñas para que en los empalmes no haya sobrecarga de pintura. En los ángulos, usa la parte larga de la brocha para esparcir la pintura uniformemente apoyando suavemente las cerdas del pincel.

Técnicas para pintar con rodillo

Antes de pintar, te aconsejo que humedezcas el rodillo con agua. Sécalo bien. Luego, toma pintura del fondo de la cubeta haciendo girar el rodillo sobre la rejilla, sumerge el rodillo varias veces haciéndolo subir y bajar por la rejilla para que se empape bien de pintura.

Para que la capa de pintura quede uniforme, debes ejercer una presión constante e igual sobre el rodillo. Reparte la pintura de forma regular, sin apretar demasiado para no crear acumulaciones de pintura. Trabaja en capas finas, para evitar las salpicaduras, en un movimiento de vaivén horizontal. A continuación, alisa verticalmente sin volver a cargar el rodillo de pintura. Trabaja así en pequeñas secciones, desbordando cada vez ligeramente la zona anterior para obtener buenos empalmes. Ten a mano un trapo húmero para secar las salpicaduras y chorretones.

Moja a menudo el rodillo en la pintura, sin sumergirlo del todo. La pintura debe quedar un poco por debajo del eje del rodillo para evitar que resbale al interior. Evita sobrecargar los bordes del rodillo (si ocurre, elimina el exceso de pintura con una brocha).

Cuando trabajes sobre un andamio, mantente en el centro de la superficie que estás pintando, justo en frente de la zona que hay que pintar. Centra también el peso para no cansarte. No te estires ni te inclines, es mejor que desplaces el andamio. Un buen truco consiste en mantener siempre la cadera en el centro del espacio de trabajo. Así te cansarás menos y serás más eficaz.

Ventanas

Utiliza una brocha pequeña plana o una brocha de punta abombada (brocha de recorte). Empieza por los pequeños listones que enmarcan los cristales, orientando siempre la brocha en la misma dirección para evitar que queden rebabas. Seca las gotas que puedan caer sobre los cristales con ayuda de un trapo limpio que no deje pelusa: colócalo sobre la cuchilla de una espátula y deslízala a lo largo del cristal. Una opción más latosa, pero eficaz, consiste en proteger los cristales con papel adhesivo o en utilizar una plantilla de metal o de plástico. Después pinta los travesaños, de arriba abajo, luego los montantes, a la derecha y la izquierda de la ventana, como se ilustra en la figura 4-13.

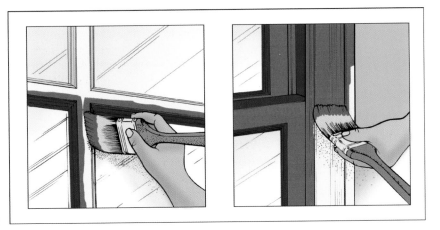

Figura 4-13: Empieza por los listones que separan los cristales y acaba por el marco y los herrajes

Pinta el travesaño superior a pasadas horizontales de brocha y alisa sin recargar el pincel. Haz lo mismo para el travesaño inferior. Acaba por los montantes, la pieza de apoyo y los herrajes. No los cargues mucho de pintura para evitar chorretones poco estéticos que además dificultarían su funcionamiento. Y ya puedes atacar el bastidor de la ventana. Y, para acabar, limpiar el pincel (fíjate en la figura 4-14).

Figura 4-14: Limpieza del pincel

Puertas

Deja el batiente fijado a los goznes para trabajar desde los dos lados al mismo tiempo. Así la puerta quedará abierta. El marco se pinta lo último. Recuerda que debes quitar el picaporte, la cerradura y cualquier accesorio fijado a la puerta, o protegerlos con cinta de carrocero.

En general, en la medida en que no son visibles, los bordes superior e inferior de la puerta no se pintan. Sin embargo, dado que la pintura facilita la limpieza, protege de la humedad que podría estropear una puerta o combarla, no dudes en pintar el borde inferior de la puerta aunque no se vea, por lo menos al pintar por primera vez las puertas nuevas.

A. Comienza pintando las molduras alrededor de cada panel.

B. Pinta a continuación las superficies horizontales.

A. Acaba con las superficies verticales.

Figura 4-15:
Pintar una
puerta con
paneles

En las puertas lisas normales puedes usar una brocha o un rodillo. Emplea la brocha para pintar los goznes y los bordes, y termina pintando la puerta con un rodillo. Si es una puerta con paneles, sigue los pasos que se describen a continuación y que se ilustran en la figura 4-15.

1. Pinta los paneles de la puerta.

   Empieza por las molduras decorativas alrededor de los paneles y sigue por los paneles.

2. Pinta los cantos horizontales entre los paneles (arriba, al centro, abajo).

3. Pinta los cantos verticales (derecha, izquierda).

4. Pinta los travesaños verticales.

5. Acaba por los travesaños horizontales y los bordes.

Cuando hayas terminado con el batiente, pinta el montante de la puerta y acaba por la parte del marco en la que se apoya la puerta cerrada y por el marco que rodea a la puerta.

 Cuando pintes molduras o paneles de puertas, no esperes mucho antes de pintar los bordes, porque la pintura puede pegarse si pasas el pincel cerca de una superficie pintada. Si eso sucede, no intentes alisar la superficie con una brocha húmeda; espera que se seque y lija suavemente antes de volver a pintar. Observa la figura 4-15.

Zócalos y molduras

Utiliza una brocha plana cuya anchura se corresponda con el tamaño de la madera que has de pintar. Te recomiendo que sea una brocha que puedas manipular con facilidad en distintos ángulos, ya que a veces pintar un zócalo o una cornisa requiere la flexibilidad de un contorsionista. Puede ser una labor de filigrana (y no demasiado cómoda). Es difícil pintar con precisión una moldura con el brazo estirado o desplazándote, literalmente, tumbado en el suelo para pintar varias decenas de metro de zócalo estrechísimo, con la brocha en una mano y la plantilla para no manchar la pared en la otra.

 Antes de pintar el zócalo, limpia a fondo la habitación, quita el polvo y protege el suelo para evitar las manchas. La brocha cargada de pintura puede recoger hilillos de la moqueta, pelusas o polvo que se acumula en el espacio entre el zócalo y el suelo.

Suelo

Una capa de pintura sobre un parqué viejo es una de las maneras más fáciles y baratas de lavarle la cara a una habitación. Es más sencillo y barato pintar el suelo que instalar moqueta, y el resultado es igual de eficaz: un suelo liso y uniforme que hace que la habitación parezca más grande. Lo más pesado de esta operación es que por fuerza hay que quitar todos los muebles de la habitación.

Para realizar cualquier trabajo en el suelo, ponte rodilleras. En la mayoría de las grandes superficies de bricolaje encontrarás almohadillas que se sujetan a las piernas y te protegen las rodillas. Si te gusta patinar es probable que ya tengas unas rodilleras deportivas que también te pueden servir. Y si lo que quieres es ahorrar, ¿por qué no reciclas algunos trozos de cartón o de moqueta y te los colocas doblados debajo de las rodillas?

Sea cual sea el acabado del suelo (pintura, cera o barniz), hay que lijar la superficie para aplicar la nueva capa de pintura sobre un suelo limpio, sin brillo. Para preparar la superficie, utiliza una lijadora. Puedes alquilarla en alguna empresa (consulta el apartado de alquiler de herramientas de las páginas amarillas).

Retira los clavos que puedan quedar de un revestimiento anterior. Puedes hacerlo con un martillo, colocando un trozo de cartón o una plancha fina debajo para proteger el soporte, aunque lo ideal es usar un arrancaclavos. Tiene una hoja en forma de V ligeramente curvada que se desliza debajo de la cabeza del clavo. Basta con hacer girar el mango para arrancar un clavo sin estropear la tarima. Quita el polvo a fondo con ayuda de un aspirador, concentrándote sobre todo en las grietas y en las fisuras y debajo de los radiadores o convectores eléctricos.

Utiliza pintura a base de aceite y aplícala con un rodillo grueso. Fija un alargador al mango para no tener que trabajar encorvado como si fueras Quasimodo. Empieza pintando con la brocha el perímetro de la habitación (ve con cuidado con el zócalo) y pon un poco de pintura en las grietas y en el espacio entre las láminas. Lo ideal es pintar de forma cruzada para repartir la pintura, y alisar en el sentido de la veta de la madera.

Seguro que de pequeño te encantaba jugar a los barcos. Pintar un suelo es algo parecido. Piensa bien tu plan de ataque para no quedarte atrapado en un rincón de la habitación (¡puede resultar muy incómodo!). Para salir airoso y con pocas manchas de pintura de esta situación, te aconsejo que empieces a pintar por el extremo opuesto a la puerta. Empieza por el perímetro de la habitación y el espacio entre las láminas. Luego, aplica la pintura con el rodillo. Avanza por secciones de 60 cm de longitud, más o menos. Esparce la pintura a lo largo del tablero de una pared a otra, tomando el borde de una lámina como tope antes de volver al punto de partida para evitar las marcas.

Pintar con pistola

Unos cuantos litros de pintura al agua y una pistola de pintor pueden hacer verdaderos milagros sobre superficies irregulares. Pintar a pistola es ideal en cualquier soporte que el rodillo no cubriría totalmente o que sería difícil de alisar con una brocha. Además, es una herramienta divertida de utilizar.

Alquila una pistola de calidad profesional. Para las grandes superficies, los aparatos potentes pulverizan una gran cantidad de pintura, lo cual es perfecto cuando se quiere cubrir una superficie irregular. Para las superficies pequeñas puedes comprar una pistola de baja presión. Una herramienta ligera y manejable te costará entre 90 y 150 euros aproximadamente.

Para pintar con pistola, los preparativos suelen ser bastante más largos que la proyección de la pintura en sí. Pero no te saltes esta fase previa, si no quieres tener que pintar muchas más cosas de las previstas...

En mi opinión, pintar con pistola comprende cinco fases que conviene respetar:

- ✔ Preparación de la superficie.
- ✔ Protección de las zonas que no vas a pintar.
- ✔ Preparación del material.
- ✔ Proyección de la pintura.
- ✔ Limpieza del material.

Preparar la superficie

Rasca la superficie con ayuda de un cepillo basto o una rasqueta para eliminar todos los restos de pintura agrietada o desconchada. Si encuentras manchas de humedad, límpialas con una mezcla compuesta por el 50 por ciento de agua y el 50 por ciento de lejía. Si las señales de humedad son recurrentes, deberías determinar su origen y atacar la raíz del problema para hallar un remedio eficaz antes de pintar las paredes (ve al capítulo 16 para saber más sobre los problemas de humedad).

Tapar las zonas que hay que proteger

Protege todas las superficies que no quieres pintar con lonas de plástico sujetadas con cinta de carrocero.

El papel adhesivo absorbe la pintura sin dejarla traspasar en caso de derrames. En cambio, la cinta de carrocero no absorbe la pintura, que traspasa fácilmente. Utiliza el producto adecuado en el momento adecuado. Otro detalle que también tiene su importancia es que la cinta de carrocero no deja restos de adhesivo en el soporte sobre el que se pegan al quitarlas. Un último truco, no las dejes mucho tiempo cuando hayas terminado de pintar, o te arriesgas a que se sequen y cuesten mucho más de quitar.

Cuando se pinta con pistola, la pintura se proyecta por un sistema de bomba o compresor, de manera que se seca muy rápido. Las pequeñas gotas de pintura pulverizadas por algunas pistolas de alta presión pueden provocar una especie de neblina perjudicial para la salud del pintor y también de todas las superficies que haya alrededor... Toma todas las precauciones para no pintar lo que no conviene. Además de los preparativos generales, protégete la nariz, los ojos y la boca con una mascarilla y unas gafas de protección. Ponte un jersey viejo y un gorro calado hasta las orejas. También encontrarás vestidos de papel para esta función.

El lado bueno de este método es que las pinturas vinílicas y acrílicas se secan tan rápido que podrás retirar las lonas de protección en cuanto termines de pintar.

No olvides apagar todos los aparatos de calefacción o radiadores antes de pintarlos.

Preparar el material

Cuando vayas a alquilar el material, sobre todo si se trata de una pistola de pintura, describe con detalle lo que quieres hacer para que te recomienden el equipo que se adapte mejor.

Las pistolas pulverizan la pintura a alta presión. Estas herramientas no son juguetes y pueden llegar a ser muy peligrosos. La pintura proyectada puede atravesar la piel de una persona si diriges accidentalmente la pistola hacia ella. Para que esto suceda, la boquilla debe estar muy cerca de la piel pero es mejor tener en cuenta este riesgo. Con las pinturas de baja presión no hay problemas de este tipo.

No salgas de la tienda de alquiler sin un curso intensivo sobre cómo usar la pistola. Tendrás que haber aprendido a realizar las acciones siguientes:

✔ Poner en marcha y parar el mecanismo.

✔ Regular la presión de la pintura.

✔ Filtrar la pintura.

✔ Regular la viscosidad (la fluidez de la pintura).

✔ Regular la boquilla.

✔ Manipular la pistola.

✔ Desatascar el pulverizador.

✔ Limpiar la pistola, el conducto y el compresor.

Proyectar la pintura

Usar una pistola de aire comprimido no resulta demasiado complicado, pero necesitas un poquito de teoría si quieres evitar problemas de sobrecarga, derrames y proyecciones irregulares.

Aunque los botones de cada pistola de pintura pueden variar según el fabricante, su principio de funcionamiento es siempre el mismo: una bomba aspira la pintura de un recipiente específico y la comprime a través de un conducto hasta la pistola. Cuando accionas el gatillo, se envía la pintura con gran fuerza a través de un orificio y explota en partículas minúsculas.

La presión de la pintura y el diámetro del extremo de la pistola (el pulverizador) determinan la cantidad de pintura que sale de la pistola. Comprueba al alquilarla que la pistola va equipada con el pulverizador adaptado al tipo de pintura que has elegido (agua, aceite, etc.). Si lleva una boquilla regulable, asegúrate de que entiendes bien cómo funciona.

 El agujero del pulverizador es minúsculo, por lo que puede obturarse fácilmente. Pide a quien te alquile la pistola que te explique cómo desatascarlo si esto ocurre. Es indispensable que sepas cómo limpiar la pistola de forma segura. La pintura sale de la pistola a muy alta presión, de manera que vale más tomar las precauciones necesarias.

Prepara la viscosidad, es decir, fluidifica la pintura con el disolvente específico para aplicarla mejor. Observa los botes de pintura que vas a usar. El fabricante indica en ellos si se puede fluidificar o no, generalmente entre el 2 y el 15 por ciento. Si respetas estas indicaciones no modificarás las características de la pintura, con lo que mantendrás sus propiedades. Una pintura fluida se aplica bien con la pistola. Pero no te animes demasiado cuando tengas la botella de agua o de aguarrás en la mano. El color no debe ser tan fluido que solo deje disolvente en la pared ni tan espeso como para llenarlo todo de goterones espesos de pintura.

Antes de empezar a jugar con la pistola que has alquilado, controla la viscosidad de la pintura con el recipiente en forma de embudo que te habrán dado. Cuanto más tarda en caer la pintura, más viscosa es. Haz la prueba devolviendo la pintura al depósito de la pistola.

La pintura con pistola se ha democratizado y las grandes marcas han desarrollado productos dirigidos al gran público. Así, algunas llevan ya un pequeño depósito unido a la pistola. Aunque parecen prácticas, tienen algunos inconvenientes:

✔ En el depósito cabe menos pintura.

✔ Son más pesadas porque hay que aguantar el peso del depósito.

✔ Me parecen menos prácticas para pulverizar.

Hasta aquí los consejos para abrir el apetito, ahora vamos con un poco de práctica. La mejor técnica para pintar una superficie con una pistola de pintura consiste en hacer pasadas regulares en paralelo a la superficie y en ángulo recto. Después de cada pasada no sueltes el gatillo. Si te detienes sobre un punto, provocarás una acumulación de pintura. En la figura 4-16 puedes ver cuál es el método adecuado.

Comprueba el sentido de las aletas:

✔ Aleta vertical = chorro horizontal. Aleta horizontal = chorro vertical.

Comprueba también la fluidez. Proyecta la pintura sobre un trozo de cartón o de papel pintado. A continuación, define la superficie que vas a pintar y ve pintando por cuadrados.

Figura 4-16: Comprender cómo se usa la pistola es la clave para que el trabajo quede bien

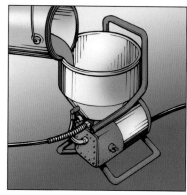

A. Filtra la pintura siguiendo las indicaciones del fabricante.

B. Realiza movimientos paralelos aguantando con firmeza y en ángulo recto.

Por ejemplo, empieza horizontalmente. Dirige la mano hacia la parte inferior derecha (sin soltar el gatillo, en paralelo y sin pararte) y de izquierda a derecha y con un gesto fluido. Gira la aleta en el sentido contrario y repite el gesto desde el mismo principio.

Da varias pasadas sobre una misma superficie para cubrirla bien y evitar que queden zonas más claras. Cuando hayas terminado la primera sección, retrocede un poco para asegurarte de que has cubierto la superficie de manera uniforme. Si te parece que la pintura deja franjas marcadas, no has dado suficientes pasadas. Se necesita un poco de práctica para pillarle el truco.

Es mejor dar capas finas y repetir el proceso varias veces que cargar la pared con una capa espesa de pintura que se secará de manera irregular y a la larga se descascarillará.

Limpieza del material

Pulverizar la pintura con ayuda de una pistola de aire comprimido es muy rápido, pero limpiar el material no lo es tanto. De todos modos, el tiempo que te ahorras con este método respecto del uso de la brocha o del rodillo hace que valga la pena dedicar unos minutos añadidos a la limpieza.

El procedimiento varía de un aparato a otro, de modo que cuando alquiles la pistola pide que te enseñen cómo limpiarla. Por norma general, tienes que hacer pasar el disolvente por el sistema hasta que salga toda la pintura de la bomba, del conducto y del pulverizador. En la mayoría de las pistolas, la boquilla es desmontable de modo que la obertura para que pase el disolvente es mayor. Al cabo de unos minutos, el disolvente se irá aclarando. Cuando el interior del sistema esté limpio, lava la herramienta por fuera, especialmente la pistola y el conducto que lleva conectado.

Para evitarte algún disgusto, te aconsejo que limpies la pistola en un espacio que no te importe manchar (como el lavadero, el garaje o un cuarto de trastos).

Antes de elegir entre rodillo, brocha o pistola, recuerda que la pistola proporciona bonitos acabados (más que el rodillo y sin riesgo de pelillos incrustados en el color) siempre que se use a la perfección, pero tienes más oportunidades de pifiarla que con el rodillo. Trabajar con pintura a veces puede sacarte los colores...

Capítulo 5

Pintura para exterior

· ·

En este capítulo

▶ Elección del color y el tipo y la cantidad de pintura

▶ Herramientas y materiales para trabajar en las alturas

▶ Preparación de las superficies

▶ El mejor momento para pintar

▶ Tratamiento de las diferentes partes de la casa

▶ Limpieza del material

· ·

*E*legir una pintura no es una tarea sencilla. Si se tienen en cuenta todos los colores, los matices, los tipos, las marcas, sin contar las limitaciones exteriores (color de la fachada, obligaciones respecto a la comunidad), ¡es para volverse loco! Además, antes de que pierdas por completo la cabeza, debo aconsejarte que consultes en el Ayuntamiento de tu localidad para averiguar cuáles son los colores recomendados y los prohibidos, ya que muchos municipios reglamentan el color de las fachadas para preservar cierta armonía arquitectónica. La gama de colores del barrio debería ayudarte a verlo claro, de manera que no optes por un fucsia intenso si vives en un vecindario de casitas encaladas.

Elegir el color

La elección de un color es, ante todo, un tema de gusto personal. Sin embargo, es habitual que las diferencias arquitectónicas marquen el color de las fachadas. Además, para encontrar el color ideal te propongo diferentes métodos. El primero consiste en pasearte por tu barrio para examinar las distintas combinaciones de colores y acabados en las casas que te gusten. La elección correcta de los colores, que es el resultado evidente de un buen gusto, puede aportarle a una casa un encanto absolutamente notable. A la inversa, un conjunto de colores no coordinados tendrá un efecto, como mínimo, negativo. Fachadas azules, molduras blancas y postigos rojos probablemente le irán bien a un restaurante típico francés, pero no estoy seguro de que te resulte fácil hacer amigos en el barrio si decides vestir tu casa con esos colores.

Un breve paseo por un barrio residencial te ayudará a descubrir cuántas personas no tienen en cuenta las consideraciones necesarias antes de elegir una u otra pintura o acabado exterior. No subestimes jamás el color de la fachada en la personalización de una casa. Y no olvides nunca que una fachada con colores armoniosos puede aumentar el valor de tu propiedad, además de su categoría; mientras que los colores demasiado llamativos pueden hacer que los posibles compradores salgan huyendo y devaluar tu propiedad.

Otra forma de comprender la decoración exterior consiste en buscar la ayuda de un experto. Muchas tiendas especializadas ofrecen, además de una carta de colores, los servicios de asesores para que te ayuden a armonizar los tonos de la fachada. Algunas grandes empresas de pintura ofrecen también un servicio de selección de colores asistido por ordenador. Para aprovechar esas ventajas, ve a ver al distribuidor con una foto en color de tu casa. El ordenador mostrará, entonces, tu imagen modificando los tonos, lo que te permitirá ver exactamente qué aspecto tendría tu casa si optas por uno u otro color.

¿Aún estás despistado? Si te faltan ideas, ve al Ayuntamiento. Es posible que tengan una paleta de colores elaborada por un profesional para ayudar a los ciudadanos y para que la localidad tenga cierto orden cromático en las fachadas. Un servicio muy práctico y gratuito que puedes utilizar sin moderación.

Crear tu propia combinación de colores no suele ser buena idea. Si nunca has visto casas violetas con postigos verdes, ¡lo más probable es que se deba a que su aspecto sería ridículo! Busca la sencillez.

Saca provecho de lo que ya tienes. Antes de comprar pintura, examina los elementos de tu casa cuyo color sea fijo. Por ejemplo, no optes por colores de pintura o de barniz que puedan entrar en conflicto con el color de las tejas, los ladrillos o las piedras que adornan las chimeneas o las jardineras. Ten también en cuenta el color de las otras casas de tu barrio, sobre todo, las de los vecinos más próximos. No optes por un color o un acabado que sea idéntico al de la casa de al lado pero tampoco por uno que sea muy diferente al de las demás construcciones del barrio. Si decides pintar, por ejemplo, tu garaje de rojo, cuando el resto de los vecinos parece tener preferencia por los tonos pastel y los naturales, tu casa atraerá la atención y, probablemente, hará que tus vecinos piensen que eres un personaje extravagante.

En lo referente a la pintura para exterior hay que tener en cuenta tres tipos de superficies:

✔ **Las paredes exteriores.** Es la parte más importante, el cuerpo de la casa.

✔ **Los marcos.** Si pintas los marcos de las puertas y las ventanas de un color que contraste demasiado con el de las paredes, tu casa podría verse más pequeña, ya que parecerá que cortan las superficies de las paredes en trozos pequeños. Para que la casa parezca grande, es preferible pintar los marcos del mismo color que las paredes o de un tono que haga resaltar el cuerpo de la casa.

✔ **Ventanas, puertas, postigos.** No olvides que puedes utilizar un color más acentuado para resaltar una parte seductora de la casa o atenuar una particularidad menos atrayente aplicándole el mismo color que al cuerpo de la casa.

Al igual que todas las demás partes de la casa que quieras ocultar, puedes camuflar los bajantes pintándolos del mismo color que el muro en el que estén. Si tu casa es antigua, antes de pintar y sea cual sea el material del bajante (acero galvanizado, cobre o PVC), deberás aplicar una subcapa para mejorar la adherencia y, por tanto, facilitar el mantenimiento posterior. Una precaución: como el metal se dilata y se contrae en función de la temperatura, los revestimientos de fachada gruesos no son apropiados, puesto que acaban por desconcharse. Diluye la pintura en el cubo (consulta el cuadro "Diluir una pintura", más adelante en este capítulo) y extiéndela con una brocha, de forma que solo dejes una fina capa sobre las superficies metálicas.

Elegir el tipo de pintura

Antes de desenfundar los pinceles, tanto en el exterior como en el interior, deberás pasar obligatoriamente por la casilla de lijado. Lo sé, lo sé, es un fastidio, pero te juro que es la garantía para que el revestimiento dure mucho tiempo. Por lo general, todos los elementos de carpintería tienen una capa de lasur, por lo que puedes limitarte a limpiarlos con lejía. Es preferible decapar los barnices o, si deseas repintarlos, no pongas mala cara a un pequeño lijado y una buena dosis de subcapa. En cuanto a las grandes superficies, como las fachadas de las casas o las vallas, intenta limpiarlas a alta presión, sin olvidar la famosa subcapa.

Pintura emulsionada o al agua (vinílica y acrílica)

Hace algún tiempo, los expertos recomendaban no utilizar jamás pinturas al agua sobre pinturas con base de aceite (que estaban pensadas para corroerse con el tiempo). Actualmente, gracias a la magia de la tecnología, puedes utilizar sin riesgo pinturas con base de agua sobre cualquier acabado exterior. Estos nuevos revestimientos acrílicos exteriores son sencillos de manipular, resisten a las inclemencias del tiempo, presentan una película protectora sólida y causan mucha menos contaminación que las pinturas con base de aceite. Por todas esas razones, las pinturas de exterior al agua son, hoy en día, las predilectas de todos los propietarios y profesionales de la construcción.

Ten en mente que existen numerosas categorías diferentes de pintura. Si puedes, compra en un proveedor de materiales para profesionales. Como los profesionales deben garantizar sus trabajos, utilizan marcas de calidad que pocas veces son objeto de queja. El precio es otro factor de calidad: cuanto mayor sea el precio de una pintura, mayor tendencia tendrá a ofrecer una mejor garantía, resistencia y elasticidad. El coste de una pintura no es más que un factor secundario en comparación con tu inversión personal en el proyecto. Además, ni se te ocurra intentar ahorrar por aquí. Invierte en productos de calidad, deja de esperar el momento bueno para reducir tu presupuesto.

Los revestimientos lacados se decoloran con el sol y el acabado se destiñe con el tiempo. Pero si la pintura que recubres ha conservado su brillo, será necesario lijarla para que la nueva pintura pueda adherirse. Después, pasa una subcapa antes de aplicar la pintura de acabado.

Pintura con base de aceite (gliceroftálica)

Estos productos van mejor en ciertas superficies. Como normalmente se limpian bien y dan un acabado más brillante, los profesionales prefieren utilizar estas pinturas en la albañilería y en las emulsiones sobre la carpintería. Por ejemplo, el polvo y la suciedad se limpian más fácilmente sobre la pintura con base de aceite aplicada en el marco de una puerta o de una ventana.

Este tipo de revestimiento también es muy adecuado para los exteriores de las casas situadas en las zonas donde la contaminación sea elevada y podría estropear la pintura. Para cualquier persona lo bastante disciplinada como para frotar el exterior de su casa, los gliceroftálicos ofrecen una superficie mejor para limpiar que una pintura al agua. (¡Algunos ni siquiera logramos fregar bien la bañera!)

Para los pasillos y todos los lugares de paso, es preferible no utilizar pinturas al agua, en las que las marcas acabarán por incrustarse. Algunas pinturas gliceroftálicas, al igual que los poliuretanos que ofrecen una gran resistencia a la abrasión, a las rayadas y a los productos químicos, son específicamente apropiadas para el suelo.

Tratamiento de la madera

Antes de lanzarte sobre la madera, haz de detective Colombo para conocer su naturaleza exacta. Es importante, porque los productos clásicos se elaboran para las maderas llamadas de tipo europeo.

En el caso de las maderas exóticas, las especies son distintas y necesitan productos específicos, así que pídele consejo al vendedor para que te ayude a encontrar el producto más apropiado. Ten en cuenta que un producto no adecuado podría obligarte a empezar de cero con la cartera y con la moral por los suelos. Los productos del tipo «tratamiento de la madera» incoloros constituyen una excelente opción para todas las terrazas, vallas y fachadas en madera nueva. Esos productos contienen aceite que penetra bien en todas las superficies de madera natural sin ocultar el grano y la textura de la madera. Para conseguir una protección mejor, da tres capas en la primera aplicación. Después, cada año, una limpieza y una sola capa bastarán.

Los tratamientos teñidos contienen más pigmento que los incoloros y tienden a cubrir y ocultar el grano y la textura de la madera. Como la madera tratada posee un tinte verde o marrón, los incoloros no cubrirán el color de la madera. Utiliza un producto tintado para todas las superficies de madera ya tratada. Sobre la madera de secuoya, incluso un tratamiento incoloro podrá modificar el color rojo por naturaleza de la madera. Los productos tintados normalmente son una buena elección para todas las maderas de un rojo oscuro.

Los tratamientos acrílicos ocultan más o menos el grano y la textura de la madera. Al no penetrar en la madera como los productos con base de aceite, actúan más como una pintura. Utilízalos en las capas de acabado sobre maderas ya tratadas cuando la madera esté saturada, es decir, no absorba más producto.

Los trabajos de revoque son tan laboriosos que el coste de un producto de acabado no representa más que una ínfima parte de todo el proyecto. No escatimes en calidad. Compra el mejor producto disponible. No olvides que resistir mejor el paso del tiempo, garantizado por un producto de calidad, te permitirá ahorrar a la larga.

El agua es el diluyente apropiado para las pinturas en emulsión vinílicas y acrílicas. En el caso de las gliceroftálicas, utiliza aguarrás. Ten en cuenta que el agua utilizada para diluir la pintura debe ser límpida. Los minerales de un agua demasiado calcárea podrían modificar el color de la pintura. Si el agua de tu casa es demasiado calcárea, utiliza agua destilada. Si la superficie que vas a pintar es porosa, a pesar de una subcapa, es preferible hacer que la pintura sea más fluida para la primera capa de acabado. Eso proporciona más resistencia con el tiempo.

Diluir una pintura

La mayoría de las pinturas pueden aplicarse directamente del bote. Algunas circunstancias, sin embargo, exigen que la pintura sea más líquida, sobre todo, para las aplicaciones con pistola. Lee siempre las instrucciones en los envases antes de proceder.

Cuánta pintura hace falta

Para determinar la cantidad de pintura que necesitas para las ventanas, las puertas y los marcos, consulta el capítulo 4.

Calcular la cantidad necesaria para las paredes exteriores puede resultar más complejo que para las interiores, ya que las paredes exteriores normalmente son más rugosas. Para las casas de madera (en particular cuando las lamas de madera se solapan), debes tener en cuenta también el borde oculto de cada pieza. Es preferible sumar entre el 15 y el 25 por ciento de pintura extra al resultado obtenido tras el cálculo del capítulo 4.

Si al aplicar la pintura, el color no queda bien, sobre todo, no la modifiques tú mismo. Vuelve a la tienda: el vendedor decidirá si puede modificarlo en armonía con todos los demás colores que hayas comprado.

Herramientas (y material para trabajar en las alturas)

Para aplicar la pintura a las paredes exteriores, hay diferentes utensilios según el tipo de superficie que se vaya a tratar y la calidad de la pintura que se vaya a aplicar. Además del material necesario para preparar los soportes, también necesitarás brochas, rodillos con una pértiga, rodillos o pistolas para pintura, un gancho en forma de "S" para colgar la cubeta, una lona de tela, un andamio y una plataforma y, por supuesto, un sombrero para protegerte del sol ¡si has elegido bien el día!

Pintura con brocha

El material para pintar exteriores se compone normalmente de brochas grandes o para enlucir. En las grandes superficies, la regla básica consiste en utilizar la brocha más grande posible. No obstante, para los manitas de fin de semana que no tienen un antebrazo a lo Schwarzenegger, agitar una brocha de 80 mm durante todo un día puede resultar matador. La mejor opción es utilizar una brocha que puedas manipular durante un cierto lapso de tiempo sin agotarte demasiado. Si necesitas las dos manos para levantar la brocha, significa que es demasiado grande.

Mi recomendación del capítulo 4 sobre la compra de una brocha de calidad para las pinturas interiores también es válida para los trabajos exteriores. Utiliza una brocha sintética en nailon (o nailon y poliéster) con virola inoxidable para la pintura al agua y una brocha de cerdas naturales o de poliéster para la pintura con base de aceite.

Podrás arreglártelas prácticamente en todas las situaciones con un surtido de tres brochas planas (mira la figura 5-1) de tamaños diferentes. Pinta la madera de las ventanas, puertas y otros marcos con brochas para resaltar, pequeñas brochas con la punta bombeada, o con brochas planas. Las brochas para radiadores (mango largo curvado) también sirven para pintar por encima y detrás de los bajantes, así como todos los lugares inaccesibles que deberás recubrir.

Figura 5-1:
Un surtido de brochas planas para todos los trabajos exteriores

Pintura con rodillo

Los rodillos son perfectos para los trabajos de revoque de la fachada. Puedes utilizar en el exterior el mismo surtido de rodillos que utilices para pintar el salón. Según el tipo de superficie que vayas a recubrir y la naturaleza de los materiales, son necesarios diferentes tipos de rulo, que se pueden dividir en cinco grandes familias:

- ✔ **Rulo de espuma.** Este tipo de rulo en espuma de poliuretano, polivalente, deja un acabado liso o con grano muy fino.

- ✔ **Rulo de lana.** Se trata de una mezcla de lana de oveja y de nailon o también un producto polivalente. Este tipo de rulo es adecuado para todos los usos habituales; el pelo largo, que produce un grano grueso, irá mejor para las fachadas rugosas y los enlucidos rústicos.

- ✔ **Rulo antigoteo para techo.** Apropiado para las pinturas antigoteo.

- ✔ **Rulo de lana de angora.** Estos rodillos para lacar suelen ser de pelo muy corto y denso. Son perfectos para las pinturas satinadas, brillantes, al igual que los barnices y lacas.

- ✔ **Rulo de goma** con relieve o sin él, estructurado en puntillas y motivos. Los relieves de estos rulos son más apropiados para la aplicación de enlucidos decorativos que para la pintura.

La inversión en material bueno siempre es rentable. Elige también un rodillo cuyo rulo vaya fijado a una estructura metálica sólida. Asegúrate de que el mango pueda adaptarse a una pértiga, también llamada alargador extensible.

Estos alargadores, disponibles en diversos largos, permiten al usuario recubrir más superficie sin agacharse, estirarse o apoyarse peligrosamente sobre el andamio.

Aprende a identificar los códigos de colores para utilizar siempre los utensilios apropiados. Tanto las brochas como los rodillos suelen tener franjas de colores que permiten identificar en un abrir y cerrar de ojos con qué tipo de producto deben utilizarse. Para las pinturas al agua, las herramientas llevan una franja azul. En el caso de las pinturas con base de aceite, es roja. Y marrón, para los lasures.

Pintura con pistola

Embarcarse en un proyecto de pintura en exterior casi siempre quiere decir que se va a aplicar el mismo color sobre una superficie bastante grande. Así que, a menos que te hayas saltado el capítulo 4, ¡se te habrá encendido una luz en tu interior! ¡Exacto!, gran superficie = pistola.

Esta forma de pintar, divertida y aparentemente fácil y rápida casi siempre despierta las ganas de lanzarse sobre el primer andamio para repintarlo todo; pero, cuidado, no te dejes llevar por la emoción. De acuerdo, para ciertas tareas delicadas no hay nada que pueda sustituir a semejante equipo. Si pintas una gran casa, una granja, tablas de madera rugosa, vallas o cualquier otra superficie difícil, la pulverización es indiscutiblemente la mejor solución. Recuerda, no obstante, que debes escuchar la previsión del tiempo antes de lanzarte a la acción.

Puedes alquilar un conjunto de compresor-pistola de alta presión o pistolas eléctricas de baja presión en cualquier empresa de alquiler de equipo. Consulta el capítulo 4 en caso de que tengas dudas sobre la puesta en marcha de la máquina y, aunque estés en el exterior, protege bien las ventanas o la terraza.

Al proyectar la pintura, esta se pulveriza en minúsculas partículas (sale atomizada) que pueden ser arrastradas por el viento a grandes distancias. Esas partículas de pintura voladoras son una amenaza para los vecinos, ya que pueden aterrizar sobre casas, coches, perros en plena siesta, etc. Por este motivo, puede ocurrir que te encuentres con una normativa que prohíba el uso de pistolas para pintar en el exterior. Si pintas el coche nuevo de tu vecino con un revestimiento de fachada, tus relaciones con él podrían volverse mucho más personales y cercanas de lo que imaginabas. No vaporices jamás la pintura cuando haga viento, ni siquiera cuando esté el día calmado, si vives en una casa adosada.

Las pinturas y otros productos como los disolventes y los limpiadores son productos químicos tóxicos y no deben ingerirse. Lee y respeta las advertencias indicadas en las etiquetas. Recuerda también que las emanaciones de los productos químicos tóxicos son también veneno y que las emanaciones de los productos inflamables pueden inflamarse también. No vaporices jamás un producto inflamable cerca del fuego o de una fuente de calor. No fumes mientras estés pulverizando la pintura (ni siquiera mientras transportas pintura o cualquier otro producto inflamable). Ponte una mascarilla respiratoria mientras utilices una pistola para pintar, además de gafas protectoras.

Escaleras y andamios

Para trabajar en las alturas con total seguridad al abordar trabajos de pintura de exteriores, hay diferentes tipos de escaleras, plataformas y andamios.

Las escaleras pueden ser de madera, de aluminio (más ligeras) o de fibra de vidrio, sencillas, extensibles o multiusos (un sistema de bloqueo de las articulaciones permite que la escalera se use como una escalera simple, doble o extensible). Seguro que te ves a ti mismo subido a una escalera con tu pincel, pero te recuerdo que una escalera es un simple medio de acceso, no una superficie de trabajo. En mi opinión, es muy práctica y muy peligrosa al mismo tiempo. Es esencial evitar trabajar sobre ella. En cuanto a la escalera de madera de tu abuelo, ya ha llegado el momento de usarla para hacer una gran hoguera. Con el tiempo, acabará por romperse y suele ser tu peso lo que da la señal de salida a su lenta agonía. Además, tu descenso corre el riesgo de ser mucho más rápido que la subida, ¡sobre todo si llevas contigo un gran bote de pintura! La barandilla de un andamio o de una plataforma ofrece una gran seguridad y permite trabajar sobre una superficie mayor al mismo tiempo (una ventaja respecto a una escalera, con la que es necesario bajar cada vez que quieras moverla para alcanzar otra parte del soporte). Yo insisto, pero si no tienes otra opción que trabajar sobre una escalera, usa un arnés que te sujete a un punto fijo y sólido de la casa. En este caso, piensa de nuevo en el alquiler del material; es una garantía de seguridad.

No te inclines exageradamente para llegar a una zona a la que no llegas, ya que podrías perder el equilibrio o volcar la escalera y, por supuesto, caerte.

Antes de utilizar una escalera vieja, examínala con atención para verificar que esté en buen estado. Comprueba las fijaciones y aprieta todo aquello que te parezca demasiado flojo. Abre del todo la escalera y fija los ganchos de seguridad para garantizar su estabilidad (¡y la tuya!) antes de subirte. Engrasa todas las estructuras y las partes extensibles con un lubrificante adecuado, pero ten cuidado y no lo apliques en los peldaños, porque podría provocar resbalones incontrolados. Siempre por seguridad, te aconsejo llevar suelas antideslizantes, más que suelas ligeras. Con un par de zapatillas de deporte viejas que hayan pasado su tiempo sobre los caminos fangosos, estarás más cómodo y los peldaños no amenazarán con *cortarte* los pies rápidamente.

Cuando muevas una escalera, sujétala con una mano de un peldaño a la altura de la cabeza y con la otra lo más baja posible. Apóyala en la pared y acerca la parte inferior hacia ti para obtener un ángulo de 70°, aproximadamente, en relación con la pared de apoyo. Calcula, por cada metro de altura, una separación de 25 cm; la figura 5-2 ilustra esas indicaciones. Por último, antes de subirte, asegúrate de que la escalera esté bien apoyada. Una buena precaución es sujetar bien el dispositivo. Clava dos piquetas en el suelo para atar los pies o que alguien sujete la escalera desde abajo.

Demasiado cerca de la parte inferior de la pared.

Demasiado lejos de la parte inferior de la pared.

Figura 5-2:
La distancia entre la pared y la parte inferior de la escalera debe ser igual a la cuarta parte de su altura

Distancia ideal.

En el momento de la compra, comprueba la carga máxima que soporta el material. Las escaleras corrientes ligeras no están preparadas para soportar cargas muy pesadas. Si pesas más de 90 kilos, compra una escalera con más capacidad que los modelos comunes. Para calcular la carga no olvides tener en cuenta el peso de la ropa, las herramientas y los productos utilizados en el cálculo de esta carga.

Bien, como verás, es mucho menos complicado alquilar un andamio que mover continuamente una escalera con la que asumes muchos riesgos. Alquila uno, pregúntale al proveedor cómo debes montarlo y desmontarlo, y, si tienes tiempo, para no tener que tirarte de los pelos solo en tu jardín, prueba a montarlo en el almacén de alquiler. Allí, si necesitas que te echen una mano, tendrás a los profesionales a tu disposición.

Los pintores profesionales evitan desplazamientos intempestivos de escaleras y andamios pintando todo lo que tienen a su alcance en una tirada: pared, marcos, bajantes, etc. Los manitas de fin de semana normalmente prefieren pintar las paredes y los marcos en dos aplicaciones. Puedes empezar, entonces, por los marcos y después continuar con las paredes, o viceversa. Si decides pintar estas parte en dos etapas, empieza mejor por los marcos, así no tendrás que preocuparte de la pintura fresca de la pared para colocar la escalera.

El toque encantador de las fachadas, los marcos

Si pintas tu casa en blanco o en gris, probablemente querrás pintar los marcos de un color diferente. Si eliges otro color, pinta preferiblemente los marcos y las ventanas del mismo color que las paredes. Atención, todas las pinturas de la fachada no son adecuadas para otros soportes y materiales. Si optas por un aspecto monocromático, necesitarás muy pocos accesorios (un único bote de pintura, una o dos brochas) para completar el trabajo a medida que avances. Así y todo, comprueba con el vendedor o en las etiquetas de los botes de pintura que son apropiadas para los diferentes tipos de soportes.

Invierte en un pantalón o en un mono de pintor. No solo parecerás un profesional, sino que la ropa dispondrá de muchos bolsillos y presillas muy prácticos para llevar las herramientas encima (¡y ya tendrás tu disfraz para Carnaval!). Estos accesorios normalmente son muy resistentes y están preparados para absorber la pintura que salpique o se derrame de forma que no entre en contacto con la piel.

Preparación de las superficies

La mayoría de los trabajos mal hechos son el resultado de una mala preparación, no de una elección equivocada de la pintura. El primer paso consiste en detectar y corregir todos los defectos de la superficie que tienes intención de pintar. Si, tras cinco años o más, la última capa de pintura se ve apagada, pero en buen estado, puedes contentarte con aplicar una nueva capa de pintura y esperar que dure unos años sin olvidar limpiar previamente las superficies con ayuda de un limpiador a alta presión. En cambio, si la pintura empieza a agrietarse o a desconcharse, te conviene encontrar la causa del problema y solucionarlo antes de empezar a pintar. La figura 5-3 muestra algunos defectos que puedes encontrar en pinturas antiguas.

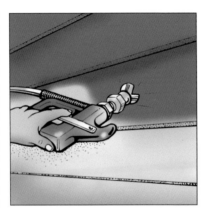

Figura 5-3: Aplicar una nueva capa de pintura sobre los defectos no hará más que acentuar el problema

Los desconchones son el resultado de una pintura demasiado diluida o de una mala preparación del soporte (superficie porosa mal enlucida, pintura brillante no deslustrada, humedades mal eliminadas en la madera, etc.). La aparición de burbujas se debe a la aplicación de una pintura impermeable sobre un soporte húmedo o expuesto a mucho sol. La desintegración pulverulenta excesiva es un problema que aparece, normalmente, con el tiempo en las pinturas de mala calidad (o demasiado diluidas). Las grietas son el resultado de la aplicación de una capa sobre otra aún no seca del todo o de una superposición de dos pinturas de sustancias diferentes e incompatibles. Por último, si hay humedades o la pintura se pulveriza (se pela), la causa es la humedad interior excesiva.

En general, una buena preparación de los fondos para poder pintar en las mejores condiciones posibles una casa incluye los pasos siguientes:

✔ **Rasca las superficies dañadas, como las burbujas y los desconchones, entre otros desperfectos.**

1. Limpia a alta presión todo el exterior de la casa.

2. Rasca y lija la pintura desconchada.

3. Cepilla las grietas con un cepillo metálico.

4. Tapa las pequeñas fisuras, agujeros y las antiguas pinturas desconchadas.

5. Aplica una capa base (capa de imprimación, enlucido u otra preparación).

6. Aplica la capa de acabado.

Cómo solucionar un problema de pintura desconchada

Si la pintura se cae, la causa probablemente sea la humedad interior. Tras haber aplicado varias capas, ¿la primera ya no se adhiere y se desprende? Si esta descripción se parece a tu situación, entonces, te recomiendo que te sientes y te tomes unos minutos para reflexionar.

En caso de que haya una humedad demasiado importante, la única solución es rascar, lijar o utilizar un decapador térmico para retirar la pintura antigua hasta llegar al soporte. A continuación, debes aplicar una capa de imprimación, seguida de otra de acabado emulsionado específico para las fachadas.

Si solo se desconcha la última capa, en su totalidad o por bloques, el remedio es bastante simple. La lista siguiente describe los diferentes tipos de problemas posibles en una capa de acabado, explica cómo resolverlos y da algunos consejos para evitarlos:

✔ **No adherencia total.** Si la capa de acabado se desprende por completo, probablemente la causa sea la preparación incorrecta de la superficie en los últimos trabajos de pintura. Puede que aplicaras una capa de pintura al agua sobre una pintura con base de aceite que empezaba a pulverizarse o que no hayas limpiado a fondo la superficie antes de pintarla. Tienes dos opciones: esperar hasta que la pintura se desprenda por completo o decaparla tú mismo.

✔ Para evitar que este problema se repita, limpia y prepara bien la superficie antes de volver a pintarla. Si pintas sobre un soporte inestable, que suelte polvo, añade un producto especial para reforzar la adherencia de la pintura. Mezcla el producto con la pintura (siguiendo las instrucciones del fabricante) y aplícala con la ayuda de una brocha, un rodillo o una pistola. Si es necesaria una segunda capa, aplícala sin añadir nada. Otra forma de eliminar este tipo de problema, provocado por la aplicación de pintura sobre otra antigua que suelte polvo, es utilizar una pintura emulsionada especialmente pensada para recubrir las superficies problemáticas.

✔ **Pintura desconchada en algunas zonas.** Si la pintura se desconcha solo en algunas zonas, parte del principio de que tienes un problema de humedad y busca la causa. Por ejemplo, la pintura tiene tendencia a desprenderse cerca de la salida de aireación de la secadora por el aire caliente que se escapa. En ese caso y para evitar este tipo de problemas, aleja el conducto de aireación de la pared, lo cual limitará el contacto de la humedad con la pintura.

✔ **Pintura desconchada en los techos con alfarjes.** Si la pintura está en buen estado en toda la superficie de la casa, excepto en los techos con alfarjes, en la bóveda del porche o en los laterales que cubren las extremidades del gablete, es muy probable que el problema esté causado por una humedad demasiado fuerte y una ventilación demasiado débil. Sustituir el sistema de ventilación de los alfarjes aleatorio por un sistema metálico continuo que reparta el aire por toda la longitud del conducto puede ser una buena solución. Puedes encontrar pequeños sistemas de ventilación redondos para alfarjes en todas las grandes superficies de bricolaje. Limítate a hacer un agujero del mismo tamaño que el sistema bajo el alfarje e insértalo. Estos ventiladores permiten que el aire circule en el alfarje y ofrecen una vía de aireación para expulsar el exceso de humedad.

✔ Una mala limpieza de las superficies que hay que limpiar puede provocar también problemas de desconchones en los alfarjes y las bóvedas de los porches. Si bien las paredes exteriores de la casa pueden entrar en contacto con la lluvia, los alfarjes y las bóvedas de los porches que no están expuestos a esta pueden ensuciarse mucho. Cuando limpies las paredes exteriores, presta especial atención a las zonas no expuestas y límpialas en profundidad.

✔ **Pintura desconchada en los gabletes.** Si la pintura se desprende solo en los gabletes de la casa, el problema está causado por una tasa de humedad demasiado fuerte y una ventilación insuficiente en el desván. Para airear mejor el desván, instala grandes ventiladores de gablete o ventiladores de conductos continuos.

✔ **Pintura desconchada alrededor de las ventanas y las puertas** El marco de las ventanas y las puertas constituye un emplazamiento privilegiado para los problemas de pintura, sobre todo, en las casas de ladrillo o de estuco. En invierno, el aire caliente interior tiene más tendencia a retener la humedad que el aire frío del exterior. En las paredes exteriores, el camino de la mínima resistencia para la migración de la humedad suele ser entre las puertas o las ventanas, y sus marcos. Cuando la humedad alcanza el marco exterior, se condensa bajo la pintura, que ya no puede adherirse más.

✔ Para neutralizar la humedad en su recorrido, utiliza un producto acrílico específico para tapar todos los espacios y grietas entre las paredes y los marcos interiores. Lo ideal es la aplicación con pistola de cartucho intercambiable. Desmonta también los enchufes de la pared para tapar con cuidado el espacio que podría haber entre la caja y la pared. Si rellenas los espacios, retardarás el flujo de la humedad que atraviesa las paredes desde el interior hacia el exterior.

✔ Antes de volver a pintar, retira toda la pintura que se desprenda de la ventana exterior y de su estructura. Procede en profundidad, más allá de un pelado aparente, puesto que este tipo de problema se extiende a menudo a capas de pintura que parecen sanas. Una vez que hayas decapado la pintura antigua, aplica una imprimación acrílica, pasa al enlucido de relleno y después el acabado. No te saltes las casillas de lijado e imprimación; cuando hayas acabado ese trabajo, aplica dos capas de pintura acrílica para este tipo de soporte. Las pinturas acrílicas son más ligeras y permiten que la humedad se escape más fácilmente que las pinturas con base de aceite.

✔ **Pintura desconchada en el punto de intersección de los postes del porche y la pared de ladrillo.** Si la pintura en la base de los postes de tu porche se desprende, probablemente el carpintero no haya sellado bien el final de los postes o de las columnas. El agua que cae sobre el porche de cemento puede deslizarse por los postes y estancarse en una intersección mal sellada causando daños en lo referente a la pintura.

✔ Para reparar fugas alrededor de los postes empieza por rascar la pintura desconchada. Sella bien la zona defectuosa de la madera con una capa de imprimación, después aplica las capas de acabado que tú elijas. También puedes aplicar sobre los postes dos capas de revestimiento de fachada acrílica. Espera a que la madera se seque bien, luego utiliza un rellenador acrílico para sellar correctamente las intersecciones entre las paredes de ladrillo y la madera. Este sellado evitará que más adelante el agua de lluvia se infiltre en los espacios y las grietas. Por supuesto, verifica que la base de los postes de madera no haya quedado carcomida por la humedad estancada. Si es así, aplica un saturador antes de proceder a estas reparaciones que te he explicado.

Cómo calafatear el exterior

El aislamiento térmico es indispensable en una casa, ya sea para frenar la pérdida calorífica, ya sea para protegerla de las condiciones atmosféricas (calor, frío, lluvia). Encontrarás diferentes tipos de calafateos, como juntas de lengüetas, tiras de espuma para encolar, masillas de silicona, etc., (mira la figura 5-4). Aunque su aplicación es fácil, no se colocan en cualquier sitio. Sobre todo, los dispositivos de recuperación y evacuación de agua de las ventanas (las ranuras de recuperación) deben poder continuar funcionando continuamente.

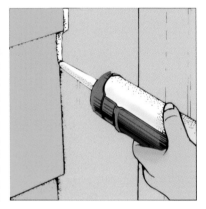

Figura 5-4: Colocación de una junta de silicona entre un marco y las tablas de madera

Rasca toda la pintura desconchada adyacente a las zonas aisladas. Después, calafatea de nuevo todos los intersticios entre los dos elementos inmóviles. (¡No, no hablamos de tu cuñado y de su sofá!) Se trata más bien de los intersticios alrededor de las tomas eléctricas exteriores, de los conductos de fontanería, entre los marcos y las tablas solapadas de las casas de madera, etc. Deja que las juntas se asienten un mínimo de 48 horas. Cuanto más paciente seas, mejor quedará. A continuación, tendrás que limpiar el exterior de la casa a alta presión. Si has dejado chorretones de masilla o de otros productos, tras el secado completo, podrás cortar con un cúter los excedentes de materia.

Cómo limpiar con lejía

Las pinturas modernas son tan eficaces que puedes pintar sobre prácticamente cualquier soporte, pero no lo hagas sobre cualquiera, porque te arriesgas a obtener resultados mediocres. La pintura puede recubrir el polvo y la suciedad, pero no se adherirá. La suciedad se instala entre la superficie y la pintura, que acaba por desprenderse. Mi trilogía favorita: limpieza, lijado y limpieza, es el secreto de una pintura sana y duradera.

Limpiar toda la superficie de tu casa puede parecerte una tarea insuperable, aunque un limpiador a alta presión hará que este proyecto sea tan sencillo como divertido. Puedes comprar un limpiador a alta presión en todas las grandes superficies de bricolaje o alquilar uno en una empresa de alquiler. De hecho, esta herramienta es tan práctica que en el capítulo 16 puedes ver varias tareas en las que se usa.

Lavar tu casa con un limpiador a alta presión es el mejor modo de limpiar a fondo, hasta el punto que la pulverización del agua es tan potente que se lleva con ella todos los fragmentos de pintura que ya no se adhieren y que se desprenden. No obstante, un instrumento como este no es indispensable; puedes arreglártelas también con un poco de esfuerzo físico, un cubo de agua jabonosa y un buen cepillo.

Cómo solucionar la desintegración pulverulenta

Con el tiempo, la mayoría de las superficies pintadas se desintegran en forma de polvo o se oxidan. Algunas pinturas exteriores con base de aceite están pensadas para deshacerse en forma de polvo a fin de que la lluvia limpie y lave la superficie de un modo natural. Pero si aplicas una pintura al agua sobre una pintura que suelta polvo, puede desconcharse, incluso no adherirse.

Para constatar si una pintura suelta o no polvo, pasa la palma de la mano por su superficie. Si el color se queda sobre tu mano, la pintura empieza a desintegrarse en forma de polvo. Lava la superficie con agua y una buena dosis de producto de mantenimiento para suprimir todo el polvo de la pintura. Como esos residuos de pintura son microscópicos, debes rascar la superficie y enjuagarla con agua limpia. Deja que el soporte se seque antes de aplicar la capa de imprimación (capa base).

Combatir el moho

Una pintura también puede desconcharse o desprenderse si se aplica sobre una placa recubierta de suciedad o de moho. En ese caso, debes retirar cualquier rastro de suciedad o de moho antes de pintar. La suciedad retiene el moho; si tienes problemas de moho recurrentes, puedes limpiar la casa a alta presión una vez al año para deshacerte de él.

Si las fachadas o los marcos de tu casa presentan manchas oscuras (marrones, grises o negras), puede tratarse de simple suciedad, o de moho. Para verificar la naturaleza de las manchas prueba a lavarlas con un detergente. Si desaparecen, te enfrentas a suciedad y puedes proceder a la preparación de la superficie. Si las manchas no desaparecen, el culpable es, probablemente, el moho.

Como el moho es un hongo se desarrolla con el calor y la humedad. Debes empezar por eliminar los problemas de humedad para poder deshacerte del moho. Para garantizar una buena circulación del aire, a fin de mantener las paredes de la casa secas, no acumules leña u otros materiales junto a la casa. Procura que las ramas de los árboles no den demasiada sombra y que la luz del sol bañe las paredes exteriores con regularidad. En general, el moho aparece por el lado de las fachadas que dan al norte. Si ese es el caso, que no cunda el pánico. Planifica simplemente una limpieza anual, ya que es una zona a la que le da muy poco el sol.

Para erradicar las esporas de los malvados hongos que ennegrecen los escalones de la terraza o chorrean por la fachada norte, limpia la casa con ayuda de una solución mitad agua y mitad cloro. El mejor tratamiento empieza rociando la superficie atacada por el moho con una manguera. Para desprender la suciedad y el moho, deja reposar la superficie mojada durante cinco minutos, después aplica la mezcla clorada con una manguera. No olvides ponerte ropa de trabajo, que no perderá nada de su encanto con algunas manchas de cloro, y ponte gafas para protegerte los ojos. Deja que la solución actúe durante algunos minutos. A continuación, limpia el moho con un chorro de agua aplicado con otra manguera, o mejor con un limpiador a alta presión. Deja que la superficie se seque durante varios días, o más bien según el tiempo que haga, antes de aplicar la primera capa de pintura.

La mayoría de las pinturas exteriores de buena calidad contienen aditivos antimoho. No obstante, si las marcas de moho son importantes, es preferible que consigas un fungicida específico para combatir este problema. La aplicación del producto puede ser la única respuesta a una fachada con moho orientada al norte y que recibe poca o nada de luz directa del sol.

Piensa siempre en las consecuencias de tus trabajos sobre el medioambiente y limita, sobre todo, la utilización de productos contaminantes. En lugar de utilizar una mezcla de agua y cloro al 50 por ciento en superficies que presentan trazos ligeros de moho, diluye más la solución. Aumenta la proporción únicamente si las manchas no desaparecen. Enjuaga siempre bien la superficie tras la limpieza.

Decapado

Si toda la antigua pintura se cae a trozos hasta que aparece el soporte, debes decaparla. Puedes recurrir a profesionales para retirar la pintura con la ayuda de decapantes químicos o de una arenadora. No aconsejo a los principiantes aplicar ninguno de estos métodos: los decapantes químicos utilizados por los profesionales son demasiado peligrosos para los inexpertos y si la regulación de la presión sobre la arenadora está demasiado alta, un manitas sin experiencia podría causar graves daños, incluso derrumbar una pared de su casa.

Si optas por un decapado con la arenadora, alquila los servicios de un profesional experimentado que pueda proporcionarte referencias de clientes satisfechos y llama o ve a ver a estas personas para verificar sus referencias. Cuidado, no todos los pintores tienen experiencia en el dominio del arenado. Por lo que es preferible recurrir a empresas especializadas en revoque o limpieza de fachadas.

Si la pintura se desprende solo en algunas zonas, por ejemplo, la parte situada bajo una ventana, puedes llevar a cabo esa tarea tú mismo. Pero sigo sin aconsejarte que utilices productos químicos o que arenes la zona. Para decapar pequeñas superficies, elige uno de los métodos expuestos a continuación e ilustrados en la figura 5-5.

- ✔ **Un cepillo metálico.** Sencillo de utilizar y muy eficaz porque ve redoblados sus resultados con la fuerza bruta. Mejor un cepillo rígido sobre los enlucidos de la fachada y un cepillo medio en la madera, que te ayudará a ampliar las grietas y limpiar las fibras de la madera tras un decapado químico.

- ✔ **Una lijadora eléctrica portátil u orbital.** Es mucho más comodo manejar una lijadora eléctrica que las sencillas cuñas de lijar. El lijado a máquina es simple, rápido y a veces divertido. No obstante, presenta el inconveniente de levantar el polvo suficiente para ahogar a Lawrence de Arabia. No olvides, si el aparato que utilizas no está provisto de un sistema de aspiración, ponerte una mascarilla respiratoria. Algunas lijadoras nuevas, excéntricas o con patines triangulares permiten la aspiración del serrín y del polvo, lo que evita que el papel de lija se atasque. No te recomiendo las lijadoras circulares, porque dejan marcas sobre el soporte que hay que decapar.

- ✔ **Un rascador.** Encontrarás rascadores en diferentes tamaños y tipos. Aunque son menos divertidos de manejar que las lijadoras eléctricas, no son menos eficaces, sobre todo en las pequeñas superficies. Para lograr una eficacia óptima, afila la hoja del rascador con una pequeña lima antes de su utilización y repite esta operación varias veces durante el decapado.

- ✔ **Un decapador térmico.** Puedes utilizar un decapador térmico para retirar todo rastro de pintura que se resista. Estas herramientas son muy eficaces para decapar múltiples capas de pintura con base de aceite.

Si optas por este tipo de decapado, recuerda siempre que el aire lo bastante caliente para quemar y reblandecer la pintura está también lo bastante caliente para inflamar la madera seca o papeles. Utiliza esta herramienta con precaución y ten una manguera a mano para poder apagar un fuego provocado por la pintura pelada inflamada o los trozos de madera podridos que pueden arder si se sobrecalientan. (Un cubo de hierro puede ser muy útil para meter la pintura pelada que se recoja con el rascador o con la espátula de pintor multifunción.)

Lijadora vibrante

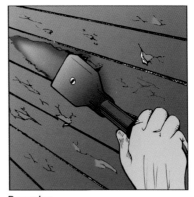
Rascador

Decapador térmico

Figura 5-5: Tres herramientas prácticas para decapar pintura en mal estado de pequeñas superficies

Tal como se menciona más adelante, si eres principiante no es recomendable que uses los siguientes métodos de decapado:

✔ **Decapante químico.** Utilizar estos productos químicos muy tóxicos en cantidades lo bastante importantes para retirar capas de pintura de cualquier superficie de una casa es absolutamente aberrante. En lugar de eso, cuenta con un rascador bien afilado, un cepillo metálico y una buena dosis de fuerza bruta.

✔ **Lijadora circular.** Si tienes experiencia en el dominio del decapado en seco, esta herramienta te ayudará a efectuar decapados muy rápido. En caso contrario, debes saber que una lijadora circular es muy difícil de manipular y con frecuencia deja marcas en la madera.

✔ **Quemador de pintura.** Se trata de otro tipo de decapador térmico, una lámpara para soldar con gas butano provista de un aplicador plano y grande, que ofrece la ventaja de poder trabajar sin cable, pero tiene el inconveniente de ser más peligroso. Si la regulación de la potencia de la llama y del tiempo que pasa sobre una superficie no se calcula bien, puede declararse un incendio a gran velocidad. Sé razonable: opta por la versión con resistencia eléctrica para no arriesgarte a estropear los soportes que vas a tratar.

✔ **Motosierra.** Esto era solo para ver si prestabas atención...

Para llevar a cabo trabajos en el exterior, respetando el medio, consulta a un mayorista profesional de la pintura, ya que existen decapantes no contaminantes. Se fabrican con base de agua y no contienen disolvente ni sosa ni ácido, algo que alegrará a tu césped y a los rosales del vecino...

Figura 5-6:
¡Un decapado de profesional!

Antes de decapar debes saber que los residuos de pintura son peligrosos para la salud. Lleva siempre una mascarilla y gafas protectoras cuando efectúes un decapado; ponte también guantes de goma para protegerte las manos. Algunas pinturas exteriores presentaban en otro tiempo un alto contenido de plomo. Si crees que la pintura antigua que estás decapando contiene plomo, lleva a un laboratorio los trozos desprendidos para que los analicen. (Consulta el cuadro titulado "Cómo decapar la pintura que contiene plomo" en el capítulo 4.)

Cómo rellenar agujeros y grietas

Rellenar agujeros, grietas y toda clase de degradaciones en la madera, paredes y revestimientos de escayola antes de pintar permite, además de mejorar el acabado de la pintura, alargar su vida. Los agujeros y las grietas exteriores retienen el agua de las lluvias y las impurezas del aire, lo que acaba por degradar inevitablemente la pintura.

Rellenar un agujero o una grieta en una fachada exterior no es muy diferente a rellenar un agujero en una pared del salón; la diferencia principal es el tipo de material utilizado para rellenar. Para las superficies exteriores, los más corrientes se usan en forma de pasta o de polvo que hay que mezclar con agua. Cualquiera que sea el tipo utilizado, fíjate bien en que el producto de rellenado sea adecuado para el exterior.

Para rellenar los agujeros y cualquier degradación de las superficies exteriores procede del siguiente modo:

1. Limpia el agujero o la grieta que hay que rellenar. (Rascado y limpieza del polvo.)

2. Rellena la zona con el producto de rellenado. Aplica el producto en el interior del agujero o de la grieta y alisa la superficie para dejarla al nivel de la pared.

3. Deja que el producto se seque y se endurezca según las indicaciones del paquete.

4. Lija con la cuña de lijar o la lijadora eléctrica.

   Los productos de rellenado se encogen levemente al secarse, por lo que puede que tengas que aplicar una segunda capa. Limpia bien el polvo con un cepillo para desempolvar antes de aplicar la segunda capa. Cuando esta última esté seca, alisa y lija de nuevo, y limpia el polvo.

Para reparar la madera dañada, puedes utilizar rellenadores con base de resinas epóxidas. Estos productos se encuentran en la forma de dos componentes (adhesivo y endurecedor), que hay que mezclar según las instrucciones del fabricante. Este tipo de rellenador empieza a secarse rápidamente (de tres a cinco minutos); prepara, por tanto, solo la cantidad necesaria para una aplicación de cinco minutos máximo. Si eres un as del volante o te gusta reparar tú mismo tu coche, los rellenadores con base de resinas epóxidas se parecen a la resina de rellenado de las carrocerías. Pero no te confundas, no tienen nada que ver los unos con los otros; así que asegúrate de que el producto que vas a utilizar sea adecuado para la construcción.

Utiliza una espátula de pintor para aplicar la pasta sobre la zona dañada y ponerla a ras con la superficie. Este rellenador no se encoge tanto como los clásicos. No obstante, podrían ser necesarias dos capas para recubrir por completo una gran cavidad. Una vez que el producto esté seco, puedes lijarlo, agujerearlo o incluso esculpirlo.

Para limpiar las herramientas (incluso secas), utiliza un disolvente, es decir, acetona. Esta limpieza te permitirá guardar tus herramientas limpias, sin restos de nada. Mantendrán su flexibilidad y seguirás disfrutando igual al trabajar con tus herramientas fetiches. Además, así te ahorrarás tener que volver a pasar la próxima vez por la casilla "Gran tienda de bricolaje".

Imprimación

Si la pintura antigua está sana, solo las partes rascadas o reparadas requerirán imprimación. Si aplicas pintura al agua sobre una superficie brillante o lacada, tendrás que prever una imprimación para toda la casa. Por lo general es necesaria una capa de impresión específica o polivalente para tapar los poros de las superficies absorbentes (soportes que nunca se han pintado, revestimientos de escayola, etc.). Se utiliza un producto endurecedor para homogeneizar y estabilizar cualquier pared o revestimiento de escayola que se deshaga, se desconche o suelte polvo. Sobre los metales (hierro, acero, etc.) tienes que usar pintura antioxidante. Por último, la madera expuesta a la humedad debe recibir una pintura o lasur de impregnación insecticida, fungicida e hidrófuga.

Una imprimación de color blanco es difícil de ocultar bajo una sola capa de pintura coloreada. Si tienes intención de aplicar una capa de pintura tras la primera capa de impresión, pídele a un especialista que mezcle la imprimación con un colorante que se parezca al tono de la capa de acabado.

No te aconsejo que apliques una sola capa de acabado en el exterior. Dos mejor que una. Sobre todo para los trabajos tan fastidiosos como estos. No creas, es mejor dedicar un día más a pasar una segunda capa por todas partes que tener que recurrir al andamio y todo el jaleo en unos meses porque la pintura ya está estropeada. Como decía mi abuela, cuando se hacen las cosas bien, solo se hacen una vez. ¡Una afirmación más que demostrada!

El mejor momento para pintar

El mejor momento para emprender un trabajo de pintura es entre la primavera y el verano, cuando no llueva pero antes de que el aire se llene de insectos y polvo. No pintes cuando haga viento, porque el viento hace que la pintura se seque demasiado rápido y arrastra el polvo y los insectos sobre la pintura fresca. En general, evita pintar a una temperatura inferior a 10 °C o superior a 20 °C. En el bote de pintura encontrarás los detalles propios de la pintura que aplicas.

Si bien la pintura acrílica o vinílica puede aplicarse sobre una superficie muy húmeda, debes evitar a toda costa usar una pintura con base de aceite sobre una superficie incluso levemente húmeda. No pintes nunca con tiempo húmedo, al día siguiente de un día de lluvia o si se espera una tarde lluviosa. ¿Has visto ya que hay profesionales que quebrantan esas reglas? Sí. Pero también te habrás encontrado con muchas fachadas llenas de desconchones.

No pintes tampoco sobre una fachada a la que le dé directamente el sol. En ese caso, la pintura que acabas de aplicar sobre una parte del soporte empieza a secarse incluso antes de que hayas tenido tiempo de pintar la zona adyacente. Si aplicas pintura a zonas ya secas, te encontrarás con marcas claras de brochazos. Avanza al mismo ritmo que el sol, con un poco de tiempo de ventaja: empieza por pintar la pared sombreada de la casa y muévete con el sol, de manera que siempre trabajes en la sombra.

Retira todos los postigos de la casa y guárdalos en el garaje o en cualquier otro lugar protegido. También es preferible sacar todas las ventanas y puertas para trabajar encima de una superficie plana sobre dos caballetes si tienes que pintarlas. Así podrás trabajar no solo más cómodamente, sino también en un tiempo lluvioso.

Tratamiento de las diferentes partes de la casa

Todos los embalajes de pintura indican la cantidad de superficie recubierta por su contenido. Esa cobertura varía en función del estado de la antigua pintura, de la porosidad, de la textura, del color del soporte y de la cantidad que te tires a los zapatos. Las superficies muy porosas absorberán mucha pintura de imprimación, al igual que los soportes en relieve y los enlucidos. Una pintura antigua oscura exigirá más capas de nueva pintura para poder ocultarla por completo. Para confirmar las recomendaciones indicadas en un bote de pintura, confirma que recubres un cuarto de la superficie prevista con un cuarto de su contenido aproximadamente. Si has recubierto más de lo previsto, aplica la pintura más generosamente. En general, no es la cantidad lo que te dará la calidad. Eso sí, asegúrate de aplicarla uniformemente.

No intentes extender la pintura aplicando una capa fina para que cubra más superficie de la que se indica en el bote. La cobertura sugerida por el fabricante proporcionará una protección perfecta de la superficie pintada, así como una buena cobertura al color de la antigua pintura.

La mayoría de las pinturas pueden aplicarse directamente del bote, sin ninguna dilución suplementaria. No obstante, si tienes que diluirla, consulta el cuadro "Diluir la pintura", más adelante en este capítulo, sin olvidar que deberás aplicar las mismas proporciones en todos los botes de pintura que uses.

Las pinturas pueden presentar ligeras variaciones de color de un bote a otro, sobre todo, las pinturas diluidas por el distribuidor. Si tienes que pintar una gran superficie (como la de las paredes exteriores de tu casa) que requiera más pintura que la que pueda contener un bote, calcula la cantidad necesaria para una cara, después vierte esta cantidad en un cubo o en un bote más grande, creando así un color único para toda la fachada de la casa. Cambia de bote de pintura solo cuando llegues a una arista de la pared.

Antes de empezar a pintar, protege las plantas que haya cerca con piezas de plástico (no dejes extendidas esas piezas durante demasiado tiempo, porque las plantas podrían quemarse). Protege también el suelo de la terraza o del patio con papel (el plástico podría volverse demasiado resbaladizo), trapos viejos e incluso mejor, una manta (menos probable que se vuele con el viento y, además, absorbe las gotas).

Empieza siempre por arriba. Y métete en los bolsillos, antes de empezar, papel de lija, un rascador, un cepillo metálico y una espátula de pintor.

A medida que pintes, limpia o repara cualquier defecto que se te haya pasado durante la preparación. No te dejes atrapar por el tiempo: una superficie empezada debe terminarse sin dilación; si no lo haces así, al reanudar el trabajo puede que te encuentres alguna inesperada diferencia de tono.

Las puertas

Para las puertas elige preferentemente pintura gliceroftálica brillante, más duradera y más fácil de limpiar que la pintura en emulsión (al agua). Al igual que para las estancias interiores, hay buenas pinturas acrílicas con acabado brillante. La resistencia al paso del tiempo de la pintura dependerá de los preparativos que realices.

Si la antigua pintura es muy brillante, utiliza previamente un producto para deslustrar el acabado y limpiar la superficie.

Las ventanas

Para las ventanas, utiliza una pequeña brocha plana, una brocha redonda de 25 mm o una brocha para resaltar. Empieza por el travesaño superior del bastidor (la madera horizontal en la parte de arriba de la ventana), después el travesaño inferior, a continuación, los montantes y por último (si las hay) las pequeñas maderas en el interior de la ventana. Pinta, entonces, el durmiente (el marco fijo) empezando por el travesaño superior, la pieza de apoyo y los montantes. Los herrajes se pintan a la vez que sus montantes y travesaños. Si pintas las ventanas sin sacarlas de los quicios, no las cierres hasta que el marco fijo y los bastidores estén completamente secos.

Pinta con largas pasadas de brocha horizontales (para los travesaños) y verticales (para los montantes), después haz pequeñas pasadas en el sentido contrario (verticales para los travesaños y horizontales para los montantes). Elimina enseguida los chorretones con un ligero golpe de pincel y alísalo en el sentido de la carpintería sin recargarlo.

Para formar una pantalla contra la humedad entre el vidrio y la carpintería, deja que la pintura penetre bien entre estas dos partes para unirlas saliéndote un poco con el pincel (como se ve en la figura 5-7). Para crear una línea bien recta, utiliza una buena brocha de resaltar y diluye correctamente la pintura.

Envuelve la hoja de la espátula de pintor con un trapo limpio no afelpado para limpiar la pintura sobre el cristal. Para evitar que queden restos de pintura, procura que la parte del trapo en contacto con el cristal esté siempre limpia.

Figura 5-7:
Deja que la
pintura
penetre
bien entre
la madera
y el cristal
para unir
las dos
partes

El resultado será el mismo sin importar que decidas utilizar papel adhesivo para pintar a fin de proteger los cuadrados o pintar con cuidado y utilizar después un rascador para eliminar lo que se haya desbordado una vez que la pintura esté seca. No hay ninguna regla. La mayoría de los profesionales solo usan cinta de carrocero cuando pintan con pistola, pero puede que a ti te parezca más cómodo ese método. Para ocultar una ventana, pega papel adhesivo en el contorno de las piezas de vidrio poniendo atención a dejar un espacio minúsculo entre la carpintería y el cristal. Tras haber aplicado el papel adhesivo, utiliza la punta de una espátula de pintor o una hoja de cúter sin su soporte (pero ten cuidado con los dedos) para hacer presión sobre el papel adhesivo a fin de que la pintura no se deslice por abajo. Eso evitará que tengas que rascar finas ondas con los dientes de la sierra.

Aplica el papel adhesivo el mismo día que vayas a pintar y retíralo en cuanto la pintura esté seca. No esperes demasiado tiempo, sino el sol podría fundir el adhesivo y hacer que su retirada sea más difícil. Pequeño recordatorio: utiliza solo papel adhesivo para pintar, eso te ahorrará muchos problemas, ¡créeme!

También puedes utilizar una máscara de metal o de plástico (se vende en casi todas las tiendas de bricolaje) para proteger el cristal. Mueve esta herramienta a medida que pintes, sin olvidar limpiarla con regularidad, sino ¡bienvenidas manchas! Fíjate en que la pintura penetre bien entre la madera y el cristal para que queden unidos. En el caso de la carpintería antigua, con juntas de masilla estropeadas, será absolutamente necesario aplicar cinta para rehacer unas líneas bien rectas mucho más bonitas.

Paredes de ladrillo o de estuco

Puedes pintar las paredes de ladrillo, de cemento o estucadas de una casa con pintura vinílica o acrílica para exterior. Empieza limpiando con cuidado la pared para eliminar toda la suciedad acumulada. Cepilla con un cepillo duro o metálico bajo un chorro de agua limpia (no utilices detergentes que puedan producir manchas blancas indelebles); después aplica dos capas de pintura con una brocha para enlucir o con la ayuda de una brocha grande de cerdas largas muy útil para este tipo de superficie rugosa (mira la figura 5-8).

PELIGRO

Piénsatelo bien antes de pintar una pared de ladrillo. Ocurre a menudo que el acabado es decepcionante y el decapado, casi imposible. Además, es uno de los soportes más económicos, puesto que apenas necesita mantenimiento ni revoque. Una buena limpieza a alta presión normalmente basta para devolverle un buen aspecto. No obstante, si sigues queriendo pintar tus ladrillos, tendrás que empezar pintando las juntas con una brocha y acabar las superficies planas con un rodillo.

Figura 5-8:
Pinta una
superficie
rugosa con
la ayuda
de una
brocha
para
enlucir o
de una
brocha
grande
con cerdas
largas

Como la humedad del invierno pasa a través de la albañilería y provoca la formación de burbujas y desconchones en la pintura, no se aconseja pintar las superficies estucadas en zonas de clima frío. Un producto de mantenimiento específico para albañilería es lo único que, por lo general, necesitarás para renovar una fachada estucada.

Aplica el limpiador para desprender la suciedad, luego elimina las impurezas de la superficie con un limpiador de alta presión. Si la superficie sigue teniendo un aspecto igual de sucio, plantéate contratar los servicios de un profesional para pasar otra capa de cemento con pistola o brocha. Si vives en una región cálida, puedes aplicar una capa de pintura de resina acrílica sobre una superficie estucada (pero, antes que nada, pide consejo a un profesional).

Piezas metálicas

Antes de pintar cualquier pieza metálica nueva, debes desengrasarla con un trapo no afelpado empapado de aguarrás o de un disolvente muy volátil. Cuidado, porque el aguarrás deja un cuerpo graso tras la limpieza. Aplica, a continuación, una primera capa de adherencia (también llamada pintura de adherencia) o una imprimación para metales y deja secar. El tiempo de secado casi siempre está en el envase. Puedes aplicar la capa de acabado con una brocha, un rodillo o con pistola.

Si el metal que quieres pintar es viejo y está oxidado, empieza por eliminar todo el óxido con una brocha metálica (observa la figura 5-9) y con una lima para retirar hasta el más mínimo punto de óxido sin importar que se te vaya la mano por las zonas sanas. Existen productos que ayudan a limpiar el óxido si la zona que vas a tratar es importante. A continuación, pasa una capa de pintura antioxidante, luego una subcapa antes de aplicar un producto de acabado específico para metales.

Otro método para tratar los metales oxidados consiste en, una vez que hayas cepillado el metal para desprender las partes más afectadas, pasar un producto inhibidor líquido a base de ácido tánico para evitar la oxidación, que transforma el óxido en una capa base negruzca que se puede cubrir con una pintura de acabado.

Para las pequeñas superficies metálicas, puedes utilizar una pintura con bomba (como en la figura 5-9) diluida hasta obtener una viscosidad adecuada. La utilización de aerosoles para este tipo de superficie es muy práctica y no supone ningún peligro si sigues las recomendaciones indicadas en el envase. Solo debe utilizarse en locales bien ventilados y con protecciones y ropas adecuadas: mascarilla respiratoria, guantes...

Si optas por una aplicación pulverizada con pistola sobre una gran superficie, compra pintura de fondo y una pintura apropiadas para ese tipo de aplicación sobre metales. La mayoría de las pinturas con base de aceite hay que diluirlas antes de pulverizarlas. Los disolventes que debas utilizar y las proporciones de dilución apropiadas están indicados en los botes de pintura. Para conseguir un resultado óptimo debes regular con cuidado la presión de la pistola y encontrar el punto de viscosidad exacto de la pintura; haz varias pruebas en un cartón antes de empezar.

Figura 5-9:
Un cepillo metálico equipado con una lima es ideal para eliminar el óxido y decapar una pieza metálica. Para las pequeñas superficies, utiliza pintura en aerosol adecuada para este tipo de soporte

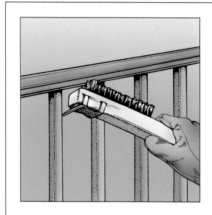

Recuerda que el metal es un soporte de pintura muy antipático. A diferencia de la madera, el metal no tiene ningún poder de absorción cuando es nuevo. Toda la pintura pulverizada sobre el metal se queda en la superficie, aunque si le aplicas una capa muy gruesa, podrían aparecer chorretones o diferencias de nivel. Pulveriza la pintura o extiéndela en capas finas dando varias pasadas. No te dejes llevar por el pánico si el metal no queda recubierto en la primera pasada de la pistola o de la bomba de aerosol: si sigues bien las recomendaciones mencionadas en el envase, las múltiples pasadas de finas capas producirán el acabado esperado y aguantarán mejor el paso del tiempo. A la inversa, una capa gruesa acabará por agrietarse.

Independientemente de que proyectes la pintura con una bomba o con una pistola, debes trabajar con un movimiento paralelo al soporte, regular, continuo y manteniendo el instrumento en ángulo recto con la superficie que vas a pintar. Sujeta la bomba en vertical a 15 cm, como mínimo, del soporte, y la pistola a 30 cm, preferiblemente. Suelta el gatillo cuando hayas pasado el borde de la superficie. Si mantienes la presión cuando haces una pasada de vuelta, estás duplicando la capa al proyectar más pintura sobre los bordes que sobre la superficie, lo que recargará los bordes y producirá chorretones.

Carpintería exterior barnizada

Para resaltar una puerta exterior, por ejemplo, con su color natural, puedes optar por un barniz o un producto de poliuretano incoloro. Aun así, debes saber que las superficies barnizadas expuestas a la luz directa del sol y a la humedad requieren más mantenimiento que una superficie pintada.

Si el barniz de una puerta exterior de tu casa se desconcha, tienes que empezar por decaparlo todo. Utiliza un decapante químico para barniz a fin de dejar la madera al desnudo, luego lija la puerta con papel de lija muy fino y limpia el polvo. A continuación puedes aplicar un barniz marino o un producto de poliuretano (plástico). Este tipo de acabado contiene componentes absorbentes muy resistentes a los rayos ultravioletas e infrarrojos. Para que quede mejor protegido aplica, como mínimo, dos capas de acabado (con un leve lijado intermedio).

Si tienes una puerta exterior recubierta de barniz o de poliuretano, no esperes a que se decolore por completo para renovarla. Pero, cuidado, este acabado tiene ventajas e inconvenientes:

- ✔ **Las ventajas del barniz.** Deja la superficie uniforme, lo cual evita que las impurezas se incrusten. La limpieza es más frecuente, pero también más práctica.

- ✔ **Los inconvenientes del barniz.** Cuando se desconcha, hay que decaparlo por completo.

Carpintería exterior con lasur

Si tienes maderas exteriores nuevas, te aconsejo que les apliques lasur. Los lasures impregnan la madera, la protegen del sol y de la lluvia sin eliminar su veteado característico. Sencillo de aplicar; en el lasur no se forman burbujas, no se agrieta y se renueva fácilmente. Su mayor ventaja es que deja que la madera respire, al contrario que el barniz, muy sensible a las variaciones climáticas.

Para que quede mejor protegido, aplica una capa diluida, más otras dos puras, con un leve lijado intermedio. A continuación, todos los años (incluso cada dos años según la región en la que vivas), realiza un leve lijado, una limpieza con lejía, una capa de lasur y ¡vuelta a empezar! Nunca habrá que decapar, a menos que seas víctima de un producto de mala calidad o de una mala aplicación.

No sirve de nada aplicar lasur sobre barniz, a menos que tengas dinero y tiempo que perder. En las estanterías de tu tienda de bricolaje preferida, podrás elegir entre lasures al agua o disolventes procedentes de la industria petrolera.

Limpieza del material

Utiliza agua jabonosa templada para limpiar las pinturas acrílicas y vinílicas, y aguarrás para las otras (gliceroftálicas, barnices, etc.). Para los productos antioxidantes que habrás aplicado en las piezas de hierro forjado o los antepechos de las ventanas, comprueba bien el disolvente adecuado en el envase.

Para reducir al máximo la fase de limpieza, recubre toda la superficie que no quieres pintar. Limpia inmediatamente, con una brocha o una esponja empapada del disolvente adecuado, todas las manchas y chorretones de pintura.

Puedes recuperar el aguarrás que uses en la limpieza vertiéndolo en un tarro hermético; tras unos días, la pintura se depositará en el fondo y podrás reutilizar el disolvente.

Debes guardar todos los residuos de la limpieza, incluso el agua, en bidones herméticos y asimétricos. Infórmate en el Ayuntamiento de tu municipio dónde debes dejarlos y cuándo los recogen.

Capítulo 6

Renovación y mantenimiento de la carpintería y los muebles

· ·

En este capítulo

▶ Limpieza y renovación

▶ Decapado y reparaciones

▶ Tintes y barnices para madera

▶ Limpieza del material usado para mobiliario y los picaportes

▶ Pintura sobre madera sin tratar o coloreada

▶ Decoración con una plantilla de estarcir

· ·

¿*T*ienes en casa elementos de carpintería que te gustaría pintar de nuevo o barnizar? ¿Acabas de comprar un escritorio en un mercadillo de segunda mano y querrías devolverle la juventud? La perspectiva aparentemente laboriosa de decapar y restaurar esos elementos quizá te impida levantar un dedo hacia ellos.

Antes de volver a echar raíces en el sofá, cansado solo de pensarlo, ten en cuenta que no siempre es indispensable decapar la madera. Quizá, una buena limpieza es lo único que se necesita para devolverle a una superficie de madera su lustre de antaño. No obstante, si es indispensable un decapado completo, no corras a hundir la cabeza en los cojines del salón. Que no cunda el pánico; la situación no es desesperada. Te prometo que este capítulo te ofrecerá toda la información que necesitas para decapar y hacer brillar tus muebles y otras superficies de madera. Y por si te queda valor, he añadido algunos consejos útiles para aportar a tus muebles u otras superficies de madera un poco de alegría con decoración personalizada.

Limpieza y renovación

Para transformar una superficie de madera puedes optar por uno de estos tres métodos, en función del soporte y del resultado que desees obtener:

- ✔ **Restaurar.** Enriquecer, renovar o reavivar el acabado existente.

- ✔ **Sustituir el acabado actual.** Eliminar el antiguo acabado de la superficie y aplicar un nuevo producto de acabado para madera.

- ✔ **Decapar.** Retirar por completo la capa barnizada o tintada de la madera.

Encontrarás estos tres procedimientos en orden de dificultad, de menor a mayor. Si puedes recuperar un mueble o cualquier pieza de madera mediante uno de los dos primeros métodos, puedes considerarte afortunado.

Empecemos con una buena limpieza

Con el tiempo, los muebles y la carpintería pueden acumular toda clase de capas de cera, de grasa de la cocina o de cualquier otra suciedad. Si la madera empieza a oscurecerse o a ensuciarse, no creas que no hay más remedio que decaparla para aplicarle un nuevo acabado. En lugar de eso, empieza por limpiarla a fondo para evaluar el estado del acabado original.

Para eliminar la antigua cera o cualquier rastro de suciedad, sigue estos pasos:

- ✔ Se empieza con una buena fricción. Con lana de acero 0000, limpia el mueble siguiendo el sentido de las vetas de la madera para no estropearla. Cuidado, conserva el color de la madera y haz que se mantenga uniforme y no levantes el tinte. Para las partes inaccesibles utiliza pequeños cepillos muy finos.

- ✔ También puedes eliminar las marcas antiguas limpiando la pieza con un trapo limpio no afelpado empapado con un disolvente, como el aguarrás.

- ✔ Las estanterías en tu gran superficie de bricolaje preferida deben estar desbordadas de productos para decapar. La mayoría son excelentes para eliminar la cera y otras suciedades. Existen también productos disolventes y otras lociones limpiadoras, muy eficaces para eliminar las ceras antiguas y la grasa de los muebles y de la carpintería. Una vez más, saca los trapos (limpios, de algodón y no afelpados), humedécelos con una buena dosis del producto directamente de la botella. Además de los pañuelos, este método es ideal para reciclar tus viejas camisetas o calcetines ajados que, en lugar de ocupar espacio en los cajones, acabarán su vida siendo útiles para limpiar el mobiliario.

Si trabajas en un lugar interior, abre todas las ventanas para ventilar bien la estancia y que las emanaciones de disolvente se dispersen, porque podrían provocar irritaciones. Invierte en unos guantes, una mascarilla y unas gafas protectoras para no asumir ningún riesgo. Estos productos también son explosivos, por lo que debes fijarte bien en apagar cualquier llama cercana (como la de la caldera, los fuegos de gas, etc.); y no fumes mientras trabajas.

1. Frota una pequeña porción de la madera con el trozo de tela empapado, después sécala con un trapo limpio y seco.

   Haz la prueba en una parte de la madera no visible, por ejemplo, la parte inferior de una mesa, antes de pasar al resto de la superficie si el resultado es positivo.

2. Si el acabado parece intacto en la zona de la prueba, aplica el producto por toda la superficie para renovarla por completo.

   En el caso de que te enfrentes a una superficie muy sucia o cubierta por varias capas de cera, quizá deberías realizar una segunda o tercera limpieza.

3. Si en algunos lugares parece que el acabado ha saltado, aplica un tinte del color de la madera en las partes peladas.

   Para los detalles de la operación, consulta el apartado "Barniz", más adelante en este capítulo.

Renovación de la capa de acabado

Quizá incluso una buena limpieza no es suficiente para devolver la belleza a una superficie de madera antigua. Una renovación se limita a eliminar la capa sin brillo y sucia, pero esta operación no puede obrar milagros. Si la madera presenta uno de los siguientes problemas, quizá debas eliminar el acabado incoloro existente, aunque no necesariamente decapar todo el color (el tinte) de la madera:

✔ El acabado se desconcha en algunos puntos.

✔ La superficie presenta trazos y manchas blanquecinos, probablemente causados por toda clase de líquidos derramados.

✔ El acabado incoloro se separa de las capas de base.

Elige tu veneno

Para retirar un antiguo acabado en una superficie de madera, necesitas un decapante químico apropiado para ese tipo de acabado.

Para determinar el tipo de acabado de la madera, empieza probando una zona no visible de su superficie (como en la figura 6-1). Vierte disolvente de laca de uñas (acetona). Si el barniz se disuelve, es que tienes barniz celulósico y puedes limpiar todo el mueble con un trapo limpio. Si al acabado no le afecta el producto disolvente, se trata, entonces, de un poliuretano, en cuyo caso, tendrás que utilizar un decapante para pintura.

Figura 6-1:
Para determinar el tipo de acabado de una superficie de madera, haz una prueba con el disolvente en una zona no visible

Numerosos disolventes y decapantes contienen productos químicos muy tóxicos y peligrosos si no se utilizan correctamente. Lee siempre las precauciones de uso especificadas en las etiquetas antes de utilizarlos y ten en cuenta estas recomendaciones básicas:

✔ Si la etiqueta indica que el producto debe utilizarse en una estancia ventilada, trabaja únicamente en el exterior o en una habitación bien aireada. La mayoría de los decapantes químicos son demasiado tóxicos para su utilización en una estancia cerrada, donde la aireación sea limitada.

✔ No utilices estos productos cerca de una llama libre. Asegúrate de apagar todas las llamas piloto de encendido. Y no olvides que las emanaciones de los productos inflamables también son inflamables.

✔ No fumes, no comas ni bebas mientras estés trabajando con estos productos; y recuerda que las emanaciones de los productos tóxicos también son tóxicas. Ponte una máscara respiratoria apropiada mientras trabajes con sustancias que produzcan emanaciones tóxicas.

✔ Después de su utilización, lava todos los trapos que hayas usado en un recipiente de metal y tira las botellas vacías a los contenedores adecuados, según las recomendaciones indicadas en las etiquetas de los productos.

En lugar de utilizar estos productos tóxicos y peligrosos, puedes probar los decapantes en formato de gel o pasta, que no son tóxicos ni inflamables y son biodegradables. Estos productos, menos agresivos para el medio ambiente, pueden decapar la pintura al agua y con base de aceite, así como los barnices. Sus emanaciones no son peligrosas, basta un poco de agua y jabón para limpiarlos, ¡y no necesitas llevar guantes para usarlos!

Algunos materiales útiles

Esta es una lista de otros materiales y herramientas que necesitarás para cambiar un acabado de madera estropeado:

✔ Tampón metálico o lana de acero de calidad de 000 o 0000.

✔ Brochas suaves de diferentes formas (entre ellas, un cepillo de dientes para frotar los lugares de difícil acceso).

✔ Delantal protector de un material resistente, de tela o tejido tejano, por ejemplo, para cubrirte la ropa.

✔ Trapos limpios no afelpados.

✔ Guantes de goma (no de látex).

✔ Gafas protectoras.

✔ Papeles de lija de grano medio, de 120 o 150, y fino, de 180 o 220.

✔ Espátula de pintor o rasqueta.

✔ Lonas o plásticos protectores para el suelo, las paredes y otras superficies que desees proteger de las salpicaduras.

Renovación de un acabado paso a paso

Para evitar cualquier riesgo de explosión o de incendio, no utilices productos químicos cerca de una llama libre (entre ellas, las llamas piloto de la caldera). Debes saber que todos los decapantes y disolventes que contienen cloro pueden dañar una caldera si el producto se filtra en la cámara de combustión. Si el cloro contacta con el hidrógeno durante la operación de combustión y se forma ácido clorhídrico, este podría destruir el intercambiador de calor de la caldera. Antes de utilizar estos productos, acuérdate de apagar la caldera y de abrir las ventanas. Si los objetos que quieres decapar se encuentran en una estancia no ventilada, trasládalos y trabaja en el exterior o en una habitación bien aireada y, cuando hayas acabado, devuélvelos a su lugar.

Siempre que utilices decapantes para barniz sobre madera sigue las recomendaciones de los fabricantes. En líneas generales, el procedimiento que debes seguir es este:

1. Protege las superficies de alrededor con lonas de plástico recubiertas por varias capas de papel de periódico.

2. Vierte una taza, aproximadamente, de decapante en un recipiente pequeño. Si paras un momento para descansar, tapa este recipiente para contener las emanaciones.

3. Sumerge lana de acero en el producto.

4. Escúrrela para eliminar todo exceso de líquido, después frota la superficie que deseas decapar con pequeños movimientos circulares.

Para alcanzar los rincones y otras hendiduras, utiliza un cepillo de dientes o envuelve un cordel con lana de acero (mira la figura 6-2). Para las acanaladuras y ranuras estrechas, utiliza únicamente el cordel empapado en el producto.

5. Continúa limpiando con la lana de acero hasta eliminar el antiguo acabado. Sustituye la lana gastada y añade producto tantas veces como sea necesario, avanzando en pequeños movimientos circulares y repasando cada vez las superficies que ya estén limpias.

6. Cuando hayas acabado, empapa la lana de acero limpia en el producto y frota la madera para limpiar su superficie de cualquier residuo. Frota siempre en el sentido de la veta de la madera. (En la figura 6-3 puedes ver que las vetas de la madera siempre son apreciables.)

7. Deja secar la madera (preferiblemente toda una noche).

8. Con ayuda de un trapo limpio de algodón, aplica con suavidad una o varias capas de cera de tipo anticuario. Opta siempre por un producto de un color más oscuro que el mueble a fin de evitar que las acumulaciones de cera en los ángulos formen manchas claras. A continuación, será necesario hacer penetrar la cera sin aumentar el espesor y trabajando en el sentido de las vetas de la madera para no dejar marcas.

Figura 6-2: Utiliza lana de acero empapada en un producto decapante para frotar la superficie. Estrújala hasta formar una fina laminilla o enróllala en un cordel para las hendiduras

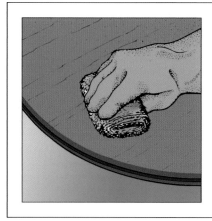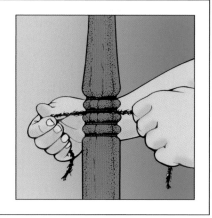

Figura 6-3: Haz todos los movimientos en el sentido de las vetas de la maderas

Las ceras y los aceites, que encontrarás en todas las tiendas de bricolaje, protegen y enriquecen la madera, resaltando al mismo tiempo su color natural. Sigue las recomendaciones del fabricante. Algunos productos recomiendan aplicar aceite y dejar que se seque; otros aconsejan aplicar el producto, frotar con otro trapo para que penetre bien y lustrar la madera. Sea cual sea el modo de aplicación, cuando el aceite se seque, se endurecerá y creará una protección natural de la madera.

Las instrucciones anteriores se aplican tanto a los muebles como a los trabajos de carpintería. Sigue esos mismos pasos para mantener también tus puertas de madera, molduras, ventanas, etc.

Si trabajas sobre la madera de una ventana o de una moldura de techo, utiliza mejor un producto en formato gel o pasta, que no goteará.

Decapado y reparaciones

Si decides cambiar el color o todo el acabado de la madera, debes decaparla por completo. Los profesionales de la pintura y del decapado utilizan depósitos llenos con un producto químico potente capaz de decapar un mueble por inmersión en un pispás. El problemilla de esa técnica es que ciertas fijaciones pueden aflojarse o ciertas partes encoladas despegarse durante el proceso. La otra solución, como siempre, consiste en equiparte con buenas herramientas y productos para decapar tú mismo la superficie en cuestión.

Decapar la pintura no siempre es tarea fácil, pero reducirás considerablemente tu tiempo de trabajo y evitarás sorpresas desagradables si respetas las recomendaciones del fabricante y la información y consejos siguientes.

Reparar antes de decapar

Antes de decapar un mueble, haz un examen minucioso de la pieza para reparar los posibles defectos. Si es necesario utilizar cola para repararla, hazlo antes de la fase de decapado. Fíjate en la figura 6-4.

Si la chapa se ha despegado, quizá puedas reactivar la cola con vapor. Coloca una tela limpia sobre la chapa y aplícale la plancha de vapor bien caliente. Si este truco funciona (no siempre tiene éxito), termina la operación haciendo presión sobre las partes que deben encolarse con la ayuda de una pila de libros o de cualquier objeto pesado más grande que la zona que estás reparando. Si no se pega, corta con cúter la chapa siguiendo la

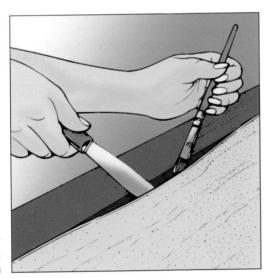

Figura 6-4:
Levanta el chapado para aplicar la cola para madera, después ajuste hasta que la cola se haya secado por completo

dirección de la veta y desliza por debajo cola para madera blanca vinílica con una espátula muy fina para que no te quede una capa gruesa.

Elimina el exceso de cola que rebose. Si la zona que reparas es plana, recúbrela con una lámina de aluminio o con papel sulfurizado o vegetal y coloca un objeto pesado hasta que la cola se seque (mejor toda una noche). Si la zona que reparas es curva, ajústala con la ayuda de una cuerda.

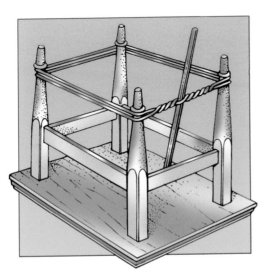

Figura 6-5:
Rodea las patas con una cuerda varias veces y haz un nudo. Inserta, a continuación, un palo y gíralo para tensar bien la cuerda

Si el chapado está demasiado estropeado, puedes llevar la pieza a un experto, que la sustituirá o la reparará. El precio de este servicio varía según el tamaño y la complejidad del trabajo. Quizá valga la pena pagarlo en el caso de un mueble de familia al que le tienes cariño, pero seguramente no para tu último hallazgo en el mercadillo.

Para volver a encolar las patas o los barrotes, retira las partes desencoladas de la silla o de la mesa y elimina la cola antigua. Si se trata de cola antigua en caliente podrás añadir cola blanca vinílica sobre la antigua: se mezclarán las dos. A continuación solo tendrás que montar y ajustar. Quizá sea necesario recurrir a tu ingenio si la cola se encuentra en una pequeña cavidad difícil de alcanzar; utiliza un trocito de papel de lija, un rascador para madera o incluso una lima de las uñas para rascar o lijar la cola en su rincón. Luego, aplica un poco de cola para madera en la superficie y vuelve a colocar la pieza desencolada. Para que las dos partes se adhieran bien, ata una cuerda flexible, una cuerda de tender, por ejemplo, alrededor de las patas, dando dos vueltas. Coloca un palo de madera entre las dos y gíralo varias veces para tensarla, tal como se muestra en la figura 6-5. Si quieres lograr una buena fijación, el ajuste debe actuar varias horas, preferiblemente toda la noche, hasta el secado completo de la cola.

Cuando todas las reparaciones necesarias estén acabadas, podremos iniciar la fase de decapado.

Cómo elegir el decapante correcto

Hay dos tipos principales de decapantes para madera; la elección depende, básicamente, de la forma del soporte que vayas a decapar:

- ✔ **Pastas decapantes.** Estos productos son muy eficaces para eliminar los barnices marinos, lasures, poliuretanos, vitrificadores o cuando es necesario destruir varias capas de pintura y otros acabados sin estropear los soportes. Utiliza geles que no goteen para decapar superficies verticales, como puertas, ventanas o incluso las patas de una mesa o de una silla.

- ✔ **Decapantes líquidos o en aerosol.** Los decapantes disponibles en forma de aerosol son muy prácticos para los pequeños trabajos delicados (no obstante, ten cuidado y protege bien las zonas adyacentes). Permiten también eliminar en profundidad las pinturas, barnices, lasures, etc.

En caso de duda, explica tu proyecto al vendedor para que te ayude a elegir el decapante correcto.

Antes de lanzarte

Antes de empezar a decapar, acuérdate de retirar todos los accesorios, picaportes, puertas o patas (si están fijadas, en lugar de encoladas). Coloca las puertas, paneles y otras piezas sobre una superficie plana, como un caballete de carpintero. Puedes colocar pequeñas piezas sobre un banco o una vieja mesa si las elevas con la ayuda de ladrillos o tablas y colocas una lona protectora por debajo.

Utiliza lonas protectoras de plástico en el suelo para protegerlo de cualquier gota de decapante que pueda caer. Si decapas patas de muebles, colócalas dentro de latas de conserva para recoger lo que gotee.

El tiempo de aplicación debe ser lo bastante largo para disolver el acabado, pero no te pases. Si rascas demasiado pronto, el acabado no saltará. Si lo quitas demasiado tarde, el decapante se habrá secado y endurecido. Trabaja con las puertas abiertas o, mejor, en el exterior, pero jamás directamente bajo el sol o donde haya corriente de aire. La luz del sol y el viento podrían secar el producto antes de que la pintura se haya disuelto.

A decapar

Sigue estos pasos para aplicar y rascar el decapante (que se llevará, si todo va bien, la antigua pintura con él):

1. Agita el recipiente para mezclar el producto. Abre la tapa despacio a fin de que la presión del aire se escape.

2. Aplica una capa espesa de decapante con un viejo pincel. No alises el producto como lo harías con la pintura. Aplícalo en una capa espesa dando pinceladas en una sola dirección (no intentes extender el producto).

   Cuando decapes las patas de una silla o de una mesa, puedes sentirte tentado de aplicar capas finas de producto porque temes que gotee por toda la pata. En lugar de intentar ahorrar aplicando demasiado poco producto para que sea eficaz, coloca las patas dentro de latas de conserva y aplica generosamente el decapante. Luego podrás recuperar lo que sobre. Fíjate en la figura 6-6.

3. Deja actuar el producto el tiempo recomendado en el envase. Varía, generalmente, entre diez y cuarenta y cinco minutos, en función del número de capas de acabado, de su antigüedad y del tipo que sean. Si estás decapando un objeto pequeño, podrás embadurnarlo con el producto y meterlo dentro de una bolsa de basura que deberás cerrar herméticamente para prolongar la acción del decapante.

Figura 6-6:
Para
recuperar
lo que
sobre,
coloca
latas de
conserva
bajo las
patas de la
silla o de la
mesa

No hagas el trabajo deprisa y corriendo; dale al decapante todo el tiempo que necesite para actuar. Puede ser tentador empezar a rascar antes de que el producto haya afectado a la pintura, pero entonces te encontrarás con más trabajo ante ti. Ten paciencia, no empieces a rascar hasta que la pintura no forme burbujas.

4. Haz una prueba sobre el acabado con una rasqueta o una espátula de pintor. Si la pintura se desprende fácilmente del soporte bajo la presión de la espátula o del rascador, ya puede decaparse. En caso contrario, espera y vuelve a intentarlo más tarde. Si la pintura no se mueve, aplica otra capa de decapante.

5. Rasca, rasca, rasca. Es la fase más laboriosa. Si rascas con la espátula, empújala hacia delante, trabajando en pequeñas superficies. Si utilizas un rascador, rasca tirando hacia ti. Si trabajas sobre superficies verticales, rasca de abajo a arriba. Coloca, a medida que rasques, los residuos que se desprenden de la madera en un recipiente metálico. Frota el rascador sobre el reborde del recipiente para despegar los residuos recogidos.

Para las zonas con pequeños relieves o con otras complicaciones, enrolla lana de acero alrededor de un cordel o una cuerda de tender y úsala para lijar el antiguo acabado (Mira la figura 6-2). Consulta la etiqueta en el embalaje para asegurarte de que el decapante que utilizas no reaccionará con la lana de acero. También puedes utilizar un cepillo de dientes (como el de la figura 6-7) u otros accesorios pensados para el decapado que encontrarás en las grandes tiendas de bricolaje.

Si el acabado se resiste, tendrás que aplicar varias capas de decapante.

6. Limpia los restos de decapante. Si has utilizado un gel no tóxico, sumerge un pincel en agua caliente jabonosa y limpia los residuos. Recuerda que el agua puede hacer que las fibras de la madera se hinchen o que las juntas se despeguen. La mejor solución es frotar primero el antiguo acabado y después utilizar un producto limpiador para eliminar todo el resto de pintura y de producto.

Si has utilizado un decapante químico estándar, limpia la superficie con aguarrás. Aplica ese diluyente sobre un soporte aún húmedo. Empapa la lana de acero en un recipiente que contenga el producto y frota la superficie con un movimiento de vaivén, respetando el dibujo de la madera.

7. Lava las herramientas y guarda todo el material utilizado, incluidas las lonas protectoras.

Recuerda que todos los materiales empapados en estos productos químicos pueden encenderse si hay cerca fuego. Pon a secar las telas, las lanas de acero, los papeles y otros materiales utilizados en el exterior, y colócalos en recipientes de metal herméticos cuando estén bien secos. Tira los envases de los productos siguiendo las instrucciones de uso.

Figura 6-7:
Puedes rascar con la espátula empujándola (o con un cepillo de dientes para los pequeños relieves)

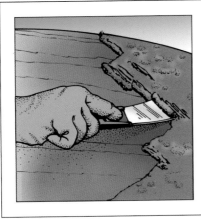
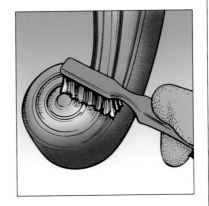

Reparaciones tras el decapado

Tras haber decapado bien la madera, pero antes de aplicar el acabado, examina con cuidado la superficie en busca de pequeños defectos. Si hay muescas puedes reducirlas o eliminarlas haciendo que las fibras de la madera se muevan mediante vapor. Coloca un trapo húmedo sobre la zona y caliéntala con una plancha, tal como se muestra en la figura 6-8. También puedes dejar caer sobre la muesca unas gotas de agua caliente y dejar que el agua hinche la madera. Si la muesca es profunda, aplica un rellenador (pasta para madera, tapaporos, etc.) con una espátula adaptada. Aplícalo, retira lo que sobre y alisa cuando la pasta se haya endurecido.

Figura 6-8: Para reparar una muesca en la madera, coloca un trapo húmedo encima y calienta la zona estropeada con una plancha

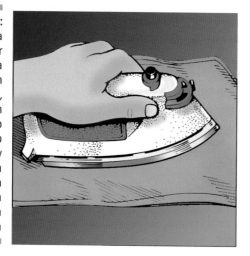

Las pastas para madera son pastas resinosas que taponan, sellan y refuerzan la madera estropeada y carcomida. Algunas están compuestas de verdaderas maderas reconstituidas. Los tapaporos, líquidos o sólidos, permiten conseguir una superficie lisa y dura, perfecta antes de la aplicación de un acabado. Encontrarás esos productos en colores que se camuflan con la madera tratada.

Tú mismo puedes tintar una pasta para madera incolora sumergiendo un palo en un bote de pintura para madera, barniz con color o lasur para retirar un poco de pigmento posado al fondo. A continuación, mezcla la pasta con el palo; repite la operación tantas veces como sea necesario para obtener el color deseado.

Existen también (en diferentes colores) fieltros para retoques que vuelven a teñir y ocultan los arañazos y desgarrones en las maderas barnizadas o enceradas.

Si aparecen manchas oscuras en la madera (generalmente causadas por el agua), empieza aplicando una capa de decapante. Si la mancha se resiste, prueba a frotarla con ácido oxálico, que encontrarás en las tiendas especializadas. No obstante, debes saber que el ácido oxálico altera el color de la madera, de forma que, en lugar de una mancha oscura, te encontrarás con una parte de la madera cuyo color no se corresponderá con el de la madera de origen. Si quieres eliminar manchas oscuras en un mueble, ten en cuenta que tendrás que volver a pintarlo en su totalidad para que quede un color uniforme.

Disuelve los cristales de ácido oxálico en agua, tal como indiquen las instrucciones del fabricante, empapa un trapo limpio en la solución y extiende el trapo sobre la mancha. Espera diez minutos para que el cloro actúe, después, levanta el trapo para ver si la mancha ha desaparecido. Si no es así, vuelve a colocar el trapo y espera un poco más.

El ácido oxálico es un producto tóxico. Al igual que con todos los productos químicos peligrosos, lee atentamente las instrucciones de uso, ponte guantes protectores de PVC para manipularlo y guárdalo fuera del alcance de los niños y los animales.

Lijar la superficie

Cuando el antiguo acabado esté decapado y las reparaciones finalizadas, examina el objeto. Si observas arañazos o desgarrones, o si la fibra de la madera parece irregular o rugosa, es el momento de lijar. Además de alisar la superficie, el lijado levanta también una fina capa de madera para permitir que el acabado penetre uniformemente y más a fondo.

Utiliza papel de lija o papel de sílex de grano fino (120 o más). Lija en el sentido de la fibra; si lijas en sentido contrario a la fibra de la madera, te arriesgas a arañar la superficie. Corta las hojas del papel de lija en finas tiras para lijar (como se muestra en la figura 6-9) las patas de las sillas o de una mesa. Envuélvete la mano libre con un calcetín o una media para retirar el polvo de madera de la superficie mientras lijas. El calcetín o la media se engancharán en las rugosidades, de esta forma, podrás localizar fácilmente las zonas que requieren más atención.

Puedes fabricar una cuña para lijar con un trozo de madera, que se adaptará perfectamente a la palma de tu mano. A continuación, corta una hoja de papel de lija y envuelve la cuña con ella (observa la figura 6.9).

Las lijadoras eléctricas manuales, o lijadoras excéntricas, constituyen herramientas perfectas para las superficies planas, pero resultan igual de eficaces con las superficies curvadas. Su movimiento excéntrico garantiza

Figura 6-9:
Corta finas tiras de papel de lija para lijar pequeñas superficies redondeadas. Pasa la mano envuelta en un calcetín o en una media sobre la superficie para localizar los lugares rugosos

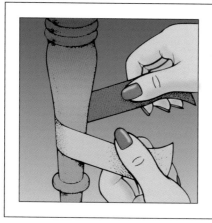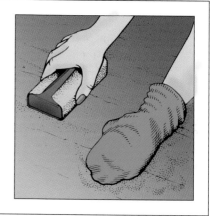

un acabado y un pulido perfecto de las superficies barnizadas o pintadas. Hoy en día, la mayoría de ellas están equipadas con bolsas de papel o faldones de aspiración para recoger el polvo.

Si quieres volver a darle vida a un mueble antiguo valioso, evita lijarlo, a menos que sea absolutamente necesario. El lijado elimina la fina pátina que se ha creado con el tiempo, lo cual podría hacer bajar el valor del objeto.

Tintes y barnices para madera

Si vas a teñir los muebles, ¿por qué no hacerlo a la antigua? Es decir, ¿con los tintes naturales que utilizaban nuestros antepasados? La nogalina (es decir, la cáscara de nuez), el té, el café y la achicoria, entre otros productos, aportarán un bonito color a tus muebles de madera, y, al mismo tiempo, reducirás el uso de los productos más agresivos y contaminantes. Piénsatelo.

Si la tendencia ecológica en bricolaje no te tienta, debes saber que hay una gran variedad de colores en pinturas para maderas, barnices y lasures. A partir de un color elegido, obtienes diferentes matices según la especie de la madera. Los matizadores generalmente los venden en tiendas especializadas y también puedes solicitarle al vendedor que te haga una demostración sobre muestras concretas. Para maderas bonitas, como el roble, es preferible que uses un color que resalte el dibujo de la madera. Para los muebles hechos de una madera menos noble o maderas mal surtidas, será más prudente que utilices tonos pastel, ya que disimulan bien la veta de la madera.

También puedes mezclar diferentes tintes para crear tu propio color. Si decides optar por esta solución, mezcla una cantidad lo bastante importante para realizar todo el proyecto. Calcula con cuidado las proporciones, ya que si se te acaba a la mitad del trabajo, te resultará difícil encontrar exactamente el mismo color y el mismo tono. Si calculas las cantidades con precisión, podrás reproducir la mezcla adecuada sin tener que intentar reinventar la receta.

El pino y otras maderas blandas tienden a tener fibras desiguales, que absorben los tintes de manera desigual, lo que da lugar a un aspecto manchado. Para preparar bien una madera blanda, empieza aplicando una capa de tapaporos o cualquier otro producto que acondicione la madera para permitir que penetre más y así conseguir un aspecto más homogéneo.

La forma de aplicar el tinte depende del resultado que quieras obtener. Puedes utilizar una esponja nueva o un trapo no afelpado para aplicar el tinte sobre toda la superficie de la madera, en el sentido de la veta, después pasar una capa de acabado, barniz, laca o poliuretano. El poliuretano se seca muy deprisa y da un acabado muy resistente, de forma que se ha vuelto mucho más popular que los barnices ordinarios. Estos productos existen con acabado brillante, satinado o mate.

Otra opción consiste en utilizar un producto combinando, un tinte y un acabado de poliuretano en una sola aplicación. Varias capas de este producto darán a la madera un color más intenso y un acabado más resistente. Se recomienda un lijado suave con lana de acero entre capa y capa. También puedes utilizar un barniz de poliuretano para conseguir un tono natural sobre la madera desnuda o aplicar un tinte, seguido de una capa de aceite de linaza o de cera, que protegerán eficazmente la madera.

Cuando apliques un acabado sobre un mueble, hazlo sobre todas las superficies para evitar que la madera se deforme. Aquí tienes un pequeño truco para reparar una puerta combada: coloca la puerta sobre una superficie plana con el lado abombado hacia arriba y apila libros (u otro peso) sobre ella. Deja estos objetos sobre la madera hasta que la puerta se aplane. Después, aplica una capa suplementaria de acabado en el interior de la puerta para impedir que la humedad penetre en la madera y se combe.

Sigue estas indicaciones, además de las del fabricante, para aplicar un acabado a una madera nueva o decapada:

1. Ponte guantes de goma para protegerte las manos.

2. Vierte una pequeña cantidad de tinte en una cubeta o en un cubo de pintura.

3. Sumerge una esponja nueva, un trapo no afelpado o un pincel en el producto y estrújalo para eliminar lo que sobre.

   Los pigmentos del tinte se depositan en el fondo del recipiente tras varias horas. Para obtener una capa uniforme, remueve el tinte regularmente.

4. Aplica el tinte en toda la superficie siguiendo la veta de la madera, tal como puedes ver en la figura 6-10.

5. Limpia todo el exceso de tinte antes de que se seque con un trapo limpio no afelpado.

   Repite todo el procedimiento para lograr un tono más oscuro.

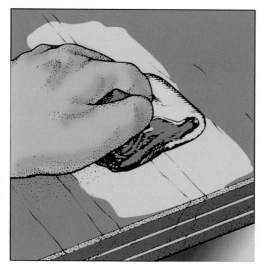

Figura 6-10:
Aplica el tinte en el sentido de la veta

Limpieza de los accesorios del mobiliario y los picaportes

La madera no es el único componente de un mueble que necesita mantenimiento. Los picaportes, los goznes, las bisagras, los tiradores metálicos y otros accesorios del mobiliario, de las puertas y de las ventanas se desgastan y se ensucian también con el tiempo.

Desmonta el accesorio antes de limpiarlo. Podrías necesitar un destornillador para esta tarea. Si el accesorio es pequeño, curvado o cincelado, seguramente te irá bien un viejo cepillo de dientes. Hay dos tipos de productos que te permiten limpiar estos accesorios: los decapantes para pintura o barniz y las cremas limpiadoras específicas para el mantenimiento del bronce, el cobre y el latón. Prepara un espacio de trabajo para instalar en él las piezas, productos y herramientas y protege todo a su alrededor.

Sigue estos pasos para limpiar cualquier accesorio de cobre, latón o bronce con ayuda de una crema limpiadora:

1. Con la ayuda de una brocha con cerdas de jabalí, aplica una buena capa de líquido o crema limpiadora sobre la pieza que vas a lustrar.

2. Deja que el producto actúe de cinco a diez minutos.

3. Pasa un trapo limpio o de mechas de algodón (como en la figura 6-11) para secar bien la superficie y retirar todo el polvo, los restos de pintura y otros residuos.

4. Cuando todas las manchas y residuos hayan desaparecido, frota el metal con un trapo limpio y seco para pulirlo.

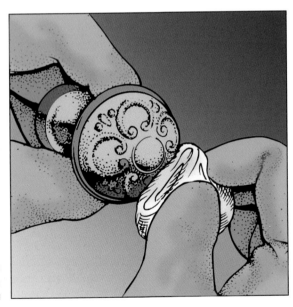

Figura 6-11
Desmonta
los
accesorios
del
mobiliario
para
limpiarlos
bien

Sigue estos pasos para limpiar cualquier accesorio en cobre, latón o bronce con la ayuda de un producto decapante:

5. Empapa el accesorio que vas a limpiar con un líquido decapante.

6. Espera a que el producto empiece a hacer burbujas.

7. Utiliza un cepillo rígido para retirar la antigua pintura, la mancha o el acabado del metal. No olvides ponerte guantes protectores para esta operación.

8. Utiliza un producto limpiador doméstico para eliminar cualquier resto de decapante.

9. Deja secar el accesorio.

10. Frota la superficie con un trapo limpio y seco para pulirla.

Las dos series de pasos precedentes son válidas para la limpieza de piezas de metal como el bronce, el cobre o el latón. Acerca un imán al objeto para verificar si el accesorio que quieres limpiar es de metal macizo o está chapado simplemente. A diferencia del metal chapado, el bronce, el cobre y el latón no atraen a los imanes. Si has confirmado que la pieza estaba chapada, prueba el producto sobre una pequeña superficie. Si el producto limpia la superficie sin afectar al chapado, pásalo por toda la superficie. En caso contrario, utiliza un limpiador de metales ordinario. Los acabados en bronce, latón y cobre también están disponibles en aerosol para reparar los chapados.

Si el paso del tiempo ha dejado demasiadas marcas en una pieza metálica para poder devolverle su brillo con la ayuda de un limpiador, no dudes en sustituirla. La gama de picaportes, tiradores y demás accesorios para adornar tus muebles, que se ofrece en las grandes superficies de bricolaje y otras tiendas de decoración, siempre es muy variada.

Pintura sobre madera natural o teñida

Es posible hacer muy buenos negocios en las tiendas de muebles de ocasión, en los sitios web de subastas o incluso en las tiendas que venden muebles en kits para montar. A partir de lo que encuentres, si tienes ganas de personalizar tus hallazgos, que sepas que es muy fácil pintar un mueble nuevo, ya que no presentará ningún problema de superficie o de capas que podrían interferir en la aplicación. Pintar muebles viejos ofrece también ventajas en la medida en que no siempre es necesario decapar el antiguo acabado. Las pinturas gliceroftálicas (con aceite) resisten mejor el desgaste que los acrílicos, lo que las convierte en una mejor opción para embellecer tus pequeñas maravillas.

Las pinturas gliceroftálicas pueden tener un aspecto brillante, satinado o mate. Elige el acabado más adecuado para tu decoración (en armonía o en contraste con los otros muebles de la estancia). No olvides que los acabados mates no reflejan la luz y pueden atenuar los defectos y otras imperfecciones de la madera; las pinturas brillantes son fuertes, duraderas, fáciles de limpiar, pero acentúan también los más mínimos defectos y otras marcas de herramientas en la madera.

Pintar la madera natural

De igual modo que en cualquier trabajo de pintura, asegúrate de mantener el espacio de trabajo limpio. Elige un lugar donde las pelusas y otras partículas de polvo no puedan depositarse sobre las superficies recién pintadas. Si trabajas en el interior cuando hace frío, caldea la estancia para obtener una temperatura de trabajo confortable, después, apaga el termostato. Evitarás así que la caldera entre en ciclos de calentamiento, que podrían causar descargas de polvo.

Pintar madera natural puede parecer un juego de niños. No obstante, para lograr resultados satisfactorios, dignos de un profesional, son necesarios algunos trabajitos preparatorios, tal como muestra la figura 6-12. Para un trabajo perfecto, sigue meticulosamente estos pasos:

1. Utiliza un papel de lija fino (de grano 220) para pulir la madera y eliminar los trazos y otras marcas de herramientas.

2. Limpia el polvo con un trapo limpio no afelpado levemente humedecido con aguarrás.

3. Aplica una subcapa de carbonato de glicerol para madera.

Figura 6-12: Antes de pintar la madera natural, púlela con una cuña de lijar, limpia el polvo y aplica una capa de imprimación para tapar los poros y ofrecer una buena base a la pintura

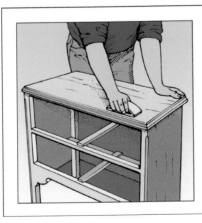

La aplicación de una capa de imprimación permite tapar bien los poros de las superficies absorbentes y garantiza un aspecto uniforme e impecable de la capa de acabado. Para un acabado perfecto, sin marcas de cepillo, utiliza un pincel plano de 6 cm o un tampón para aplicar a la vez la capa de imprimación y la de acabado.

4. Deja secar por completo la subcapa según las recomendaciones del fabricante.

5. Cuando la capa de imprimación esté bien seca, lija la superficie con un papel de lija fino.

6. Limpia el polvo con cuidado de la superficie con el trapo.

7. Aplica la primera capa de pintura y deja secar.

8. Cuando la primera capa esté seca, lija levemente y limpia la superficie.

9. Aplica una segunda capa de pintura.

Elige un acabado de secado rápido para reducir el tiempo de exposición al polvo.

Para lograr un trabajo cuidado con los mejores resultados, trabaja en una estancia equipada de una buena iluminación vertical. Añade, además, lámparas en los laterales para ver bien los pequeños detalles, defectos y otros pequeños espacios que podrías haberte dejado con el pincel.

Instalar una fuente de luz potente a un lado es muy útil, ya que la pintura gotea a menudo por los ángulos de los muebles o en la unión de dos partes, sobre todo entre las patas y los travesaños de las sillas (fíjate en la figura 6-13).

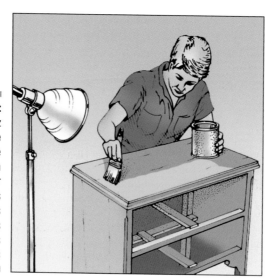

Figura 6-13:
La luz potente lateral te ayudará a distinguir bien los pequeños defectos mientras trabajas

Inspecciona con frecuencia las zonas ya pintadas para localizar la más mínima gota y atraparla con el pincel.

Pintar madera coloreada

El procedimiento para pintar un mueble ya pintado es, básicamente, el mismo que el usado para pintar la madera natural. Si la antigua pintura está en buen estado, puedes limitarte a lijarla levemente con papel de lija de grano medio y aplicar la primera capa de pintura sobre el antiguo acabado.

Si el antiguo acabado se desconcha, se agrieta o se arruga, empieza por lijar las zonas estropeadas para alisarlas. Si eso no basta, utiliza un rellenador para madera en las hendiduras más importantes. Cuando el producto esté seco, líjalo para alisarlo y aplica una subcapa sobre toda la superficie. A continuación, aplica dos capas de acabado, sin olvidarte de lijar entre capa y capa. Si quieres un aspecto lacado, utiliza una pintura brillante. Si prefieres un acabado muy brillante, diluye al máximo la laca según las recomendaciones del fabricante y aplica varias capas finas lijando entre cada capa.

Decoración con plantillas de estarcir

¿Te apetece personalizar más tu mobiliario? ¿Por qué no añadir color y estilo a las paredes, a los suelos o a los muebles aplicando todo tipo de frisos y motivos realizados con plantilla? Mucho antes de la llegada de las pegatinas y de otros adhesivos decorativos, la plantilla fue, durante siglos, la técnica ideal para embellecer los interiores y personalizarlos. Además, no es necesario ser un manitas experto o un Miguel Ángel de fin de semana para decorar con plantilla la parte superior de una puerta o de un banco. Puedes añadir un simple borde al techo de una estancia o alrededor de una chimenea, o molduras a las paredes pintadas. Las posibilidades son infinitas.

Para crear el motivo, empieza por elegir una plantilla recortada en una hoja de acetato. Un diseño sencillo requerirá una única hoja; otros, más sofisticados, incluirán más plantillas. Encontrarás todo tipo de modelos, diseños y motivos —formas geométricas, decoraciones florales, etc.— en las grandes superficies de bricolaje, tiendas de decoración y de pintura. Estas plantillas prerrecortadas ofrecen no solo el motivo, sino también todo tipo de marcas e indicaciones de alineamiento para ayudarte a colocar correctamente la plantilla a lo largo de la pared.

Utiliza una pintura que seque rápido; las pinturas acrílicas son perfectas para este tipo de proyecto, puesto que se encuentran en una gama de colores muy variada, se secan muy deprisa y se limpian con facilidad. Cuando vayas a comprar el material, hazte también con un pincel para plantillas y papel adhesivo. Además, necesitarás un cubo en poliestireno expandido y algunos trozos de fieltro o servilletas de papel.

No olvides extender alrededor de tu zona de trabajo lonas protectoras, por si caen gotas de pintura.

A continuación, te explico cómo crear en una estancia un bonito friso con plantilla en unos pocos pasos sencillos:

1. Empezando por un ángulo de la estancia, mide la distancia que debe haber entre el techo y la parte superior de la plantilla.

   Con un lápiz, marca este punto en cada pared.

2. Utiliza un nivel de burbuja para trazar una línea horizontal entre todas las marcas, tal como puedes ver en la figura 6-14.

   Si vives en una casa antigua en la que las paredes no están rectas, no utilices un nivel. Es mejor que midas esa misma distancia hasta el techo y traces las líneas con la ayuda de una regla.

3. Alinea el borde de la plantilla sobre la línea marcada con lápiz y sujeta la hoja a la pared con una cinta adhesiva.

   Para asegurarte de que empiezas bien una nueva sección allí donde hayas terminado la última, haz una pequeña muesca en forma de V en la hoja y utiliza esta marca como punto de referencia en cada desplazamiento de la plantilla. Algunas ya están dotadas de muescas para facilitar su alineamiento.

4. Vierte un poco de pintura en un recipiente.

   La cantidad de pintura requerida para las decoraciones con plantilla suele ser mínima. No obstante, la mayoría de los motivos requieren más de un color. Por ejemplo, una decoración floral puede necesitar verde para las hojas, dos tonos de rosa para las flores y marrón para el tallo.

5. Empieza por sumergir el pincel en la pintura y pégalo al fieltro o a una servilleta de papel para escurrirlo.

6. Aplica la pintura con ligeros toques, sin extenderla, en el interior de los recortes, avanzando desde los bordes exteriores hacia el interior de los dibujos.

   Los pinceles para plantillas redondas, con cerdas cortas y densas, permiten aplicar la pintura sin problemas en el interior de los recortes mediante pequeñas presiones (fíjate en la figura 6-14B).

PELIGRO

No deslices el pincel sobre la plantilla, te arriesgas a que la pintura se extienda bajo la hoja.

7. Cuando hayas acabado de aplicar la pintura en el interior del motivo, despega la hoja de la pared.

Aunque la pintura se seque muy rápido, es indispensable retirar la hoja con precaución para evitar rebabas.

8. Limpia cualquier rastro de pintura en el dorso de la hoja y alinéala de nuevo sujetándola con la cinta adhesiva.

9. Repite esta operación alrededor de toda la estancia.

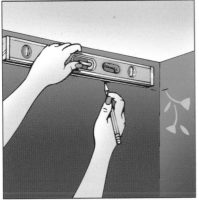
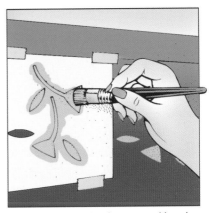

Figura 6-14:
Un friso realizado con plantilla

A. Trazado de una línea horizontal alrededor de toda la estancia.

B. Aplicación de la pintura en el interior de los recortes mediante pequeños toques.

Capítulo 7

Quitar y poner papel pintado

*N*o somos muy conscientes de ello, pero el papel pintado ha ejercido una influencia considerable en nuestra vida cotidiana. Una habitación empapelada con un motivo de diseño o adornado con motivos agradables puede ser una verdadera señal de bienvenida que atraiga a entrar en la habitación.

El papel es bonito, es limpio, hace que te entren ganas de instalarte en la estancia y, quizá, la simple visión de ese magnífico papel hace que aparezca una sonrisa en tu rostro. A la inversa, un simple vistazo al revestimiento mural colocado por tu abuela en su casa o por el propietario de tu apartamento puede hacer que te suba la tensión de golpe y causarte una ceguera inexplicable que solo curará la estantería de papeles pintados de tu tienda de bricolaje preferida.

En este capítulo dejaré el estudio del impacto psicológico de los papeles pintados horribles a los terapeutas para concentrarme, sobre todo, en la colocación de los revestimientos murales que te interesan y en cómo arrancar aquellos que no te interesen. Para las personas que sienten cariño por su papel pintado, pero que no tienen bastantes fotos para ocultar los desgarrones y otros daños en el papel, he incorporado algunos trucos e ideas para reparar y remendar su revestimiento preferido. Sigue las recomendaciones de este capítulo y harás de tu casa un lugar aún más acogedor y agradable para vivir.

Pero, antes de nada, hay algo que debo pedirte. Te lo suplico, no pintes tus antiguos papeles pintados. De acuerdo, lo detestas. Vale, estaba súper de moda en marzo de 1988. Sí, cada una de esas manchas y desgarrones te traen un recuerdo. Pero, palabra de experto, el papel pintado es como las víctimas de una crisis cardíaca en las series de televisión americanas. Cuando el enfermo está frito, está frito, no vale la pena intentar el triple *bypass* coronario. Con tu viejo papel pasa lo mismo. Aunque lo laques con el último color de moda, ¡está CON-DE-NA-DO! Repintarlo, una acción simple, rápida y, sobre todo, tentadora, no te dejará satisfecho. Si tu antiguo papel está mal encolado o se ha despegado, un pequeño toque de pintura pondrá en evidencia todos los defectos que no veías antes. Debes tener vista, porque, cuando decidas reformar esta misma habitación, te arrepentirás amargamente de tu acción pasada. No siempre es fácil retirar el papel pintado limpiamente, pero el papel pintado y pintado es aún más difícil. De ahí esta pequeña ecuación que debería hacerte reflexionar antes de enlucir tu papel: papel antiguo + capa de pintura = ¡trabajo de rascado enorme en vista + agujetas dolorosas! Además, palabra de especialista, la mejor solución para hacerlo bien es arrancar todos los papeles pintados antes de la colocación de uno nuevo. Esto te ahorrará muchos problemas, así como agujetas, y podría incluso evitar que tengas que poner nuevos revestimientos.

Reparación de papel pintado estropeado

Nada parece atraer más la atención de la gente que un pequeño trozo de papel pintado que se ha despegado. Tu mirada acaba siempre en ese punto donde el motivo está cortado por un defecto o por un desgarrón en el papel.

Es doloroso oír la verdad: el papel pintado puede romperse. Las tiras se despegan de la pared si la cola utilizada no es de buena calidad o no se ha aplicado una cantidad suficiente, si las burbujas de aire que no se han eliminado en el momento de la colocación no se han ido solas. Para abreviar, si se despega por todas partes, es que el trabajo se ha hecho mal o no se ha preparado bien. Otro caso podría ser que el artista en ciernes de la familia haya desplegado su talento sobre el papel pintado del salón. Cualquiera que sea el origen de los daños, lee los consejos siguientes para repararlos sin problemas.

El papel se ha desgarrado

Un papel pintado desgarrado es como una media con una carrera; las dos cosas son muy poco estéticas y nunca pasan desapercibidas. Pero, a diferencia de las medias rotas, siempre es posible remendar un revestimiento de pared. (Atención, yo hablo de un desgarro que no supere los 5 cm de ancho ni de alto. Para cualquier daño más importante, es preferible sustituir la totalidad de la pieza.)

Para reparar un agujero o un desgarro en un papel pintado, necesitas de un recorte del mismo papel, o de un papel adecuado, lo bastante grande para recortar una pieza de recambio. Después, sigue estos pasos que te indico a continuación y que ilustra la figura 7-1:

1. Extiende un trozo de papel pintado idéntico al dañado sobre una superficie plana para cortar un poco. Recorta un cuadrado más grande que la parte del papel dañado.

2. Sujeta esa pieza sobre la zona que vas a reparar con cinta adhesiva (de papel rizado, preferentemente, que no se adhiere tanto como las otras cintas). El truco consiste en alinear bien los motivos para que los de la pieza de recambio coincidan con los del papel pintado.

3. Con un cúter, corta al mismo tiempo la pieza pegada con la cinta en la pared y el papel dañado debajo. Utiliza el dibujo del papel para determinar la forma del recorte. Si el motivos tiene rayas o cuadros, corta siguiendo una línea. Para una decoración primaveral o floral, puedes hacer una línea de corte más irregular. Cuando hayas acabado, retira con cuidado la pieza cortada, además del contorno pegado con la cinta adhesiva.

   Asegúrate bien de recortar las dos capas de papel a la vez para obtener una correspondencia perfecta.

4. Con ayuda de una esponja rectangular (más precisa), humedece el revestimiento dañado. Para los detalles de la operación, consulta el apartado "Cómo arrancar un papel pintado", más adelante en este capítulo.

5. Rasca para retirar la pieza dañada con la hoja estrecha de una espátula de pintor con cuidado, sin estropear el papel a su alrededor. Mejor usar el dedo para las uniones.

6. Retira todo rastro de cola o de papel y limpia bien la superficie.

7. Aplica cola a la nueva pieza y colócala con cuidado en su sitio. Utiliza la cola apropiada al tipo de papel (clásico, vinilo, textil).

8. Pon la pieza en su lugar y encola desde el centro hasta los bordes exteriores y, con la esponja húmeda, limpia los excesos de cola. Para hacerlo bien, tras pegar los bordes de la pieza, es imprescindible que limpies con la esponja húmeda y con un trapo limpio.

9. Para rematar el conjunto, puedes pasar un rodillo para juntas. Pásalo con firmeza por las juntas en un movimiento regular. Las uniones quedarán totalmente invisibles cuando se sequen.

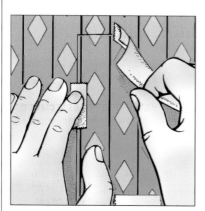

A. Recubre la parte dañada con un gran cuadrado recortado de una tira del revestimiento apropiado y sujétalo con cinta adhesiva (pasos 1-2).

B. Recorta con un cúter la pieza y el papel de debajo con un corte horizontal y vertical siguiendo una línea (paso 3).

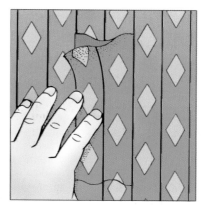

C. Retira la pieza y la parte dañada y coloca la nueva pieza en su sitio (pasos 4-9).

Figura 7-1:
Cómo remendar un revestimiento estropeado

El papel se despega

El papel pintado puede despegarse por diferentes razones: la cola, demasiado líquida, no era bastante adhesiva; la pared estaba mal enlucida; el papel pintado se ha pegado sobre una superficie grasa no deslustrada; se ha formado condensación tras la aplicación. Sea cual sea el problema, puedes solucionarlo fácilmente con un tubo de cola de reparación.

Las herramientas adecuadas

Para hacer un buen trabajo lo más fácilmente posible, son indispensables algunas herramientas básicas, y por un módico precio:

✔ **Mesa para empapelar.** Una mesa lista para los preparativos del corte del papel pintado y la aplicación de la cola. Aunque la compra de esta mesa no es indispensable, a mí me parece muy práctica, siempre que sea de buena calidad. Como alternativa, puedes utilizar una puerta plana o una tabla limpia sobre dos caballetes.

✔ **Cubo de cola redondo.** Cubo de plástico ideal para mezclar la cola y el agua con una espátula o un palo de madera bien lisa.

✔ **Brocha para aplicar la cola (o rodillo).** Una brocha grande, densa y rectangular permite aplicar la cola sobre las tiras de papel. Mejor que sea de cerdas naturales.

✔ **Nivel de burbuja.** Este utensilio te ayudará a determinar una línea recta vertical u horizontal en una estancia.

✔ **Plomada.** Utiliza una plomada para colocar verticalmente las tiras de papel. Puedes fabricar tú mismo una plomada sujetando un objeto pesado a un trozo apropiado de cordel (el cordel debe llegar casi hasta al suelo, pero sin llegar a tocarlo). Sujeta el cordel a un clavo en lo alto de la pared y deja que el peso cuelgue libremente hasta que se quede inmóvil. Para determinar una línea vertical, frota un trozo de tiza de color claro o blanco contra el cordel, sujeta con firmeza la parte inferior del cordel para tensarlo, cógelo y suéltalo a fin de que choque contra la pared. La tiza dejará así una marca que servirá de guía para alinear la primera tira. También puedes utilizar una regla que podrás alinear con el cordel o un gran nivel de 2 m.

✔ **Cúter.** Un cúter con una cuchilla que pueda partirse, utilizado con una espátula para allanar y cortar al ras los ángulos, los zócalos y otros relieves, es la clave de toda la operación. Para los cortes dobles puede completarse con un portacuchillas (lo encontrarás en cualquier proveedor profesional).

✔ **Tijeras.** Elige unas tijeras buenas que corten, o mejor, unas tijeras de encolador con hojas inoxidables y la punta redondeada de 30 cm de largo, para el corte preciso de las tiras de papel. Mi truco para conservar toda su capacidad de corte es usarlas solo para cortar papel.

✔ **Rodillo para las juntas.** Esta pequeña herramienta (disponible en las grandes superficies de bricolaje a menos de 7 euros) sirve para aplastar bien las juntas entre dos tiras de papel pintado. Ideal para evitar que se levanten constantemente.

✔ **Cepillo de empapelar (o escoba de encolador).** Se trata de un cepillo con cerdas sintéticas (¡de nailon, no!), estrecho y largo, de unos 30 cm, que sirve para encolar el papel sobre la pared a fin de extraer las burbujas de aire y los pliegues.

✔ **Cinta métrica y regla metálica.** Dos instrumentos utilizados para medir y cortar las tiras de papel pintado.

✔ **Rodillo de empapelar.** Se trata de un rodillo de espuma, el intermediario perfecto entre el cepillo de empapelar y el rodillo para juntas. La elección de estas tres herramientas se define según la colocación, en función del tipo de papel que vayas a poner.

✔ **Escalera plegable.** Para medir las paredes, colocar y arrancar el papel, utiliza una es-

(cont.)

(continuación)

calera plegable, más práctica y menos peligrosa que una escalera sin ningún apoyo.

✔ **Otros.** Esponja, cubo de agua limpia (para empapar los papeles antes de encolarlos), lápiz, goma, tiza, trapos de algodón limpios, periódicos viejos, bolsa de basura, etc.

✔ **Espátula para encolar.** Espátula de plástico que sustituye al cepillo de empapelar cuando aplicas los revestimientos más pesados que un papel pintado clásico. Permite también sujetar el papel pintado para recortar los ángulos.

✔ **Alisadora o espátula.** Igual que la espátula para encolar, estos utensilios de revocador permiten, en función de las diferentes tallas, perfeccionar tus recortes o soportes, (arriba y debajo de las paredes, ángulos de una puerta, ventana, radiador, tomas...).

Sigue estos pasos para volver a encolar el borde de un papel pintado:

1. Levanta con cuidado el papel pintado desprendido. No rompas el papel, tira hasta que sientas una resistencia.

2. Humedece el lado adhesivo del papel (la cara contra el muro) con una esponja o un trapo húmedo, así como la pared, para ablandar la antigua cola.

   Espera algunos minutos a que la cola se ablande y seca bien el papel y la pared. Limpia con cuidado las dos partes varias veces para asegurarte de que el papel no contenga ya más adhesivo.

3. Consigue un tubo de cola (para papel pintado) o cola para tela (más fuerte y más espesa). Coloca la cola bajo el papel y aprieta para extenderla entre los dos soportes.

4. Vuelve a colocar el borde del papel de forma que coincida bien con el dibujo del papel adyacente. Encola el borde del papel no roto hacia la parte desprendida, de forma que el aire y el excedente de cola salgan.

5. Pasa una esponja húmeda por el revestimiento y luego un trapo limpio para retirar cualquier exceso de cola y residuos que podrían amarillearse al secarse.

6. Con un rodillo para juntas pega bien los bordes y limpia cualquier posible desbordamiento de cola con un trapo o una esponja húmeda.

Colocación de un friso

Para cambiar el aspecto de una habitación rápidamente, por qué no adornar tu revestimiento de la pared con un friso. Los frisos son como las cintas que envuelven los paquetes de regalo: no tienen ninguna utilidad, pero añaden un toquecito muy especial. Los frisos aportan una dimensión decorativa a las ventanas, puertas y techos. Se pueden colocar sobre cualquier superficie pintada o cualquier revestimiento de pared.

Colocar un friso es una tarea delicada para un empapelador principiante: da la oportunidad de manejar utensilios básicos, y la inversión de tiempo y equipo es mínima. En vista de que la inclusión de un friso transforma una estancia con un mínimo de esfuerzo y de gasto, un manitas ocasional sabrá apreciar este proyecto.

Para una primera prueba, hazlo con un compañero, si es posible, en una pared pintada. La operación es más fácil y, en caso de catástrofe, la limpieza de los restos de cola no presentará ningún problema.

Se encuentran frisos en una gama de estilos y de dibujos muy variados y de anchos diferentes (los más comunes van de 5 a 18 cm). Los más modernos son preencolados, extensibles y, a veces, llevan incorporado un adhesivo que permite pegarlos y despegarlos varias veces. En general, es preferible un friso que tengas que encolar tú mismo con la cola adecuada (especial para frisos); suelen adherirse sobre todos los soportes y su mantenimiento, con el tiempo, será mejor que el de los frisos preencolados.

En cualquier caso, los frisos son muy populares y los encontrarás en casi todas las tiendas que vendan artículos de decoración para el hogar. Los catálogos de decoración que proponen gamas de papel pintado están llenos de ejemplos de frisos muy variados para los diversos tipos de papel. Los precios giran alrededor de 8 euros el rollo de 10 m. Mide el perímetro de las paredes y añádele algunos centímetros suplementarios para determinar cuántos rollos necesitarás.

No vale la pena equiparte de herramientas muy sofisticadas para colocar un friso. Necesitas una cinta métrica, un rodillo para juntas, un cúter, unas tijeras, un cubo, una esponja, un nivel de burbuja, una brocha o una espátula para encolar y, para acabar, una escalera plegable. Si deseas información más detallada de estos instrumentos, consulta el cuadro titulado "Las herramientas adecuadas", que un poco antes hemos descrito en este mismo capítulo.

Alineamiento del friso

Como la unión entre paredes, y entre paredes y techo y suelo, no siempre forman un ángulo recto perfecto, la colocación de un friso, a veces, puede requerir un enfoque más imaginativo que racional. Cuidado con la colocación horizontal cerca de un techo más o menos inclinado, porque no hará más que acentuar la inclinación. Alinea los frisos en función de los elementos de la pared (ventanas, cornisas, etc.) o de la altura del techo, en vez de en función de una línea horizontal absoluta.

En las casas modernas, es más fácil determinar una línea horizontal y colocar el friso a lo largo de ella sin problemas. Si lo colocas en una pared adornada con una cornisa, utilízala como guía, incluso si las paredes no están niveladas, y haz coincidir la parte superior del friso con la parte inferior de la cornisa.

Si la pared no cuenta con cornisa o si simplemente no quieres colocarlo contra el techo porque no te gusta, puedes ponerlo unos centímetros por debajo del techo (utiliza entonces el techo como guía o establece una línea horizontal) o en medio de la pared. Antes de tomar una decisión, piensa los efectos siguientes:

✔ Un friso decorativo colocado justo por debajo de un techo define el espacio y acentúa la forma de la estancia. Si la habitación es pequeña, un friso a nivel del techo puede hacer que parezca más grande.

✔ Un friso que divida una pared tiende a hacer que la estancia parezca más pequeña.

Si decides colocarlo a media altura de la pared, determina una línea de base horizontal. Utiliza una cinta métrica o un doble metro y un nivel de burbuja para establecer las líneas que te guiarán por la estanca de la siguiente forma:

1. Define el lugar de la pared donde quieres posicionar la parte superior del friso y márcalo con un lápiz fino y no graso. Mide la distancia más pequeña, ya sea entre el friso y el techo, o bien entre el friso y el suelo.

2. En el punto indicado, coloca el nivel de burbuja contra la pared y ajústalo hasta que la burbuja esté centrada correctamente.

3. Utiliza el nivel como regla y traza una línea a lo largo de la pared.

4. Mueve el nivel hasta el final de la línea, centra la burbuja y continúa la línea.

5. Mueve el nivel por toda la estancia y repite el paso 4 hasta que hayas marcado toda la habitación, si deseas poner el friso rodeando toda la estancia.

6. Coloca el friso de forma que recubra con la parte superior la línea horizontal.

Si vas a colocar un friso alrededor de una ventana o de una puerta, utiliza el marco como guía, aunque la carpintería no esté del todo recta. Estas decoraciones deben estar perfectamente alineadas con las ventanas o las puertas para no acentuar el hecho de que estas últimas se han movido con el tiempo.

Aplicación del friso

Antes de colocar el friso, asegúrate de que las paredes están limpias y libres de polvo (sobre todo los rincones). Si el friso debe pasar por los interruptores o las tomas eléctricas, desmonta las placas de protección y guárdalas a buen recaudo durante el proceso, sin olvidar cortar la corriente de la habitación en la que trabajas.

Cuando coloques el friso, empieza y acaba siempre por el ángulo más discreto (normalmente en la pared adyacente a la ventana principal para que ninguna sombra rasante resalte el posible defecto de coincidencia). La parte superior de la puerta de entrada también es un buen punto de salida y de llegada. Si es necesario, corta un poco el extremo del papel para que el motivo no se acabe justo en pleno dibujo. Es mucho más fácil empezar y terminar con una zona sin motivo para no tener que hacerlo coincidir.

Para colocar un friso, procede del siguiente modo:

1. Activa el producto adhesivo.

   La mayoría de los frisos están preencolados, en cuyo caso basta con empaparlo con agua o humedecerlo con una esponja húmeda para activar el adhesivo. Sigue las recomendaciones del fabricante.

   Si el friso que has elegido no está preencolado y tienes que colocarlo sobre una pared pintada, utiliza cola especial para fondos lisos y brillantes lista para su empleo. Las otras, por lo general, se presentan en polvo o en escamas que deben mezclarse con agua. Si colocas un friso (preencolado o no) en papel pintado, utiliza una cola especial para la colocación de pasamanos, bordes y frisos de vinilo en papeles pintados de vinilo. Utiliza una brocha limpia para repartir la cola por el dorso del papel, aplicándola uniformemente por toda la superficie.

   Para ello, consigue una mesa para empapelar y un viejo rollo de papel pintado para colocarlo sobre la mesa y bajo el friso de forma que te sea más fácil extender la cola y controlar los desbordamientos. Nada de cola sobre la mesa, por tanto, nada de cola bajo el friso.

2. Para aplicar la cola sobre el friso, sujétalo con una mano (así evitarás que se resbale mientras trabajas), la otra mano estará armada con una brocha plana, con la que aplicarás la cola. Extiende la cola en el centro del friso y repártela hacia el exterior, hasta que se desborde por el papel pintado con el que prudentemente estarás protegiendo la mesa.

3. Dobla en acordeón el friso, superficies con cola contra superficies con cola.

   Esta operación evita que la cola se seque demasiado rápido y te permite manipular con facilidad toda la longitud del friso. Además, esto permite que se empape totalmente de la cola.

4. Alinea la parte superior del friso con la línea horizontal (para hacerlos coincidir) y delicada pero firmemente pega la tira contra la pared, con ayuda de un cepillo, del rodillo o de la espátula para encolar según el espesor del friso.

5. Coloca la tira siguiente contra la anterior, sin coincidencia ni vacío entre las dos.

   Repite esta operación por toda la estancia verificando siempre que la unión entre los dos frisos quede limpia.

Colocación del friso en ángulo

Para un corte limpio y preciso en ángulo recto, como en la unión entre un borde horizontal y un friso vertical que comportan las líneas que encuadran una puerta, por ejemplo, debes practicar un corte en ángulo (un corte doble en oblicuo). El sentido de este corte será diferente según se encuentre por encima o por debajo de la vista. Sigue estos pasos tomando como referencia la figura 7-2:

✔ Coloca el friso horizontal por encima del marco de una puerta o de una ventana haciendo que sobresalga unos centímetros por la izquierda y por la derecha (para poder recubrirla con los frisos verticales).

✔ Por ejemplo, si el friso mide 6 cm de ancho, será necesario dejar que sobrepase, como mínimo, 7 cm, es decir, 14 cm en total, la longitud del alto de la puerta o de la ventana. Por lo que, si el ancho de la puerta o de la ventana es de 73 cm, deberás cortar una tira de friso de 87 cm.

Tendrás que cortar el friso en los ángulos y retirar lo que sobre, así que no lo pegues con demasiada firmeza.

A. En el ángulo del marco, haz que coincidan los frisos horizontal y vertical (pasos 1 y 2).

B. Utiliza una guía para definir una diagonal que vaya del ángulo interior del marco al ángulo opuesto (paso 3).

C. Corta las dos tiras con el cúter (paso 4).

D. Retira el papel que sobre y aplica el borde vertical (pasos 5 y 6).

Figura 7-2:
Cómo colocar un friso alrededor de un marco

E. Aprieta los bordes con un rodillo para juntas (paso 7).

1. Coloca otro friso en vertical de forma que recubra al horizontal. Los frisos se solapan formando una cruz.

2. Con el cúter, haz un corte en diagonal desde el ángulo interior del marco al ángulo opuesto.

3. Corta las dos capas del friso con un cúter guiándote con una regla, una espátula o cualquier otro accesorio recto.

4. Levanta el friso vertical y retira el trozo que sobre de la parte superior en forma de triángulo del friso horizontal.

5. Aplica delicadamente el vertical de manera que forme una diagonal perfecta de 90° con el horizontal.

6. Aprieta con firmeza las dos tiras y afirma las uniones con la ayuda de un rodillo para juntas.

   El rodillo para juntas aplasta los frisos contra la pared para que la unión resulte invisible. Si quieres más detalles sobre este utensilio, consulta el cuadro "Las herramientas adecuadas", que aparece en este capítulo, un poco antes.

7. Moja levemente los frisos con una esponja húmeda para limpiar cualquier desbordamiento de cola en las juntas y acaba pasando un trapo.

Elección del papel pintado

Elegir un papel pintado puede resultar mucho más arduo que colocarlo: ¡el abanico de opciones es abrumador! Sostener uno de esos enormes catálogos de muestras es un verdadero desafío, sin hablar de todas esas páginas que pasar en busca del papel pintado perfecto. No obstante, los cambios que puede aportar un papel pintado elegido con prudencia son tales que vale la pena dedicarle a la fase de selección un buen tiempo.

Compra del revestimiento

A pesar de su nombre, el papel pintado no siempre es papel. Hay numerosas texturas y funciones diferentes, que caracterizan el tipo de papel que puedes comprar. Destronando a los papeles pintados estándar (los más baratos y ligeros), compuestos de una hoja estampada en colores, con dibujos o sin ellos, levemente granulada, los revestimientos vinílicos (constituidos por una capa de PVC encolada sobre un soporte de papel) se han convertido, hoy en día, en los más comunes ya que, al contrario que los papeles estándar, son fáciles de colocar, de arrancar y lavables con lejía. Además, estos últimos puedes encontrarlos en una gran variedad de colores, texturas y motivos.

Entre otros tipos de papel, hay papeles pintados gofrados; papeles para pintar; metalizados, compuestos de un soporte de papel y de una hoja metálica muy fina o de una proyección de polvo metálico (que quedan mejor para un interior contemporáneo que para uno de estilo clásico); tejidos contracolados sobre un soporte de papel (que con frecuencia son más elegantes); y papeles con fibras vegetales (paja china, etc.). Los papeles metalizados no son adecuados para las superficies irregulares, ya que su brillo y su poco espesor acentuarán inevitablemente las imperfecciones del soporte.

Como los precios de los papeles metalizados son elevados y la colocación de este tipo de revestimientos resulta difícil, no se aconseja a los principiantes. Te recomiendo que recurras a un profesional para este tipo de proyecto; él podrá decidir si tu pared es adecuada para ese tipo de papel. En caso de que sí lo sea, te aconsejará sobre cómo preparar la pared para efectuar la colocación.

El papel gofrado

Los papeles pintados en relieve, papeles gofrados, han recubierto las paredes de nuestras casas desde principios del siglo. Hoy en día, han vuelto a ponerse de moda, si bien es cierto que algunos son reediciones de modelos clásicos antiguos. Opta por este tipo de revestimiento si deseas reformar una casa antigua conservando su estilo de época. No obstante, el papel gofrado no se aconseja para una primera experiencia, ya que su colocación es más complicada que la del papel de vinilo.

Si los papeles en relieve ya tintados resultan muy útiles para tapizar las paredes en mal estado, ya que ocultan las imperfecciones del soporte, los papeles gofrados en relieve blanco, pensados para ser pintados, implican normal-mente una preparación de las superficies más minuciosa. Por otra parte, si recubres unas paredes ya pintadas, en ocasiones es necesario un lijado previo de las paredes o un decapado de la pintura.

Antes de colocar un papel gofrado, debes asegurarte de que la pared esté perfectamente limpia, seca y preparada con una primera capa base. A continuación, utiliza una cola especial para papeles pintados gruesos y gofrados o una cola reforzada lista para su empleo especial para papeles de vinilo. Pide consejo a tu vendedor para la elección de la cola. No olvides decirle qué tipo de soporte tienes, eso le será muy útil.

Los empapeladores en ciernes optarán preferiblemente por los papeles de vinilo. Actualmente, la gama de productos es muy grande y suele haber pequeñas muestras, por lo que no tendrás que verte tentado a arrancar la página de un catálogo. Si no eres muy puntilloso y deseas un revestimiento de pared a un buen precio, opta por un papel de vinilo o un vinilo expandido, listo para colocar. Si te decantas por un producto que tengan en el almacén, y no solo en el catálogo, no tendrás que hacer el pedido y esperar lustros a que llegue tu pedido. No olvides verificar los números de los baños de color o de serie en el momento de la compra para evitar las posibles diferencias de texturas o colores.

Tipos de motivos

Antes de decidir, ten en cuenta los puntos siguientes:

✔ Las rayas verticales hacen que un techo parezca más alto y las rayas horizontales hacen que una habitación parezca más grande.

✔ Los grandes motivos no quedan bien en una habitación pequeña; las pequeñas impresiones o un papel con motivos pequeños o dibujos geométricos son más adecuados para superficies reducidas.

✔ Los colores oscuros hacen que una habitación parezca pequeña; a la inversa, una estancia pequeña u oscura tapizada con un papel de colores claros parecerás más grande.

✔ Los colores vivos quedan bien en la cocina o en cualquier habitación que no se utilice como lugar de relajación, donde son preferibles los tonos cálidos y suaves, que resalten el mobiliario.

✔ No es indispensable empapelar toda una estancia como si fuera un paquete de regalo. Una franja de una pared o dos, incluso en oposición, aportarán un agradable cambio a la habitación.

La colocación de un papel pintado con una repetición de pequeños motivos es muy simple y los recortes serán menos numerosos. En el momento de la compra del papel, ten en cuenta la merma de las uniones de motivos. Uniones = mermas, lo que al final puede hacer subir el precio de los materiales.

Calidad

Los colores, la textura, el motivo y la calidad, preencolada o no, de un papel no son los únicos factores que pueden tenerse en cuenta a la hora de elegir un papel pintado. También es indispensable considerar la calidad o la resistencia de ciertos revestimientos.

El término «lavable» sobre un revestimiento de pared significa que puedes limpiar de vez en cuando con una esponja y agua templada jabonosa. Sin embargo, la mención lavable con lejía (o mejor aún lavable con lejía y un cepillo) significa que el revestimiento está hecho de una materia más sólida que puedes limpiar más a menudo. Los revestimientos lavables con lejía son perfectos para las cocinas y cuartos de baños, donde las manchas, salpicaduras y la humedad son inevitables, y para cualquier otra estancia de paso frecuente, como pasillos.

Cálculo del número de rollos

Cuando compres los rollos, asegúrate de que proceden todos del mismo lote para evitar posibles diferencias de textura o colores. Para ello debes verificar que la referencia es la misma en todos los rollos (excepto por la última cifra que normalmente es el número de la bobina).

Para calcular el número de rollos necesarios para empapelar una estancia, necesitas saber su altura y medir su perímetro (sin las puertas ni las ventanas). Recuerda reservar también 10 cm de más como margen para los enrasados. Procede del siguiente modo:

1. Mide la longitud de cada pared y calcula la suma de todas ellas sin tener en cuenta las puertas y las ventanas. Luego añade a la cifra obtenida el grosor de la pared alrededor de las aberturas si estas deben empapelarse.

2. Divide el perímetro que acabas de calcular por el ancho de un rollo para obtener el número de tiras necesarias. Redondea la cifra siempre hacia arriba.

3. Mide la altura de la pared que hay que cubrir (desde el zócalo a la gola, a la cornisa o al techo). Súmale a esa altura 10 cm para los enrasados; y algo más si son necesarias uniones, lo cual dependerá del tipo de papel elegido.

4. Divide la longitud de un rollo por esta altura para saber cuántas tiras podrás utilizar en un rollo.

5. Divide el número de tiras necesarias (definido en el paso 2) por el número de tiras en un rollo (definido en el paso 4) para calcular cuántos rollos tendrás que comprar. Si, por ejemplo, necesitas 30 tiras para recubrir el perímetro de la estancia y puedes sacar 3 por rollo, necesitarás 10 rollos.

Colocación de las tiras paso a paso

Si es la primera vez que colocas papel pintado, te recomiendo que te limites a una habitación, más que a un cuarto de baño o una cocina, donde el espacio de trabajo es pequeño y limitado y donde los recortes y uniones serán numerosos.

Colocar papel pintado con tu cónyuge puede ser una amenaza para la pareja. Con los cúteres, los rollos, las escaleras plegables a mano, eres tú quien debe decidir si deseas considerar verdaderamente la colocación del papel pintado como un deporte de equipo que puedes practicar en pareja.

Preparación de la habitación

Para preparar bien una habitación antes de empapelarla, debes empezar por retirar todos los muebles que puedas. Lo ideal es que dispongas de, como mínimo, un metro delante de cada pared para trabajar. Una mesa para encolar o una puerta plana colocada sobre dos caballetes para extender los rollos, cortar las tiras y aplicar la cola en el papel resulta también muy práctico.

Desmonta las placas de protección de los interruptores y los enchufes, y protege las aberturas con cinta de carrocero. Retira también cualquier objeto decorativo o aparato fijado a la pared (apliques, convectores eléctricos, etc.), y limpia el polvo y desengrasa toda la superficie que haya que empapelar.

Las paredes deben estar limpias, secas y en buen estado, sin agujeros ni grietas. Rellena todos los agujeros con masilla para interiores y lija las zonas rellenadas una vez que estén secas. Si las paredes son nuevas o muy absorbentes tendrás que aplicar una capa base (por lo general se vende en forma de polvo) antes de empapelarlas a fin de ofrecer al papel pintado una buena superficie. Mezcla ese polvo con agua, aplícalo en la pared y déjalo secar antes de colocar el papel pintado. Esa operación es el preencolado.

Nota técnica: Para las paredes nuevas, sin enlucir o en paneles de yeso, es preferible aplicar una subcapa (imprimación). Esto facilitará la colocación del papel pintado y también su retirada cuando redecores la estancia.

Si quieres volver a pintar la carpintería y los marcos de la estancia para que queden mejor con el nuevo papel pintado, aplica la pintura antes de colocar el papel. Es mucho más fácil eliminar la cola de una superficie pintada que la pintura de un papel pintado.

Definición de una línea vertical para la primera tira

Tras haber tomado todas las precauciones (retirada de muebles, decapado, lijado o lavado de las paredes y, finalmente, la aplicación de una primera capa base), podrás empezar la colocación del papel pintado. ¿Por dónde empezar? Pues bien, empezar junto a una ventana o una puerta es la solución ideal, porque son lugares poco visibles, en los que si hay un defecto en las uniones no será muy visible. Por otra parte, aunque los ángulos de las paredes no siempre son rectos, los marcos, por lo general, sí. Si es necesario, recorta levemente el extremo del papel para empezar por un lugar en el que no haya dibujo; es más fácil empezar y acabar la colocación con bordes sin motivo, porque no tendrás que hacer coincidir los dibujos.

Figura 7-3:
Una
plomada te
permitirá
determinar
una
vertical

Si empiezas por un ángulo de la estancia, la plomada te ayudará a determinar una línea de base absolutamente vertical (observa la figura 7-3). Para trazar esa línea vertical, ata un cordel a un clavo colocado en lo alto de la pared y deja que el peso (plomo, perno u otro) cuelgue libremente. Cuando la plomada se quede inmóvil, marca su posición con un lápiz. Esa línea se convertirá en tu punto de partida. Si alineas el borde de la tira de papel con esa línea de base, todas las demás tiras quedarán rectas. (También puedes frotar un trozo de tiza contra el cordel, tira con firmeza de la parte inferior del cordel para tensarlo, sujétalo y suéltalo para hacer que choque contra la pared a fin de que deje una marca que servirá de guía para alinear la primera tira.)

Esta es mi técnica ideal para definir la vertical. Los papeles pintados clásicos miden 53 cm de ancho. En este caso, toma la cota partiendo de tu ángulo y marca 52 o 52,5 cm para tomar tu punto de referencia de la verticalidad (en lo alto de la pared); después coloca tu plomada o gran nivel y traza la línea. Con ayuda de un metro, verifica que la anchura no supere los 53 cm. Si la supera, es que tu ángulo de partida no está vertical respecto a la cota de partida, inferior a la ya observada.

Si las paredes no forman ángulo recto, es preferible alinear el papel pintado en función de una vertical determinada con la plomada más que en función del techo o de un ángulo para evitar encontrarte con dibujos que no coincidan en las juntas o los ángulos. Otra forma de hallar la vertical es mediante un nivel láser (que puedes ver representado en la figura 7-4).

Figura 7-4:
El nivel láser te permite determinar la vertical

Cómo cortar las tiras

Aunque el corte de la primera tira es sencillo, si tienes pensado mantener la cara estampada hacia ti, deberás procurar que los motivos coincidan. Una vez que hayas decidido el lugar donde quieres que el primer motivo se sitúe en relación con la altura de la pared, mide esta altura y añádele 10 cm para los enrasados superiores e inferiores.

A continuación, desenrolla el primer rollo de papel pintado (con el motivo bocabajo), mide la altura de la pared y traza con un lápiz una línea en ángulo recto con el borde de la tira antes de cortar con unas tijeras de empapelar u otras tijeras provistas de grandes hojas. Extiende otra tira para hacer concordar los motivos colocándola con el borde pegado al de la primera tira. Determina la altura de la segunda tira en relación con la primera. Corta lo que sobre de alto y corta la parte inferior que corresponda. Sigue este procedimiento con todas las demás tiras, que puedes numerar en el dorso para aplicarles la cola y colocarlas en orden. Una vez que acabes de cortar, solo tendrás que darles la vuelta a las tiras cortadas.

Encolado y colocación de las tiras

Extiende las tiras por toda la superficie de la mesa (haz que se superpongan levemente) para evitar que la cola caiga sobre la mesa. Las tiras de papel deben recubrir toda la mesa. La primera tira a la que vas a aplicar la cola tiene que estar en el borde de la mesa más próximo a ti. Empapa la brocha en un cubo lleno de cola, escúrrela y aplica la cola en la primera tira colocada en la mesa, empezando por una franja en el centro de la tira; luego continúa en diagonal desde el centro hacia los bordes exteriores.

Dobla, enseguida, esa parte sobre sí misma y estira el resto sobre la mesa para aplicar la cola del mismo modo. Pliega también esta parte, cola contra cola. Se recomiendan estos dos plegados.

Elimina las posibles burbujas para que el papel pintado quede untado de cola en su totalidad. Atención, no aprietes demasiado en los puntos de plegado del papel pintado para evitar que se forme una raya que podría verse.

Espera de cinco a diez minutos antes de colocarlo en la pared. En el caso de los manitas experimentados, pueden aplicar la cola en una tira doblada por la mitad, lo que permite que el papel pintado se empape durante el tiempo de la colocación. A continuación, podrás llevar esa tira doblada en los brazos hasta la pared.

Hablar con propiedad siempre ayuda. Empapar el papel pintado es untarlo totalmente con cola, lo que hace aumentar su anchura antes de que el papel se retraiga al secarse. De ahí el interés de esperar de cinco a diez minutos para esta fase a fin de que el papel no se retraiga en la pared, lo que daría lugar a un espacio blanco entre las dos tiras colocadas.

Si estás trabajando con papel preencolado, tienes dos opciones. Para empezar, debes colocar el papel sobre la mesa para empapelar con la cara estampada bocabajo.

Con la ayuda de una esponja, humedece todo el papel pintado para hacer que la cola aplicada previamente en fábrica reaccione.

Si quieres que sea más fácil, puedes alquilar una máquina para preencolar; parece una cubeta con rodillos colocados arriba que permitirán el desenrollado y mantener la tensión del papel.

Para los papeles pintados preencolados, vierte agua en la cubeta.

Para los papeles pintados clásicos, vierte cola en esa misma cubeta.

Las ventajas de utilizar una máquina así son un trabajo totalmente limpio y, sobre todo, uniformidad en la distribución de la cola.

Tras haber aplicado la cola, dobla el papel pintado por la mitad, como si fuera una carpeta, de cinco a diez minutos para dejar que el papel se empape, es decir, para que quede bien impregnado de cola.

Plegado así, te será más fácil transportarlo apoyado en el antebrazo sin llenarte de cola por todas partes.

Dirígete al lugar de colocación. Tras haber trazado la línea vertical en la pared, desdobla el papel pintado, empieza en lo alto de la pared sujetando el papel por los dos ángulos superiores.

Coloca la parte de arriba de la tira contra el techo (que sobren 5 cm por encima del límite superior de la pared para permitir el corte) y alinea con cuidado el borde con la línea vertical tal como muestra la figura 7-5.

Con la mano y una escoba de encolador o cualquier cepillo suave, encola el papel empezando por el centro hacia los bordes y de arriba abajo. Utiliza un rodillo de espuma, un trapo suave o una esponja si se trata de un papel de vinilo, de un revestimiento plástico o de un papel preencolado.

El encolado en la pared es una operación que consiste en alisar el papel para eliminar las burbujas de aire (observa la figura 7-5).

Pega las siguientes tiras, unas al lado de las otras. Asegúrate de que las uniones (el punto donde los bordes de cada tira se encuentran) estén alineadas de forma que se toquen sin superponerse ni dejar huecos. Utiliza a continuación un rodillo para juntas a fin de lograr una adherencia perfecta (a excepción del caso de los papeles gofrados). No aprietes demasiado para que no salga cola, que dejaría marcas del rodillo. Si, a pesar de todas tus precauciones, se desborda un poco de cola, límpiala delicadamente con una esponja húmeda, luego seca el papel con un trapo seco.

Figura 7-5:
Colocación
de la
primera
tira

A. Alinea la primera tira junto a la línea vertical.

B. Encola evitando pliegues y eliminando las burbujas de aire.

Es más fácil limpiar los chorretones de la cola antes de que empiece a secarse. Por tanto, limpia con la esponja cualquier resto de cola a medida que pegues el papel. Sin olvidar la parte superior e inferior de la pared (algunas colas dejan marcas al secarse).

Cuando llegues a un ángulo de la pared (interno), es necesario tomar algunas precauciones:

1. Mide la distancia que separa la última tira del ángulo y añade 2 cm para la vuelta del ángulo (no empapeles nunca un ángulo sin vuelta, a menos que el papel sea grueso). Enrasa entonces en el ángulo. Obtienes así la anchura de la tira que debes cortar. Conserva el recorte que será la franja siguiente.

2. Aplica la cola y coloca la tira haciendo girar bien hacia la otra pared el recorte. Encola con cuidado en el ángulo y sobre las dos paredes. Cuidado con las burbujas en el ángulo.

3. Traza una vertical sobre la otra pared a una distancia que corresponda con el ancho del recorte. Utiliza la plomada para esta operación.

4. Coloca el recorte recuperado de forma que cubra la vuelta del ángulo.

Para los ángulos externos, procede del mismo modo, pero sin recubrir la vuelta del ángulo con el recorte siguiente, sino colocándolo borde con borde (si las paredes forman ángulo recto). En caso de que no formen ángulo recto, intenta jugar con la tira de vuelta para que queden borde con borde. De lo contrario, tendrás que recurrir al recubrimiento, es decir, encolar la nueva tira sobre el trozo de vuelta. Para los papeles pintados de vinilo, no dudes en utilizar para el friso una cola más fuerte, una cola para frisos.

Enrasados

Utiliza una guía (espátula u otro utensilio) y un cúter para hacer un corte perfecto en el ángulo del techo, así como en el ángulo formado por la pared y el zócalo. Aprieta con fuerza la hoja de la espátula (o de cualquier otro accesorio utilizado como guía) contra el ángulo y corta con el cúter el exceso de papel, tal como se ilustra en la figura 7-6.

Repite esta operación sobre todas las tiras que haya que enrasar, tomándote siempre el tiempo de retroceder unos pasos para examinar el efecto general.

La espátula deberá proteger la pared en caso de que se te vaya la mano para evitar que la cuchilla del cúter se desvíe hacia ella.

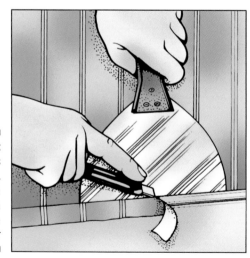

Figura 7-6:
Para los enrasados, utiliza una espátula como guía y un cúter

Para enrasar alrededor de un interruptor o de un enchufe, hay un método muy minucioso. Empieza por cortar la corriente y desatornilla las placas de protección. Después, pega la tira con total normalidad. Localiza los cuatro ángulos del interruptor con un lápiz, luego haz un corte sobre el papel pintado formando cuatro pequeños triángulos. Corta la punta de estos triángulos manteniendo, como mínimo, un margen de 1 cm hasta el borde del interruptor o del enchufe, lo que te permitirá deslizar bajo la placa de protección estos famosos márgenes de 1 cm. Vuelve a colocar la placa de protección y habrás acabado.

La técnica que acabas de leer te asegurará un acabado impecable. Ahora bien, hay otra opción. Puedes cortar el papel pintado por el borde de la placa de protección. Procediendo de este modo, te ahorrarás tener que cortar la corriente, desmontar las placas de protección y, sobre todo, no dejar papel pintado entre los cables eléctricos y la caja de fusibles, que puede ser una causa de incendios. Simple, rápido y limpio, mi método te garantizará un resultado perfecto en un minuto (en vez de los cinco que tardarás con el otro sistema, sin contar el tiempo que necesitas para encontrar el fusible que hay que aislar). Ahora bien, ten en cuenta que si se te va el corte o la placa está mal colocada, no podrás dar marcha atrás.

Como cuando conduces, descansa cuando te sientas cansado para no ir con prisas y estropear el trabajo.

Un corte doble para un papel pintado sin unión

Para unir dos tiras, recubre la primera ya colocada, luego recorta las dos capas siguiendo una línea vertical determinada con la plomada, con un gran nivel o una regla. Retira el papel que sobre de la última tira, levanta delicadamente el borde de la última tira para retirar lo que sobre de la primera. Aplasta los bordes de las dos tiras con un rodillo para juntas y limpia cualquier resto de cola. Fíjate en los pasos representados en la figura 7-7.

Para que el acabado quede mejor, efectúa el recorte en corte doble con un portacuchillas (pregúntale al vendedor si necesitas ayuda para distinguir ese utensilio). A diferencia de un cúter clásico, el corte será más fino, lo que evitará que aparezca una franja blanca entre las dos tiras.

A. Recubre la primera tira y corta a través de las dos capas.

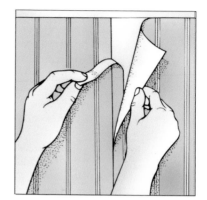

B. Retira los recortes de las dos tiras.

Figura 7-7:
Enrasado
de la tira
final y una
unión
perfecta
con la
primera

C. Delicadamente, pero con firmeza, aplastada los bordes con un rodillo para juntas.

Cómo arrancar el papel pintado

Arrancar el papel pintado no es la tarea más difícil del bricolaje, pero puede ser bastante desolador contemplar el papel pintado más horrible del mundo colocado en la habitación más grande de tu nueva casa y ser consciente de que eres el único dueño de su destino. Aunque arrancar el papel pintado no es una gran diversión, es un ejercicio excelente para los manitas principiantes; las herramientas necesarias no son muy costosas y su ejecución es un juego de niños. Sin embargo, debes saber que retirar un papel pintado antiguo exige tiempo y produce mucha basura.

En un mundo perfecto, bastaría con tirar de una junta desprendida y que todo el papel te siguiera, sin romperse y sin dejar un rastro de cola en la pared. Seguirías este procedimiento tira a tira y conseguirías en pocos minutos una superficie lisa, limpia y perfecta. En la realidad, esa situación es muy poco probable. Lo más frecuente es que te encuentres con una de las situaciones siguientes:

✔ El papel no se desprende del todo, puesto que está bien encolado; tendrás que procurarte (alquilándolo, por ejemplo) un desprendedor de papel pintado de vapor. El aparato, que puedes ver en la figura figura 7-8, está constituido por una bandeja, unida a un tubo, que a su vez está conectado a un depósito de agua caliente que dirige vapor hacia la bandeja.

✔ Atención, el desprendedor es enemigo del pladur o de los paneles de yeso que no se hayan imprimido ni se hayan recubierto de una imprimación previamente. En caso de duda, ¡no lo hagas!

Figura 7-8:
Despren-
dedor de
vapor

✔ El papel se desprende solo superficialmente y una película blanca queda pegada a la pared. La retirada de este papel suele requerir vapor para desactivar la cola (fíjate en la figura 7-9). Con un poco de suerte, un buen empapado con agua o con detergente servirá. De lo contrario, prueba suerte con un producto que disuelva la cola. En ese caso, necesitarás un cubo, una esponja, una espátula de 7-10 cm y otra gran espátula si la pared es muy plana.

✔ Ten buen cuidado de no mezclar ningún producto en el depósito de agua del desprendedor. Los productos para disolver la cola pueden ser tóxicos. El aire que respires durante los trabajos de desencolado estará cargado de agua en forma de vapor pero también del producto que hubieras añadido. La inhalación por las vías respiratorias o la absorción por los poros de la piel constituyen un motivo de interrupción del trabajo. Ponte una mascarilla para protegerte al máximo.

Pero hay algo peor aún: que haya que retirar varias capas de papel o desencolar papel recubierto de pintura. En esos casos, el trabajo será muy laborioso; más sucio (y costoso) que verdaderamente complicado. Un decapante químico para enlucido decorativo podrá ayudarte a retirar un papel recubierto de pintura. Si deseas ahorrarte tiempo y energía, la mejor solución es alquilar un desprendedor de papel de vapor (como el que has visto en la figura 7-8).

¿Qué puedes hacer si eso no basta? Al igual que los papeles pintados de vinilo, el vapor de agua que suelta el desprendedor no atraviesa esa superficie totalmente impermeable. No desesperes, para esto también tengo algún truco.

Figura 7-9: El depósito del desprendedor de vapor se rellena con agua fría o caliente

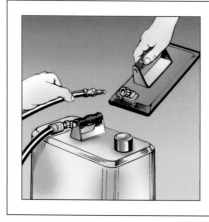

Para el papel pintado de vinilo, marca el papel pintado con una cuchilla de cúter, o utiliza un perforador llamado FAKIR. Este utensilio está compuesto por dos rodillos llenos de puntillas metálicas que perforan el papel y permiten, así, el paso del vapor de agua. Para el papel pintado que esté pintado encima, además de los dos trucos que te acabo de explicar, también puedes probar a lijarlo con papel de lija de un grano 40/60/80.

La utilización de agua es la principal razón por la que debes prepararte bien para este trabajo desde el momento en que te alejes de la mesa para empapelar. Corta la electricidad de la habitación y enchufa el desprendedor en una estancia adyacente, abre la ventana para no respirar demasiado vapor de agua.

Protege el suelo con plástico sujeto con cinta al borde superior de los zócalos, tal como se muestra en la figura 7-10. Piensa también en ir tirando los trozos de papel en una bolsa de basura, lo que te evitará tener que caminar por encima, que se te peguen a la suela de los zapatos, que te caigas, que extiendas la cola y el papel por todas partes (si has recubierto toda la superficie del suelo, bastará con amontonarlo todo en las lonas cuando hayas acabado). Una obra limpia evita que tengas que buscar las herramientas debajo de trozos de papel, o incluso que las pierdas. Y además, ordenarlo todo o tirarlo a medida que trabajas evita los accidentes domésticos sin los que uno puede arreglárselas bien durante las vacaciones.

Sin la máquina, puedes desprender el papel con agua o con detergente. Aplica el detergente con la ayuda de una esponja o de un vaporizador (tal como se muestra en la figura 7-10); no dudes en realizar varias aplicaciones para mojar bien el papel. Tras diversas aplicaciones y si lo dejas empapado bastante tiempo, el papel debería desprenderse fácilmente al deslizar la espátula bajo la tira o la unión. Trabaja de abajo hacia arriba empujando la espátula en ángulo de 30°, aproximadamente, respecto a la pared (para no dañar las paredes, si no quieres volver a pasar por la casilla de enlucido).

Cuando hayas acabado, utiliza una esponja empapada en agua caliente para retirar cualquier residuo de cola o de papel. Tras dejar que se sequen por completo de las paredes (una noche), lija toda la estancia con un papel de lija (grano 80/100) para acabar de retirar los restos de cola y de papel pintado y, sobre todo, para obtener una superficie uniforme. Una vez que hayas seguido todo el proceso, ya tendrás las paredes limpias y despejadas: una buena base para iniciar todo tipo de trabajos.

Si tienes papel pintado sobre la pared, pase lo que pase, seas inquilino o propietario, es necesario trabajar con inteligencia. A pesar de que retirar el papel pintado sea un trabajo laborioso, solo te llevará un día, como mucho dos, y te ahorrará mucho tiempo más adelante; y si lo hiciera todo

A. Protege el zócalo y el suelo con plástico.

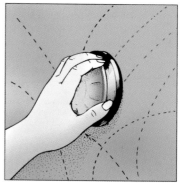

B. Rasca el papel con una espátula dentada o un pequeño artilugio que encontrarás en la tienda de bricolaje.

C. Aplica la solución con la ayuda de un pulverizador o de una esponja.

D. Rasca y desprende el papel húmedo.

Figura 7-10:
Arrancar
papel
pintado

E. Limpia los restos de cola y papel con una esponja o con una escoba de esponja.

el mundo, todos saldríamos ganando. Retirar el papel pintado permite sanear las paredes y trabajar sobre una superficie en buen estado. Decidas lo que decidas (pintar, colocar papel o cualquier otro revestimiento encolado) te evitarás muchos problemas en la colocación o el mantenimiento a largo plazo. Si, además, decides superarte en el arte del trabajo bien hecho, no olvides imprimar (aplicar una capa base) las paredes; más adelante, será una maravilla retirar el papel pintado. Sucederá lo mismo con cualquier revestimiento que desees retirar sin estropear demasiado las paredes.

Sí: el tiempo es oro, pero la rapidez y la precipitación no siempre forman una buena pareja.

Parte III

Revestimiento de suelo y carpintería

—¡Ah, sí! Paul es muy mañoso: casi un experto en manualidades. Ha introducido manualmente los números de teléfono del electricista, del ebanista y del fontanero en la agenda del teléfono.

En esta parte...

Puertas, ventanas y suelos, ¡menudo planazo! El camino para conseguir una casa perfecta es largo y está lleno de trampas, así que ¡ánimo! Comprender el mecanismo de las ventanas, las puertas y los revestimientos del suelo, y saber cómo instalarlos y repararlos es un paso de gigante en el mundo del bricolaje; pero, que no cunda el pánico. En esta parte no haré que te estrujes demasiado el cerebro, sino, más bien, que prestes mucha atención a ciertos detalles. Te prometo que después de esto, la casa ideal estará al alcance de tu mano.

Capítulo 8

Colocación y reparación de suelos

*L*a vida de los revestimientos del suelo de las casas modernas es dura; ya se trate de moquetas, baldosas o de parquet de láminas, se ven constantemente pisoteados, mojados, sucios, estropeados, arañados por los animales domésticos... En resumidas cuentas, los pobrecillos sufren un maltrato constante. Sea cual sea la causa del deterioro (daños o el simple desgaste del tiempo), las superficies bajo los pies necesitan que alguien se ocupe de ellas para que sigan resultando tan acogedoras como el primer día. Este capítulo explica en unas cuantas páginas de una forma clara y sencilla cómo reparar, restaurar y reemplazar un revestimiento del suelo.

Reparación de desperfectos

El suelo que pisas es muy sólido, desde luego, pero no indestructible. Y cuando un revestimiento se estropea o desgasta con el tiempo, puede llegar a tener un aspecto horrible. ¡Todas las miradas parecen centrarse en el más mínimo arañazo, la más mínima mancha!

Si se trata de un revestimiento de baldosas, la solución es sencilla: retiras la baldosa estropeada y la sustituyes por otra. El tema de las manchas se complica un poco en el caso de las moquetas y de los vinilos en rollo, porque es necesario cortar la parte estropeada y reemplazarla por un retal intacto cuyo tamaño y dibujo concuerden exactamente. Los parquets tradicionales dañados solo se ven perjudicados superficialmente, por lo que es fácil repararlos.

Cómo reparar una baldosa de vinilo dañada

Los revestimientos del suelo de PVC son los más sencillos de reparar, principalmente porque se instalan por baldosas. Si una baldosa se estropea, es fácil: sustitúyela por otra (seguro que habrás tenido la precaución de guardar unas cuantas de repuesto, ¿verdad?). Durante el proceso de sustitución, fíjate bien y coloca la baldosa de forma que el dibujo coincida a la perfección con el del resto del suelo. Nada llama más la atención que un dibujo que no concuerde.

Sigue estos pasos para reparar una baldosa de vinilo:

1. Retira la baldosa estropeada. Utiliza una plancha o una pistola de aire caliente para reblandecer la cola y poder extraer la pieza, tal como se muestra en la figura 8-1.

   Reparte el calor por toda la superficie de la baldosa que quieras sustituir, sin insistir demasiado en una misma zona. No querrás chamuscar la superficie y que tu casa apeste a plástico quemado. Tómate tu tiempo: tendrás que esperar algunos minutos a que el calor haya penetrado bien en la baldosa para que el soporte adhesivo se ablande.

   Cuando la baldosa esté caliente, levanta una esquina deslizando un cuchillo multifunción o una espátula para rascar por una junta. Si la placa no se levanta fácilmente, vuelve a calentarla hasta que se desprenda sin problemas.

   Para evitar daños en las baldosas vecinas durante el decapado con calor, coloca una tabla de madera que no te importe estropear sobre las baldosas que quieras conservar. Eso sí, ten cuidado y no la quemes. Lo ideal es tener a mano una tabla rígida de aislante térmico, pero no todos somos fontaneros...

2. Retira los restos de cola. Si es muy resistente, quizá necesites un trapo empapado en disolvente, un rascador, una espátula caliente o incluso una pistola de aire caliente para retirar la cola pegada al suelo. Una vez que los restos de la cola se hayan secado y enfriado, suele ser necesario lijar lo que queda de adhesivo con un papel de grano 40/50.

3. Utiliza una espátula dentada para aplicar el adhesivo en la parte posterior de la baldosa de repuesto.

El mejor ataque para combatir un revestimiento de suelo dañado es una buena defensa. Cuando instales un nuevo revestimiento, sé previsor: guarda todo el material que te sobre por si necesitas hacer reparaciones más adelante. Vuelve a guardar las baldosas que no hayas utilizado en su embalaje original y colócalas en un lugar seco y plano para evitar deformaciones.

4. Aprieta fuerte la baldosa para que la cola se adhiera bien.

Puedes utilizar un rodillo de pastelero para esta tarea, pásalo por la superficie; o bien una tabla de madera, colócala sobre la baldosa y golpéala suavemente con un martillo.

5. Limpia cualquier resto de cola que haya podido rebosar por las juntas con un disolvente adecuado (consulta la etiqueta en el embalaje).

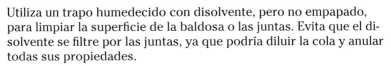

Utiliza un trapo humedecido con disolvente, pero no empapado, para limpiar la superficie de la baldosa o las juntas. Evita que el disolvente se filtre por las juntas, ya que podría diluir la cola y anular todas sus propiedades.

También puedes usar cinta adhesiva de doble cara, si con eso crees que basta para fijar la baldosa de repuesto (esto te simplificaría muchísimo el trabajo). Cuidado, no te aconsejo la opción de la cinta para las habitaciones húmedas (como el cuarto de baño o un lavadero); mejor la cola si es necesario.

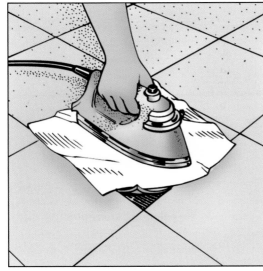

Figura 8-1: Presiona la baldosa dañada con una plancha para despegarla del suelo

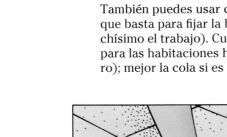

CONSEJO

Si no tienes ninguna baldosa de repuesto, coge una de algún sitio que no se vea, por ejemplo, de debajo de un armario o de un electrodoméstico. Sigue el paso 1 de las instrucciones anteriores para retirar la baldosa, luego utilízala para sustituir la estropeada. Limpia bien cualquier resto de adhesivo antes de aplicar una nueva capa de cola. Cierra enseguida el armario o vuelve a colocar en su sitio la nevera y tu secreto estará a buen recaudo. Retirar la baldosa será un proceso delicado, pero, al final, visualmente el resultado de la reparación será mejor, porque tu baldosa de repuesto ya tendrá su pátina. Así que no habrá peligro de que haya una baldosa demasiado brillante en un suelo ya desgastado.

Cómo reparar un vinilo en rollo

Utiliza el método del doble corte para reparar un agujero o un arañazo en un revestimiento de vinilo colocado en rollo. La figura te 8-2 muestra los siguientes pasos a seguir:

1. Coloca un trozo del revestimiento sobre la parte dañada de forma que el dibujo coincida.

2. Sujeta el trozo al suelo con cinta adhesiva para que no se mueva mientras lo recortas.

3. Corta el trozo y el revestimiento dañado con un cúter. Haz que las líneas formen un cuadrado más grande que la parte estropeada y utiliza una regla metálica para guiarte. Debes colocarla sobre la parte que se quedará en el suelo. De esta forma, si el corte doble se te va de las manos, el cúter patinará sobre el trozo de revestimiento que tiene que cambiarse. Este truco te ofrecerá una segunda oportunidad en la que tendrás que colocar otro trozo y volver a empezar con el proceso.

   Si cortas el trozo y el revestimiento de debajo a la vez, las dimensiones de la pieza de repuesto serán exactas, aunque los cortes no queden totalmente rectos.

4. Retira la cinta adhesiva y la parte estropeada, y fija el cuadrado de repuesto con cola (o con cinta adhesiva de doble cara).

   Si utilizas cola, sigue los pasos del 3 al 5 del procedimiento anterior.

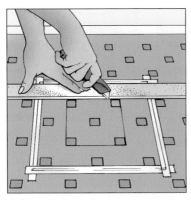

A. Fija con cinta adhesiva un trozo sobre la parte dañada y corta un cuadrado de las dos capas.

B. Utiliza una espátula de pintor para despegar la parte dañada del revestimiento y retírala.

Figura 8-2: Sustitución de la parte dañada de un revestimiento de vinilo

C. Aplica cinta adhesiva de doble cara o cola en la parte posterior del cuadrado de repuesto y pégalo con mucho cuidado.

Cómo reparar un agujero en una moqueta

Las quemaduras de cigarrillo y las manchas persistentes pueden causar daños permanentes en la moqueta. Si los daños son superficiales, utiliza un cortaúñas o unas tijeras de manicura (de las pequeñas y redondeadas) para cortar las fibras dañadas; córtalas en pequeñas cantidades, ya que a diferencia de tu pelo, no volverán a crecer si se te va la mano.

Antes de cortar las fibras de la moqueta, intenta cepillarla (de forma que aplastes las fibras) con un trozo de una hoja de sierra para metales. ¡Exacto, tu peluquero no es el único que puede hacer cortes a navaja!

Si los daños son más profundos sustituye la parte dañada tal como se indica en la figura 8-3. Corta un trozo de la misma moqueta, un poco más grande que el estropeado. Colócalo sobre la parte dañada y corta las dos capas con cúter recurriendo a la ayuda de una regla o de un marco. Retira el retal y el trozo de moqueta estropeada, y pega cinta adhesiva de doble cara especial para moqueta en todo el perímetro de la zona que vayas a recubrir. Coloca el retal respetando el sentido del pelo (pasa la mano por la moqueta y por el trozo de repuesto) y presiona con fuerza para que la cinta adhesiva se adhiera bien por las dos caras. Tras unos minutos, dale el toque final pasando un cepillo o peine para mezclar las fibras del retal nuevo con las del resto de la moqueta.

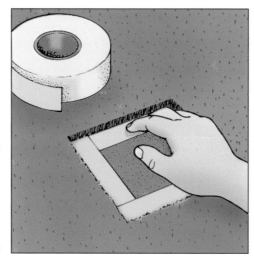

Figura 8-3:
Sustitución
de un trozo
de
moqueta
dañado

Fija una tira adhesiva especial para moqueta en el perímetro de la zona retirada para que sujete la nueva pieza.

Para descubrir cuál es el sentido de las fibras de una moqueta, coloca una moneda sobre ella y da unos golpecitos con la mano alrededor de la moneda, que se desplazará y te indicará el sentido de las fibras. Realiza esta misma operación en las dos moquetas para poder colocar bien tu retal de repuesto.

Cómo reparar un agujerito en un suelo de vinilo o en una moqueta

A continuación, te explicaré otro método que me parece muy práctico para reparar un agujero del tamaño de una moneda. Para llevarlo a cabo, utiliza un sacabocados. Es una herramienta cilíndrica que puedes encontrar en cualquier tienda de bricolaje. Tiene el extremo del cilindro macizo para poder golpearlo con un martillo; el otro extremo, hueco y acabado en bisel, se usa para cortar el revestimiento a martillazos. Un agujero en el centro del cilindro permite recuperar el trozo de revestimiento que hayas extraído. El modo de empleo de tu nuevo juguetito es el siguiente:

✔ Perfora el revestimiento del suelo estropeado y extrae el trozo del cilindro.

✔ Perfora el retal del revestimiento de repuesto y recupera la pieza *nueva*.

✔ Unta la nueva pieza (correspondiente al tipo de revestimiento) con cola y colócala prestando atención al sentido de la fibra.

Cómo reparar el parquet

Si un parquet empieza a mostrar signos de envejecimiento, no podrás devolverle la juventud de otro modo que no sea lijándolo por completo y aplicándole un acabado apropiado. Pero si los daños se limitan a un agujerito o a una grieta, un taponado con un producto tipo pasta de madera será más que suficiente. Retira todas las astillas de la parte dañada y limpia bien la superficie. Aplica el relleno que hayas elegido sobre la zona que necesita reparación y alísalo hasta nivelarlo. Cuando el producto esté seco, líjalo con papel de grano fino.

Encontrarás pasta de madera en diferentes tonos para que quede bien con casi todos los tipos de madera que puedas imaginar. Elige el color más parecido al de tu parquet.

Restauración del parquet

Si tu parquet necesita una restauración, empieza con una buena limpieza y retira toda la cera. Limpia bien todo el polvo y aplica un producto que elimine todas las capas de acabado antiguas. Por el bien de tu salud, trabaja en una estancia bien aireada y sigue las recomendaciones de uso del fabricante.

A continuación, inspecciona minuciosamente el suelo en busca de defectos. Si la madera presenta arañazos, pequeños agujeros o grietas, lija el acabado antiguo unos centímetros más allá de la zona que se debe reparar con un papel de grano fino (del 100/120). Lija siempre en sentido a la veta; el lijado perpendicular a la veta de la madera producirá arañazos más difíciles de eliminar que las viejas marcas.

Con la ayuda de una espátula, aplica en los pequeños agujeros y fisuras una pasta de madera del color lo más parecido posible al del parquet. Déjala secar durante 24 horas antes de lijar de nuevo para alisar bien el producto. Por último, aplica el acabado que corresponda al parquet: utiliza barniz si la madera estaba barnizada, o poliuretano si el acabado es a base de este producto. Aplica la capa de acabado con la ayuda de una brocha para barnizar (pincel plano de seda), también conocida como spalter. Y si el parquet estaba encerado, aplica cera de nuevo con un trapo de algodón, no afelpado (una camiseta vieja servirá).

Puedes reparar los pequeños arañazos lijando la superficie con papel de lija o con lana de acero, siguiendo siempre la veta de la madera, no en sentido contrario. A continuación, sigue los pasos indicados en el apartado "Cómo reparar el parquet" que aparece un poco antes en este mismo capítulo. Para los parquets antiguos con huecos entre los listones, usa un cepillo metálico flexible de latón para cepillar los intersticios.

Cómo eliminar las manchas del parquet

Utiliza siempre un producto limpiador de tipo disolvente sobre el parquet. Los limpiadores a base de agua pueden manchar o ennegrecer la madera. Tampoco lo laves con mucha agua, ya que podría penetrar en las fisuras y manchar o combar la madera. Algunas manchas se deben a la orina de animales domésticos o de líquidos que se han derramado. Para evitar estos daños, limpia y seca el parquet inmediatamente después de que se haya producido cualquier accidente de este tipo.

Si te encuentras con manchas oscuras o negras en el suelo, empieza por lijar el acabado antiguo. A continuación, disuelve cristales de ácido oxálico (también conocidos como sal de acedera) en agua, tal como se indica en la etiqueta del producto; ese producto puede conseguirse en tiendas especializadas. Sigue con atención las instrucciones del fabricante y no olvides ponerte guantes, gafas y ropa de protección para manipularlo, porque es peligroso. Cuidado también con derramarlo. (Los productos de efecto aclarante o decolorante, que puedes encontrar en las grandes tiendas de bricolaje, también pueden ayudar a quitar manchas en el parquet.)

Remoja un trapo blanco limpio en el producto, pega el trapo a la mancha presionando con fuerza y déjalo sobre la zona dañada durante una hora aproximadamente. Retira el trapo y examina la mancha. Si no ha desaparecido, vuelve a remojar el trapo y déjalo sobre la mancha otra vez. Repite la operación hasta que desaparezca. Después enjuaga la zona manchada con vinagre de cocina normal para neutralizar la acción del ácido. Finalmente, elimina cualquier rastro de humedad y deja que se seque.

Una vez que se haya llevado a cabo la decoloración, aplica un producto colorante, es decir, un tinte que permita que el parquet recupere el tono original. Déjalo secar y, acto seguido, aplica sobre toda la superficie un producto para restaurar la madera en función de su antiguo acabado.

Cómo lijar y barnizar el parquet

¿Conoces la historia de ese tipo al que le saltó un fusible en el garaje mientras lijaba el parquet de su salón con una lijadora eléctrica? En el tiempo que tardó en subir la escalera, la lijadora se puso en movimiento y empezó a recorrer toda la estancia como un rinoceronte enloquecido y destrozó todo a su paso dejando tras ella una gran polvareda. Te recuerdo esta pequeña historia para insistir en el peligro que puede suponer una lijadora eléctrica de parquet en manos de un manitas no precavido.

La aplicación de un nuevo acabado puede devolverle la juventud a un parquet desgastado por el tiempo o muy estropeado. Estoy de acuerdo contigo en que la perspectiva de pasar un fin de semana tragando polvo no es muy atrayente, pero el resultado sí que debería motivarte para levantar el trasero del sofá. La principal ventaja del parquet macizo frente a los laminados es que puede recuperar la lozanía perdida con un buen lijado. La aplicación del acabado es la parte más fácil y la más divertida, el lijado es lo más desagradable, porque el polvo de la madera que se levanta durante esta operación llena la casa, sin importar las precauciones que hayas podido tomar durante los preparativos. Recuerda que si te pasas lijando, podrías mermar la madera hasta el punto de que el suelo podría volverse más flexible y propenso a los crujidos. Si el suelo no está demasiado dañado, puedes decapar el acabado, reparar los rasguños menores y aplicar un nuevo acabado sin que te dé la impresión de que tienes una planta de lijado instalada en casa. También podría bastar un leve lijado manual si no quieres desgastar, después, tus calcetines patinando a toda velocidad sobre el magnífico suelo restaurado.

Si, en cambio, el revestimiento está muy dañado, o quieres modificar su color o el tono de la madera, no tienes otra alternativa que el lijado. La banda abrasiva de la lijadora gira constantemente, por lo que debes mover la máquina siempre a la misma velocidad. Si dejas quieta la lijadora unos instantes, aprovechará para abrirse paso por el suelo hasta el garaje. Vale, quizá exagero un poco, pero cualquier lijado un poco insistente en un lugar en concreto marcará la madera y dejará la superficie desigual. Si tienes dudas sobre tu capacidad de controlar una lijadora embravecida, no pasa nada, llama a un profesional. Y si te gustan las experiencias nuevas y quieres probar la aventura de bailar un *pas de deux* con la lijadora de parquet, pídele a quien te la alquile que te informe brevemente de las sutilezas de la máquina y de las precauciones que debes tomar para su uso.

¿Insistes en hacerlo tú mismo? Estos son los pasos que debes seguir:

1. Alquila una lijadora de banda abrasiva (para las superficies planas) y una lijadora de disco rotativo (para el perímetro de las paredes, el interior de los armarios y las escaleras). Para conseguir un acabado perfecto en los ángulos, utiliza una lijadora vibrante con una lija triangular.

2. Sujeta, con cinta adhesiva de doble cara, unas cubiertas de plástico muy gruesas al nivel de las puertas para aislar bien la zona de trabajo del resto de la casa.

Si no puedes sellar una puerta, para evitar la nube de polvo, pon una bayeta húmeda por debajo. Sella la puerta con el marco con cinta de carrocero para no estropear la pintura.

3. Retira los zócalos con la ayuda de una palanca y un trozo de madera contrachapada para proteger las paredes.

Desliza la hoja de la palanca entre el zócalo y la pared y suelta ligeramente el zócalo haciendo palanca. Busca el clavo más cercano y vuelve a deslizar la palanca lo más cerca posible a ese lugar. Levanta el zócalo y vuelve a introducir la palanca en el siguiente tornillo para retirar toda la longitud sin romperlo. Si un clavo se niega a moverse, utiliza un punzón de clavo para forzar a hacerlo. Este paso solo es válido si estás haciendo una gran reforma o vas a transformar por completo la habitación. Retirar los zócalos aumentará considerablemente tu carga de trabajo, sobre todo, si es necesario volver a tapar la parte inferior de las paredes tras su retirada.

4. Abre las ventanas y echa a todo el mundo de casa.

El serrín de la madera puede ser muy perjudicial para la salud, sobre todo, en el caso de los niños y de las personas que sufren dolencias respiratorias. Ponte una máscara y gafas protectoras. Como el lijado eléctrico es muy ruidoso, acuérdate también de protegerte los oídos. Si es posible, opta por una lijadora con una conexión directa a un aspirador independiente.

5. Utiliza una lijadora con disco rotativo, que es una lijadora de mano más pequeña con una lija que acaba en triángulo, para los períme-

tros de la estancia y todos los rincones demasiado estrechos para la lijadora de banda.

6. Utiliza la lijadora de banda abrasiva para lijar la mayor parte de la superficie con un papel de grano medio. Cuanto más pesada sea la máquina, más estable resultará y más uniforme será el lijado. Puede que sean necesarias varias pasadas.

7. Para eliminar cualquier marca de lijado y obtener un acabado perfectamente liso, empieza con un papel de grano grueso y redúcelo a medida que avances en el proceso.

8. Pasa la aspiradora, después limpia el suelo con un trapo de algodón limpio y seco para eliminar las últimas partículas de polvo.

9. Aplica una capa de barniz de poliuretano con un pincel para barnizar (spalter). Deja secar la primera capa de seis a ocho horas, luego lija levemente y aplica una segunda capa.

El poliuretano es un producto que se seca rápido, de forma que hay menos riesgo de que se acumule polvo y otras partículas en las superficies tratadas. Además, es un producto muy resistente que ofrece un acabado brillante. Los líquidos derramados no se filtran y pueden limpiarse sin problemas.

¡Adiós a los crujidos!

El crujido del suelo se encuentra entre los ruidos más extendidos e irritantes en una casa. Ese ruido torturador generalmente está causado por dos lamas de madera que se rozan entre ellas o que lo hacen contra el soporte. Los suelos que crujen porque no están bien ajustados sobre sus listones constituyen el ejemplo exasperante más corriente, ¡lo mismo que un cónyuge que rechina los dientes mientras duerme!

Los listones son piezas de una estructura, piezas de madera paralelas de 6 cm de grosor, como mínimo, colocadas perpendicularmente de una pared a la otra y con una separación entre ellas de 40-60 cm (menos si se trata del techo de un desván). Sirven para sostener un suelo y se fijan a las paredes o a las vigas.

Los crujidos se deben principalmente a técnicas de instalación incorrectas. Si fijas las lamas de parquet a los listones, utiliza los clavos para suelo recomendados por el fabricante y es importante que claves las lamas sobre cada intersección con los listones (dos clavos como mínimo por listón). Para que sea más resistente al uso, clávalos al bies para evitar que se levanten las tarimas. Si utilizas cola para la instalación del revestimiento, asegúrate de aplicarla tal como recomienda el fabricante.

Si tu suelo está recubierto por una moqueta o si vas a sustituir un antiguo linóleo, soluciona el problema de los crujidos antes de instalar el nuevo revestimiento.

Una vez que hayas retirado la moqueta o cualquier otro revestimiento, podrás volver a clavar el suelo sin problemas para eliminar los crujidos.

Para asegurarte de evitar cualquier ruido, es posible deslizar entre el suelo y el nuevo revestimiento un aislante acústico delgado. Este aislante, pequeño pero matón, te garantizará un confort acústico total.

Cómo localizar dónde cruje el suelo

Si el techo del piso inferior no está recubierto o solo lo está por placas aislantes acústicas, accede por ahí a la parte inferior del suelo para acabar con el crujido. Sin embargo, si el techo está recubierto por materiales de acabado, como placas de yeso o revestimiento de PVC, entre otros, tendrás que esperarte a cambiar la moqueta o el revestimiento del suelo para poder clavar de nuevo el soporte desde arriba.

Para localizar el lugar exacto del crujido, pídele a alguien que te ayude caminando despacio por la habitación mientras tú escuchas desde el piso de abajo. Fíjate bien de dónde procede el crujido. Dile a tu ayudante que ande hacia delante y hacia atrás por la zona que hace ruido para identificar la localización exacta. Repite este procedimiento por toda la superficie del suelo marcando con tiza todos los puntos que crujan. Una actividad muy entretenida para pasar una agradable velada de sábado, ¿no crees?

Y en vez de gritarle a tu ayudante que, de todos modos, no oirá tus indicaciones, piensa en usar un walkie-talkie. ¿No tienes ninguno a mano? Entonces, opta por un teléfono inalámbrico.

Si tienes hijos, seguro que dispones de un walkie-talkie, aunque la mayoría de la gente no es consciente de ello. Los intercomunicadores para bebés, con sus dispositivos que permiten la emisión o la recepción, serán perfectos para esto. ¡Úsalos fuera de los horarios de la siesta!

Cómo evitar que cruja el suelo

Cuando hayas localizado todos los puntos exactos que crujen, inspecciona la superficie para identificar el problema. La mayoría de los suelos son flotantes, es decir, están construidos a una cierta distancia del suelo y están compuestos por un parquet colocado sobre un soporte cuyo peso está repartido sobre listones sujetos a las paredes exteriores. En estos casos, los crujidos están causados por un baile del suelo (uno o varios clavos de una lama destinados a sujetarla al listón bailan a su antojo) o bien por un baile del parquet con el soporte. Tendrás que reajustar las lamas.

Prueba con una de las tres técnicas ilustradas en la figura 8-4.

✔ Si te encuentras con un hueco entre el suelo y los listones, aplica cola especial para madera sobre una cuña delgada de madera e insértala entre el suelo y los listones. La cuña rellenará el espacio e

Aplica cola para madera sobre una cuña que insertarás entre el soporte del parquet y el listón.

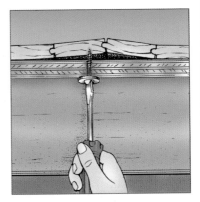

Introduce por debajo un tornillo lo bastante largo para atraer una lama suelta hacia abajo.

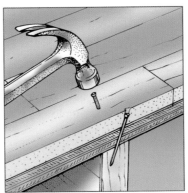

Si es imposible acceder al suelo por la parte inferior, inserta unos cuantos clavos en diagonal hasta los listones.

Figura 8-4:
Tres
métodos
para
solucionar
los
crujidos

impedirá el movimiento que produce el crujido. Las cuñas de madera noble normalmente están disponibles en las grandes superficies de bricolaje o en carpinterías.

✔ Si los crujidos proceden de una lama que está suelta, introduce un tornillo lo bastante largo por la parte inferior para atraer la lama hacia abajo. Asegúrate de que el tornillo es lo bastante largo para que llegue hasta la lama si esta reposa sobre un soporte grueso.

✔ Cuando hayas atornillado la lama que crujía, dile a tu ayudante que camine sobre la zona reparada para asegurarte de que el suelo ya no hace ruido. Si el crujido persiste, clava más tornillos sobre una zona más amplia.

✔ Si el crujido procede de una lama que está suelta y no puedes acceder al suelo por debajo, inserta varios clavos lo bastante largos en diagonal hasta los listones. Utiliza un punzón de clavo para hundir la cabeza un poco por debajo de la superficie del suelo. ¡Es importante proteger los calcetines!

Los crujidos también pueden provenir de tuberías mal ajustadas entre los listones. Si una tubería roza contra un listón cuando el suelo se mueve bajo el peso de tu ayudante, reajusta su fijación. También puedes solucionar el crujido de los conductos inyectando espuma aislante alrededor de las tuberías a la altura de las fijaciones.

Cómo solucionar el crujido de una escalera

Una escalera está formada por huellas (la parte que pisas), contrahuellas (la parte vertical que soporta la huella) y barandas (los elementos de madera que flanquean y sujetan la escalera a ambos lados). Si uno de esos tres componentes está mal ajustado, una de las piezas puede rozar con otra y... crujir.

Dile a tu ayudante que suba y baje la escalera, y colócate debajo de ella para oír los sonidos. (A este ritmo, puede que tu ayudante haya perdido tanto peso que los peldaños no crujan nada.) En la mayoría de los casos, los crujidos se deben a que una huella y una contrahuella rozan entre sí. Para solucionarlo, te ofrezco dos soluciones, ilustradas en la figura 8-5. Te irá bien una o la otra según si puedes acceder a la escalera desde la parte inferior o no.

✔ Si la escalera es accesible desde la parte inferior, pega y atornilla pequeños triángulos o rectángulos de madera a la unión entre la contrahuella y la huella. Extiende cola para madera sobre las dos superficies que hay que unir y atornilla el trozo de madera a la escalera (en la que habrás hecho un agujero previo).

✔ Si la escalera no es accesible desde la parte inferior, inserta varios clavos en diagonal desde la huella hasta la contrahuella. Dos clavos insertados de esta forma unen mejor las partes que unos clavados en ángulo recto. Utiliza un punzón de clavo para ocultar las cabezas y tapa los agujeros con una pasta de madera de un color similar antes de lijar un poco la superficie para lograr un resultado impecable.

Figura 8-5:
Dos métodos para solucionar el crujido de una escalera

Encola y atornilla trozos de madera en la unión entre la huella y la contrahuella.

Si la escalera no es accesible desde la parte inferior, inserta clavos en diagonal en la contrahuella.

Colocación de un vinilo en baldosas

Las baldosas de vinilo se venden en una gran gama de colores, dibujos y precios. También pueden encontrarse de imitación de cerámica, madera, piedra, etc. Son muy fáciles de colocar. De hecho, la mayoría son autoadhesivas y sus dimensiones generalmente son: 30,5 × 30,5 cm.

Para calcular el número de baldosas necesarias para recubrir una estancia, multiplica la longitud de la habitación por su anchura y... ¡ya está! Obtendrás la superficie en metros cuadrados. En cada paquete de baldosas se indica la superficie que cubre (generalmente, 1 m^2). Basta, entonces, con dividir la superficie de la estancia por la superficie que cubre un paquete para obtener el número de paquetes que tendrás que comprar. Redondea siempre hacia arriba, incluso añade un poco más para guardar algunas baldosas de repuesto. Este cálculo, lo más exacto posible, es válido para una colocación recta, pero si vas a ponerlas en diagonal, no olvides prever un margen mayor.

Los preparativos son la parte más difícil: llevar los paquetes a casa, mover todos los muebles de la habitación y enrollar la moqueta. Cuando hayas acabado con el trabajo más duro, sigue estas instrucciones para continuar con la parte más divertida del proyecto, la colocación.

1. Los preparativos. Elimina bien toda la suciedad y cualquier capa de cera; el adhesivo de las baldosas no se pegará a una superficie encerada o sucia.

2. El plano de colocación. Cuando la superficie esté limpia y seca, busca el centro de la estancia para saber dónde pondrás la primera baldosa, la baldosa clave. Puedes medir la distancia entre dos paredes opuestas y marcar el centro; pinta una línea con tiza para señalar esos dos puntos. Mide las otras dos paredes y traza una línea indicando la distancia media. El punto de intersección entre esas dos líneas es el centro de la habitación (fíjate en la figura 8-6).

Atención, los trazos no tienen por qué ser perpendiculares. No te lances a ciegas con una colocación recta o en escalera.

3. Antes de empezar abre varias cajas y saca las baldosas para tenerlas a mano. Es preferible comprarlas un día antes de la colocación para que estén a la misma temperatura que la estancia. Pon las baldosas alternativamente (una de una caja, otra de otra caja, y así sucesivamente) para que las ligeras variaciones de color entre baldosas de cajas diferentes no se noten.

4. Coloca todas las baldosas planas a partir del centro de la habitación con la ayuda de dos líneas marcadas. Tras haber trazado el ángulo, júntalas. En lo que se refiere a la colocación, hay cuatro opciones posibles: a partir del punto central, a partir de uno de los ángulos formados, a partir de un lado de la línea vertical y en el centro de la otra. Haz pruebas en seco para encontrar cuál es la mejor disposición para tener, al final, en los bordes unas baldosas equivalentes, como mínimo, a la mitad de una baldosa y lograr así un buen efecto óptico. Es preferible tener más o menos trozos de baldosa del mismo tamaño en todo el perímetro de la estancia. Esto hará que la habitación parezca más grande. De lo contrario, llamaría la atención y empequeñecería la estancia.

En el caso de las baldosas con dibujo, las flechas en el papel de protección de las baldosas indican el sentido de la colocación. Siempre debe respetarse este sentido (que normalmente indica la dirección de la ventana). Si ha habido un error de colocación, no te darás cuenta hasta que hayas acabado, así que, antes de colocar las baldosas adhesivas, piénsatelo bien.

5. Inicio de la colocación. Como ya te he dicho, tienes que empezar por el centro, sí o sí. Forma una estrella con cinco baldosas y ve amplián-

dola. Sobre todo, no te dejes llevar por las grandes líneas colocando una sola baldosa en todo lo largo y ancho de la habitación. En lo que a colocación se refiere, la regla de oro es no dispersarse, puesto que las sorpresas llegan siempre al final y esa, créeme, será una situación irreversible para tu decoración y para tu bolsillo, sobre todo, porque si intentas retirarlo todo, te arriesgas a encontrarte con unos huecos en las juntas nada bonitos.

Figura 8-6: Empieza a colocar las baldosas a partir del centro de la habitación

6. Coloca las baldosas de la periferia cortándolas para que encajen con la ayuda de una regla, un cúter, una tabla plana y limpia, y papel de lija de grano 80/100.

Dibuja el trazo sobre la última baldosa entera de la hilera, tal como puedes observar en la figura 8-7. Utiliza una baldosa a modo de plantilla. Pégala a la pared, sin mover la que has colocado y que vas a cortar. Para mantener todo el conjunto fijo, sujeta los cuatro ángulos con celo. En lo que se refiere al corte, tienes dos posibilidades:

6a. Traza una línea con ayuda de un lápiz por el borde de la baldosa plantilla (figura 8-7). Consigue una tabla de cortar, para cortar por la línea que acabas de trazar (la tabla sirve para proteger el suelo en caso de que se te vaya el corte). Este método es más lento y menos fiable pero más seguro para un principiante.

6b. Este método es más rápido y más seguro para un manitas que ya tenga su primera estrella. Parte del mismo principio que en la figura 8-7. Sustituye el lápiz por un cúter y corta directamente la baldosa. Ten cuidado y no cortes las baldosas vecinas ya colocadas. Durante el proceso de corte, apóyate bien de forma constante en un solo punto y guíate por el borde de la baldosa que funciona como plantilla. Todo ello sin partir las baldosas en dos. Retira la baldosa y pártela en dos o vuelve a recortarla sobre la tabla. Lija un poco el borde de la baldosa recortada antes de colocarla definitivamente.

Figura 8-7:
Corte de
una
baldosa de
borde

Los papeles de protección de las baldosas autoadhesivas son muy resbaladizos. Tíralos a la basura a medida que los vayas retirando para evitar patinazos y caídas. ¡No querrás dejarte los dientes en tu revestimiento nuevo!

Cuando tengas que recortar baldosas rígidas para las tuberías de los radiadores, los marcos de las puertas o incluso los zócalos... prueba el truco del calor. Con un decapador térmico de resistencia o un secador de pelo potente conseguirás ablandar la baldosa y recortarla con el cúter.

El método para colocar las baldosas no adhesivas es el mismo que el que acabo de describir, lo único que cambia es que tienes que utilizar una espátula dentada para extender la cola sobre el suelo. La elección de la cola depende de la superficie que recubras. (Asegúrate de indicarle bien el tipo de superficie al vendedor para que te recomiende la cola adecuada.)

Cuando hayas impregnado y encolado los elementos del centro de la estancia, mueve las baldosas al fondo de la estancia para empezar por ahí y no tener que pisar la cola ni las baldosas recién puestas.

Aplica la cola sobre una superficie lo bastante grande para que quepan cuatro o cinco baldosas y bloquea las entradas para que los niños o los animales domésticos no entren y dejen su firma. Coloca la primera baldosa haciendo que coincidan sus bordes con las líneas trazadas y haz presión con unos pequeños golpes de martillo sobre una cuña de madera. Dispón las otras baldosas pegadas las unas a las otras, una hilera tras otra. Verifica el alineamiento según vayas avanzando con la ayuda de una regla larga y presta atención para no descubrirte de repente bloqueado en un rincón de la estancia. Al contrario que con las baldosas adhesivas, recorta todas las baldosas de los bordes. Es mejor colocar todas las baldosas al mismo tiempo.

Tras la colocación de las baldosas, cierra la habitación durante 24 horas para que la cola se seque bien.

Colocación de un vinilo en rollo

El vinilo en rollo es un producto fácil de mantener y muy resistente a los líquidos y otras manchas. Colocar vinilo en rollo es una buena opción para dar tus primeros pasos en el mundo del bricolaje, siempre que se trate de una estancia de tamaño mediano o pequeño. En efecto, los rollos de un metro o dos de ancho son más ligeros y fáciles de manipular que los de cuatro metros (esas son las tres medidas de ancho que vas a encontrar por lo general).

Desde hace varios años, las primeras capas de los vinilos cuentan con un reverso similar a un fieltro espeso que permite fijarlo al suelo mediante una banda adhesiva del tipo velcro. ¿Has visto esas dianas para niños en las que los dardos se sustituían por bolas de velcro? Pues bien, es el mismo sistema. La gran ventaja de este sistema de fijación es que el día que te hayas hartado del revestimiento del suelo solo tendrás que fijar otro nuevo sobre el velcro, ¡así de sencillo!

Los vinilos modernos están pensados para una colocación libre, es decir, sin cola. Utiliza cinta adhesiva de doble cara para pegarlos en todo el perímetro de la estancia (escondiendo los bordes por debajo de los zócalos, que habrás retirado previamente y que volverás a clavetear después) y en las uniones entre dos rollos. Para colocarlos con cola, aplica una capa uniforme de cola especial para suelos plásticos sobre toda la superficie de la estancia empezando por la parte opuesta al punto de acceso.

Espera veinte minutos, según el tipo de cola, después desenrolla el revestimiento ya cortado conforme a las dimensiones de la habitación encolándolo (alisándolo) a medida que avances para conseguir una máxima adherencia.

¡Sé ecológico! Los revestimientos con velcro adhesivo se han creado para facilitar la colocación y retirada del revestimiento del suelo, pero, sobre todo, para evitar la utilización de cola tóxica y contaminante. Eso sin olvidar los residuos (disolvente, petróleo, decapante, etc.) que este tipo de colocación genera y que también contaminan.

Antes de colocar el vinilo, debes tener en cuenta el tipo de suelo que hay y verificar que esté bien plano. Si está en buen estado y el antiguo revestimiento no está encolado, ya puedes pegar la cinta adhesiva de doble cara o con velcro (en función del reverso).

Las estancias donde se use agua con frecuencia (cuarto de baño, cocina, lavadero) requieren la colocación con cola. Tras retirar el antiguo revestimiento, que sí habrá sido encolado, la etapa de raspado es O-BLI-GA-TO-RIA. Lo sé, no apetece nada, pero arremángate. Coge los rascadores (de acero o en hoja de cúter, lo que tú prefieras). ¿Listo? ¡A rascar! Una vez que esté limpia toda la estancia, si la superficie se ve homogénea y plana, puedes aplicar la cola. Si te da la impresión de que el suelo, visto de cerca, parece la superficie de la luna llena de cráteres, tendrás que nivelar. En caso de que el suelo sea de hormigón, aplica directamente un producto nivelante autoalisante. Después te tocará la trilogía del secado, lijado y encolado. Si el suelo es de madera, limítate a lijarlo. Aplica una primera fase de fondo y después de secado, aplica el nivelado y el encolado del revestimiento.

Aquí tienes una solución simple y rápida para uniformizar un suelo de parquet sobre el que desees colocar el revestimiento en rollo. ¡Podrás saltarte los pasos de lijado, nivelado, lijado y todo lo demás! Cubre el suelo con unas tablas de aglomerado. Son unas placas finas de 3 mm hechas de papel cartón con cola, fáciles de manipular, recortar y lijar.

Para ello, cuando coloques los paneles, pégalos bien los unos contra los otros y asegúrate de que descansen correctamente sobre las lamas. Estos paneles se sujetarán simplemente con clavos de cabeza perdida de 25 mm. Tras haber colocado los paneles, es necesario esperar, como mínimo, una noche antes de instalar el nuevo revestimiento.

¿Qué es un clavo de cabeza perdida? Es un clavo con una cabeza redondeada que le permite insertarse por completo en el soporte, sin sobresalir, al contrario que un clavo con cabeza plana, que tiene un tope superficial con su soporte. La gracia de un clavo de cabeza perdida es que no sobresale del suelo y que te permite caminar descalzo por encima de ellos sin convertirte en un faquir.

Si el grosor añadido por los paneles supone un problema para los armarios o las puertas, puedes instalar el nuevo vinilo sobre el antiguo. Comprueba que este último siga bien encolado al suelo y utiliza un producto disolvente o uno para eliminar la cera que acabe con todos los restos de grasa, las capas de cera y otras suciedades (de lo contrario, la cola o el adhesivo no se adherirán). Para sujetar el nuevo revestimiento, opta por colocarlo con cinta adhesiva de doble cara reforzada o con velcro.

Considerando que un corte equivocado puede costarte caro, te recomiendo que prepares un patrón de papel para saber, exactamente, dónde cortar el revestimiento. Aunque requiera su tiempo, es una etapa muy importante si la estancia tiene una forma irregular o si presenta muchos obstáculos (la taza del inodoro, tuberías, etc.). Utiliza cinta adhesiva y papel grueso, como el papel kraft, para unir las hojas sobre la superficie de la habitación superponiéndolas las unas a las otras para formar el patrón (mira la figura 8-9). Sujétalo bien con tablas, pesos o cinta adhesiva (haz pequeñas muescas en el papel para poder fijarlo al suelo si utilizas cinta adhesiva) para que no se deslice mientras haces el patrón.

Deja un espacio a 15 mm, aproximadamente, de los zócalos y corta el papel que hayas colocado de forma que se adapte más o menos al contorno de los obstáculos. El recorte no tiene que ser perfecto, puesto que copiarás todos los contornos de la habitación con un marcador. Pasa el

Figura 8-9: Fabrica una plantilla de la estancia uniendo hojas acartonadas sobre el suelo

marcador alrededor de los obstáculos importantes, como un pie de lavabo, un armario, pero no alrededor de la nevera ni de tu cuñado, que ya forma parte del sofá (aunque te resulte muy tentador). A continuación, podrás pasar el plano al vinilo después de haber cortado con cuidado la plantilla.

Cuando el patrón de papel esté terminado, levántalo con delicadeza del suelo y desenrolla el revestimiento de vinilo con el dibujo visible. Coloca sobre él la plantilla con la ayuda de una cinta adhesiva y cópialo en el vinilo por el borde exterior. Ten la precaución de utilizar un marcador que se borre. Después, corta con un cúter siguiendo las marcas y usa una regla como guía para las líneas rectas. Sustituye la hoja del cúter con frecuencia para que los cortes queden bien limpios.

Si la forma de la estancia es regular con pocos obstáculos, puedes colocar el vinilo directamente sobre el suelo teniendo la precaución de dejar que suba por las paredes unos 7 cm. Pega el vinilo a los zócalos o a la pared con la ayuda de un pequeño bloque de madera y corta lo sobrante deslizando el cúter por el zócalo en ángulo de 45°.

Si tienes que unir rollos, coloca cinta adhesiva de doble cara (o cola) bajo las junturas.

Si cubres un parquet antiguo con vinilo, debes eliminar primero cualquier resto de cera o barniz, además de todos los clavos que sobresalgan (búscalos en la madera). Comprueba también que no cruja. Si detectas ruidos, refuerza las lamas mal fijadas insertando clavos para el suelo en diagonal hasta los listones. Utiliza un punzón de clavos para hundir las cabezas en la madera y rellena los agujeros con pasta de madera. Si el parquet está muy estropeado, aplica un producto nivelante (autoalisante) para igualarlo.

Para evitar dañar tu nuevísimo revestimiento de suelo (y tu espalda), consigue una carretilla para volver a colocar en la habitación los muebles pesados o los electrodomésticos.

Para realizar todos los trabajos de suelo, no dudes ni un momento en invertir en un par de rodilleras. Y ahora que pienso en trucos y herramientas chulos, que sepas que existe una herramienta de corte que no es el cúter. Se trata de un cepillo para moqueta provisto de una cuchilla corta de cúter. Su utilización es muy sencilla. Basta con que te coloques junto a la pared, bien apoyado en ella, tires fuerte sin dejar de presionar sobre el revestimiento y lo cortarás. Genial pero, cuidado, esta técnica solo funciona con las líneas continuas (rectas o curvas).

Colocación de un parquet mosaico

El parquet mosaico es un conjunto de pequeñas lamas de madera dispuestas según un dibujo en concreto y unidas en placas, por lo general cuadradas, de 32,5 cm de lado y 12,5 mm de grosor. Las lamas pueden estar encoladas sobre fieltro, papel o una malla de entramado flexible. Los ensamblados más resistentes se componen de hilo de nailon y de cola.

La técnica empleada para la colocación de un parquet mosaico es la misma que para las baldosas de vinilo. No obstante, presta especial atención a su disposición, ya que las placas están formadas por cuatro cuadraditos de lamas orientadas alternativamente que permiten diferentes disposiciones (en paralelo, formando triángulos, en zigzag, etc.), según el estilo de la habitación y tus preferencias. Utiliza una espátula dentada para aplicar una cola especial para parquet.

Cuidado al elegir la espátula. La longitud de los dientes determina la cantidad de cola que pondrás según el revestimiento y el soporte. Pídele consejo al vendedor.

Como este revestimiento está hecho de lamas de madera auténtica, es más sensible a la humedad que cualquier otro de plástico. No te aconsejo que lo pongas en una habitación demasiado húmeda, como un sótano, un cuarto de baño o el lavadero. No es que sea imposible hacerlo, pero es mejor dejar esa tarea a un profesional.

La preparación para la colocación del parquet mosaico es la misma que para las baldosas de vinilo. Limpia el polvo y lava bien el suelo antes de empezar.

Antes de colocar un nuevo revestimiento de suelo, camina por el que tienes instalado para comprobar que no cruje. Si detectas ruidos, refuerza las lamas mal fijadas insertando clavos para suelos en diagonal hasta los listones. Dos clavos insertados en diagonal sujetan mejor que los clavados en ángulo recto. Vuelve a pasearte para comprobar que los crujidos han desaparecido antes de empezar con la colocación del nuevo revestimiento:

1. Marca la mitad de las cuatro paredes y dibuja dos líneas con tiza para unir las marcas opuestas y encontrar así el centro de la habitación. También puedes hacerlo de ángulo a ángulo.

   Empieza la colocación en uno de los ángulos que forme la intersección de estas líneas. Es el momento de sacar tu cuerdecita o tu tiralíneas de albañil con diferentes colores.

2. Mide desde tu punto de referencia del centro hasta una de las paredes y traslada esta cota a 1 m de la del centro, uniendo los dos puntos. Obtendrás una línea paralela a la pared.

3. Traza una línea perpendicular, en relación con el punto del centro y prolonga los dos trazos de referencia por toda la estancia. Obtendrás una cruz simétrica y centrada en la habitación.

4. Ahora ya puedes confiar en tus líneas rectas y empezar la colocación a lo largo de ellas. La gracia de este trazado es que obtienes los mismos anchos de corte en la periferia de la habitación. Es una cuestión de equilibrio visual para que las miradas no se detengan en proporciones mal equilibradas. No hay nada peor que acabar en un lado de la estancia con una baldosa de 20 cm y en el otro con una de 4 cm. ¡Queda feísimo!

5. Ahora, te toca decidir el tipo de colocación que quieres, o sea, colocación recta o colocación diagonal.

6. **Utiliza una espátula dentada para extender la cola sobre el suelo.** Aplica la cola sobre una superficie en la que puedas colocar tres o cuatro baldosas a la vez a lo largo de la línea; así no dará tiempo a que se seque la cola. Consulta las indicaciones que haya en el embalaje. ¡Ojo!, no tapes las líneas trazadas en el suelo cuando apliques la cola.

7. Coloca primero las baldosas enteras y avanza hacia la ventana que esté frente a la puerta (para no quedarte encerrado), luego vuelve hacia la puerta.

8. Corta las baldosas que forman el borde en la dimensión exacta.

   Coloca la baldosa que vayas a cortar sobre la última encolada, pon encima una tercera baldosa y pégala a la pared, dejando un pequeño margen (especificado en el embalaje según el fabricante y los materiales) para la junta de dilatación. Ese margen es necesario para la colocación de cualquier material que se deforme conforme a las variaciones térmicas, como es el caso de la madera. Traza una línea sobre la baldosa que vas a cortar siguiendo el borde de la tercera baldosa. Después, corta por la línea con una sierra dotada de una hoja nueva con dientes finos para no estropear la madera. A continuación, encola e instala la baldosa en el borde. Sigue el mismo procedimiento con todas las baldosas de los bordes.

La mayoría de las baldosas de parquet son productos predeterminados y preparados para colocar, generalmente recubiertos de varias capas de vitrificado. Por tanto, ¡no es necesario encerarlas!

Colocación de un parquet de lamas

Al igual que el parquet mosaico, el parquet de lamas, también llamado parquet de recubrimiento, está listo para ser colocado, tratado, lijado y barnizado en fábrica y en condiciones bien controladas. Se encuentra en diferentes colores y variedades de madera (haya, roble, pino, entre otros muchos), así como diferentes acabados (natural, lacado y teñido).

La técnica de instalación depende del tipo de revestimiento y de las especificaciones del fabricante:

✔ Ciertos parquets se colocan sobre un soporte cubierto de una capa adhesiva aplicada con una espátula.

✔ Otros se colocan mediante claveteado con un sistema de pestañas y ranuras para unir las lamas.

✔ Los hay que se colocan simplemente sobre una capa de material aislante con las lamas encoladas entre ellas.

Compra una cantidad suficiente de lamas para cubrir toda la superficie de la habitación y para que sobre para los bordes, los posibles errores y las reparaciones. Lo más sencillo es medir la superficie de la estancia (multiplica el largo por el ancho) y llevar esas medidas al proveedor para que haga un cálculo preciso de la cantidad necesaria.

Antes de la colocación, lee siempre las instrucciones de instalación del fabricante. Si lo colocas con adhesivo, utiliza el adhesivo o la masilla recomendados por el fabricante; elegir un producto sustitutivo más barato podría echar a perder el proyecto y anular la garantía.

Las lamas de recubrimiento se calibran y secan con mucho cuidado en fábrica, por lo que la madera es relativamente estable. No obstante, cualquier material de madera es propenso a las dilataciones en función de las variaciones de temperatura y humedad registradas en la habitación. Por tanto, es aconsejable que dejes las lamas dos o tres días a temperatura ambiente (en la estancia donde se instalarán) para que la madera se estabilice.

Para instalar parquet en lamas, sigue las instrucciones del producto que suministre el fabricante. Los pasos siguientes se aplican en todo tipo de parquet de lamas predeterminado:

1. Retira el zócalo de la estancia.

2. Limpia con cuidado el suelo o el soporte para que no quede ningún rastro de polvo ni de otros residuos.

3. Si vas a clavarlo, instala previamente una capa de espuma en poliuretano sobre el suelo para reducir los riesgos de crujidos y, sobre todo, para mejorar el aislamiento térmico y acústico.

4. Coloca la primera lama con la ranura orientada hacia la pared, a un centímetro de ella.

Puedes poner cuñas separadoras por todo el perímetro de la habitación para delimitar el espacio previsto para la dilatación y colocar la primera lama; fíjate en la figura 8-10. Coloca las lamas a lo largo de la estancia. (Si las instalas sobre un suelo antiguo, posiciónalas en el sentido contrario a las tablas.) Las cuñas separadoras normalmente están biseladas para regular el grosor según las deformaciones de las paredes.

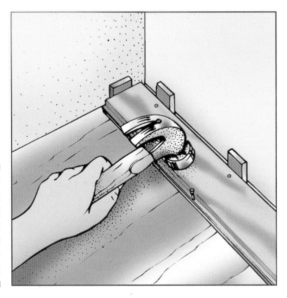

Figura 8-10:
Ensamblaje de lamas de un parquet de recubrimiento

Utiliza cuñas separadoras para colocar la primera lama.

5. Haz una marca a lo largo de la pestaña en los dos extremos de la pieza, después dibuja una línea con tiza para unir esas marcas.

6. Clava la primera fila de lamas procurando que las pestañas se alineen sobre la línea de tiza. Clava el lado con ranura de las lamas de la primera fila en ángulo recto, sin hundir los clavos por debajo de la superficie de madera.

7. Coloca las otras lamas acoplando las pestañas a las ranuras.

Clava por encima del ángulo superior de las pestañas hundiendo la cabeza de los clavos con el punzón de clavos para no dificultar el ensamblaje con las ranuras. Inserta los clavos en ángulo de 45° y a intervalos de 25 cm, aproximadamente; así se disimulan con la colocación de las lamas siguientes. Tal como has hecho con la primera hilera, tienes que clavar el borde de la última, junto a la pared, en ángulo recto.

Las junturas deben desplazarse de una hilera a otra. Siempre por una cuestión de aspecto visual, cuando vuelvas a empezar una línea, haz coincidir el ajuste perpendicular de las dos lamas precedentes o el centro de la lama que vayas a colocar y así sucesivamente. Cuando observes los enganches en el sentido opuesto al largo de la estancia, tienes que verlos de forma rectilínea y no desplazada.

8. Vuelve a colocar el zócalo.

   Una moldura angular curva o una tira de corcho te permitirán ocultar la junta de dilatación y los cortes de perímetro.

9. Utiliza una barra de umbral para asegurar la unión con el revestimiento de la habitación contigua.

   Puedes encontrar molduras, zócalos y barras de umbral en cualquier gran superficie de bricolaje.

Colocación de una moqueta

Antiguamente la moqueta era una alfombra tejida, pero hoy en día se aplica a cualquier revestimiento textil flexible que recubra toda la superficie de un suelo.

Se distinguen dos calidades de moquetas: las tradicionales y las sintéticas. Las primeras están compuestas por fibras naturales tejidas sobre un soporte formado por una tela de yute o de algodón. Por lo general se fijan sobre una alfombra afelpada, la capa base, sujeta al suelo por rastreles con ganchos. Las moquetas sintéticas no están tejidas, sus fibras se montan mediante un procedimiento de inserción, de capas u otro, y se inmovilizan gracias a una capa termoplástica.

Las moquetas ligeras son más fáciles de colocar y menos caras. Son una excelente opción para los instaladores principiantes de moquetas. Si la estancia mide menos de 4 m (longitud estándar de las moquetas), no será necesario ningún empalme y su colocación será bastante fácil. Las moquetas más pesadas son de mejor calidad, pero más difíciles de estirar para lograr una superficie perfectamente plana. Las moquetas ligeras y de peso medio son más fáciles de extender, cortar, ajustar y tensar que las moquetas de mejor calidad más pesadas.

Existen tres métodos de colocación: la colocación libre (sin fijación, aparte de un poco de cinta adhesiva), la colocación encolada (con una cola adaptada al tipo de capa base) y la colocación tensada (la moqueta se sujeta mediante rastreles de anclaje).

Antes de decidirte no olvides que todas las moquetas con la parte posterior tejida se limpian, al contrario que las moquetas más finas que no aguantan bien la limpieza a fondo.

Cómo retirar una moqueta vieja

Tu primera tarea —retirar la moqueta existente— es un trabajo sencillo, perfecto para alguien con poco dominio del tema, pero mucho músculo.

En el mejor de los casos, las moquetas finas se fijan con cinta de doble cara, por lo que no hay problema para retirarlas. Sin embargo, también podrían estar encoladas. Si fuera así, será necesario rascar y lijar. ¡Qué berenjenal!

Ciertas moquetas muy antiguas están sujetas directamente al suelo con grapas en forma de U. Basta, entonces, con tirar de la moqueta y enrollarla para poder retirarla. No te olvides de los clavos y las grapas, que podrían quedarse clavados en el suelo. Las moquetas con la parte posterior tejida, colocadas mediante tensado, se sujetan gracias a unos rastreles de anclaje clavados al suelo en todo el perímetro de la habitación. Estos anclajes son finas tiras de contrachapado que llevan pequeños dientes o clavos. La moqueta tensada se engancha a los clavos del rastrel de anclaje. En vista de su precio, en el caso de este tipo de revestimiento, te interesa dejar que los profesionales hagan el trabajo. Te ahorrarás grandes pérdidas de tiempo y dinero.

Para retirar la moqueta, examina las esquinas; quizá encuentres un ángulo un poco levantado. Tira de la moqueta desde ese punto para soltarla y enrollarla. Con ayuda del cúter, corta tiras de 50 cm aproximadamente y haz pequeños rollos, más fáciles de manipular y transportar, que sujetarás con una cinta adhesiva antes de tirarlos. Si no encuentras ningún ángulo suelto, tira de las grapas que sujetan la alfombra para retirarlas, sin más. Deja en su sitio los rastreles de anclaje si deseas colocar otra moqueta con ayuda de este sistema.

Por una cuestión de higiene, y ya que has decidido hacer bien las cosas, no te aconsejo que mantengas las antiguas subcapas aislantes, porque son verdaderos campamentos de verano para los ácaros, esos pequeños bichos que les dan problemas a muchas personas.

Las herramientas adecuadas

Si colocas una moqueta con un sistema de ganchos de agarre sobre un parquet viejo o un suelo de hormigón, debes empezar por fijar los rastreles de anclaje por todo el perímetro de la estancia. Para instalar estos rastreles sobre el suelo de madera, basta con insertar los clavos de fijación ya colocados sobre los rastreles, tal como se ilustra en la figura 8-11. Si debes instalar tiras de velcro sobre un suelo de hormigón, utiliza cola de contacto de doble encolado (de tipo neopreno) para fijar las tiras (o bien opta por el método radical: con una taladradora de hormigón).

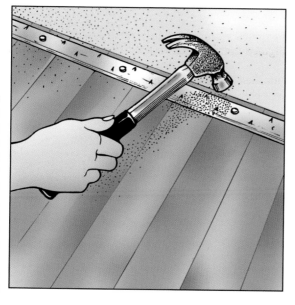

Figura 8-11:
Si clavas rastreles de agarre alrededor de toda la estancia, podrás colocar las moquetas bien tirantes

Puedes alquilar todo el material para la colocación de moquetas en la mayoría de las empresas de alquiler. Las herramientas específicas para esta tarea son las siguientes:

✔ **Martillo de instalador de suelos o moquetas.** La boca de este martillo, estrecha y pesada, sirve para fijar los rastreles de anclaje sobre un suelo o una escalera; permite insertar clavos sin golpear los de fijación. Esta herramienta sustituye aquí al tradicional dúo martillo-punzón de clavos.

✔ **Tensador de rodilla.** Su cabeza plana y dentada sujeta la alfombra y hay que empujarlo con la rodilla por la parte acolchada.

✔ **Enrasador.** Aparato ideal para un enrasado impecable y rápido de las moquetas.

Cómo colocar una moqueta

Como muchos otros materiales, es preferible dejar la moqueta al menos un día antes de su colocación sobre una superficie plana y en las condiciones hidrotérmicas normales para que recupere su forma. ¡Ni se te ocurra dejarla en el sótano! En general, tienes que seguir estos pasos:

1. Desenrolla la moqueta sobre el suelo. Si es más estrecha que la estancia, será necesario unir varias piezas. Los recortes se hacen entonces con el cúter ayudándote de una regla metálica. Como en el caso de las uniones de vinilo, las dos capas se cortan al mismo tiempo.

2. Corta los ángulos y deja que la moqueta suba algunos centímetros por los zócalos, como puedes observar en la figura 8-12.

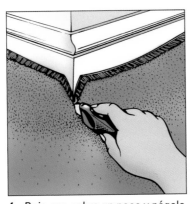 

Figura 8-12:
Trucos
para
colocar
una
moqueta
como un
profesional

A. Deja que sobre un poco y pégala a las paredes, haz cortes en los ángulos para ajustarla bien.

B. Un tensador de rodilla te ayudará a extender bien la moqueta.

3. Tira con cuidado para obtener una superficie bien lisa y uniforme. Para ello puedes utilizar un tensador de rodilla, tal como se ilustra en la figura 8.12B. Arrodíllate sobre la moqueta, clava los dientes del tensador delante de ti y empuja con la rodilla el extremo acolchado para pegar la moqueta a la pared.

4. Coloca cinta adhesiva de doble cara por todo el perímetro de la estancia y encola la moqueta perfectamente ajustada. Fíjate en la figura 8-13.

5. Corta lo que sobre de moqueta en el ángulo de las paredes (o de los zócalos). Recorta los bordes con el cúter guiándote con una regla

metálica. También puedes utilizar un enrasador de moqueta específico para este tipo de operación).

Para las colocaciones encoladas, el método es el mismo, a excepción de que, tras haber cortado la moqueta, debes volver a doblar los anchos para encolar el soporte con la espátula dentada empezando por la pared opuesta a la puerta de salida. Baja enseguida la moqueta y aprieta fuerte con las manos para lograr una máxima adherencia.

Para conseguir un resultado impecable, hazte con un mango de madera, grueso, estilo mango de pico o de pala, y hazlo rodar mientras ejerces una presión constante sobre la superficie encolada para evitar las burbujas de aire que podrían crearse.

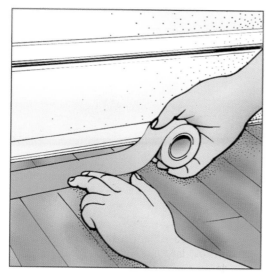

Figura 8-13:
Fijación de moqueta

Utiliza cinta adhesiva de doble cara por todo el perímetro de la estancia para pegar la moqueta al suelo.

Capítulo 9

Ventanas abiertas
a nuevos horizontes

· ·

En este capítulo

▶ Materiales y modelos de ventanas

▶ Mantener y reparar las ventanas

▶ Aislar las ventanas

▶ Estores y otros accesorios

▶ Proteger la casa: poner alarmas

· ·

L as ventanas de nuestras casas se hacen para que entre en ellas la luz, el frescor, la alegría de vivir, la felicidad, la salud, el dinero... en fin, ¡no nos dejemos llevar! Aunque lo cierto es que no se exagera cuando se dice que una ventana es capaz de transformar una estancia apagada y triste en un lugar mucho más acogedor y agradable en el que vivir. Eso sí, si el bastidor no está podrido o el cristal roto y no dejan pasar corrientes de aire que dejarán temblando a tu suegra y a tu bolsillo; en pocas palabras, siempre que conserven todas sus cualidades decorativas, y sigan aislándote y protegiéndote. Este capítulo es un curso intensivo en el que aprenderás a reparar y mejorar esas aberturas que acabarán por sacarte de tus casillas si no las cuidas bien.

Materiales y modelos

Las ventanas no son todas iguales. Hay de muchos tipos con mecanismos y materiales de base muy variados: algunas se deslizan, otras basculan, las hay que giran o simplemente se abren y se cierran. Incluso podemos encontrar algunas que están condenadas... ¡a no abrirse jamás!

El marco de la ventana (el bastidor), que contiene todos los elementos básicos de la ventana, puede estar hecho de carpintería de madera tradicional, pero también de metal (acero o aluminio) o de PVC. La carpintería de madera suele ser de pino, abeto o de alguna madera exótica roja; algunas veces es de roble. Esas ventanas deben pintarse o barnizarse, mientras que las fabricadas en PVC o aluminio no necesitan prácticamente ningún mantenimiento, aunque un pequeño lavado y una inspección regular no les harán daño y ayudarán a que se mantengan como nuevas durante el mayor tiempo posible.

Por último, si tus ventanas son de acero, deberás pintarlas y aplicarles un tratamiento antioxidante. Además, aunque sean muy resistentes al tiempo, su poder de aislamiento es bastante mediocre, lo que las convierte en muy malas candidatas para las regiones frías.

Si tus ventanas de PVC o aluminio ya no parecen gran cosa o si te apetece variar del blanco del PVC o del gris del aluminio, puedes pintarlas. Para ello, pídele consejo al dependiente para que te indique qué tipo de pintura debes utilizar. Cada tipo de material requiere su pintura y, por supuesto, una buena capa base.

Los modelos más clásicos de ventanas están compuestos de dos hojas de madera o de PVC, montadas sobre goznes y provistas, o no, de travesaños (añadidos o integrados). Hay otros modelos (mira la figura 9-1), como las ventanas de guillotina, bastante extendidas en ciertas regiones; se componen de dos marcos con cristales móviles que se deslizan de arriba abajo por el durmiente (el bastidor fijo) en cantos separados. El marco interior está separado del marco exterior por molduras de separación. El movimiento se produce mediante cuerdas, pequeñas poleas y contrapesos. Las más modernas están equipadas con un mecanismo de resorte, más sencillo de mantener, compuesto de una varilla en espiral unida a un resorte que pasa por un tubo sujeto a los lados del durmiente.

Aunque existen muchas ventanas diferentes según su diseño, su mantenimiento es siempre más o menos el mismo. Si comprendes el funcionamiento de las ventanas, podrás mantenerlas en buen estado y detectar los problemas antes de que sean graves.

Para facilitar el mantenimiento y la reparación de las ventanas, dedica algo de tiempo a familiarizarte con su modo de funcionamiento. Un día vi a mi vecino subido a una escalera de ocho metros limpiando una ventana de guillotina situada en un segundo piso. Había iniciado su gran operación de limpieza por la mañana y parecía cansado de subir y bajar constantemente para mover la escalera de una ventana a otra. Se quedó pasmado cuando subí a su casa, quité sin problemas las molduras de separación y retiré los marcos empujando hacia mí, sin más. Si mi vecino hubiera sabido cómo funcionaban sus ventanas, habría podido sacarlas de los montantes y limpiarlas tranquilamente desde el interior, sin tener que poner un pie en una escalera.

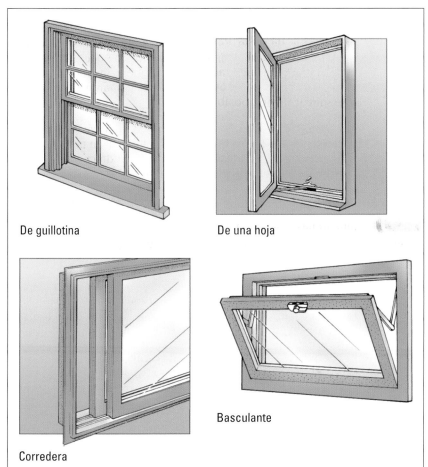

Figura 9-1:
Algunos tipos de abertura

De guillotina

De una hoja

Corredera

Basculante

Mantenimiento y reparación de ventanas con cristal simple

Al menos una vez al año, prepárate un kit de mantenimiento e inspecciona, lubrica y limpia todas las ventanan. Sí, lo sé; hay formas más divertidas de pasar el fin de semana, pero el mantenimiento anual de las ventanas puede prolongar su vida considerablemente. Así que ve a por tu caja de herramientas y asegúrate de que tienes el siguiente material antes de lanzarte al ataque:

✔ Un pincel para limpiar la suciedad y otros residuos acumulados en las ranuras de recuperación de las ventanas.

✔ Un clavo fino y largo o una varilla rígida para desatascar los orificios de evacuación del agua en las ranuras, que se obstruyen con mucha frecuencia por los insectos, y que permiten que el agua fluya en lugar de estancarse y dañar las tapas de los bastidores de la ventana.

✔ Un pequeño aspirador a pilas para aspirar todos los pequeños intersticios.

✔ Un rollo de servilletas de papel.

✔ Un surtido de destornilladores, entre los que necesitarás uno plano y otro de estrella, para apretar los tornillos flojos de la falleba (el sistema de cierre de las ventanas clásicas) y de los goznes.

✔ Por último, un lubrificante en espray para ciertas partes móviles metálicas.

✔ Si tienes un compresor con pistola, será muy práctico para despejar los lugares inaccesibles.

Empieza por abrir la ventana y limpia los residuos del reborde con un pincel o un pequeño aspirador a pilas. Después, humedece una servilleta de papel y límpialo para retirar cualquier suciedad que se haya quedado pegada.

Examina los herrajes de la ventana. La falleba y los goznes de las ventanas clásicas se fijan con tornillos planos o de estrella (en forma de cruz). Dale una o dos vueltas de más a los tornillos flojos.

Si no puedes apretar del todo el tornillo porque gira sobre sí mismo, significa que el agujero se ha hecho demasiado grande. Para solucionarlo, rellena el agujero con un poco de pasta de madera o una resina de sellado de doble componente. La ventaja de la resina es que se seca muy rápido y, en cuestión de media hora, podrás volver a apretar el tornillo, terminar el trabajo y tener a toda la familia contenta.

Si la varilla (la barra de la falleba) no entra bien en las muescas, comprueba que no haya ninguna gota de pintura que las obstruya. Si fuera ese el caso, desatorníllalas y limpia el interior con un poco de decapante. Limpia bien todos los herrajes sin olvidar aplicarles un poco de grasa para facilitar el movimiento del mecanismo. Que sepas que la grasa también aísla el metal del óxido. ¡Con un pequeño gesto matarás dos pájaros de un tiro!

Algunas ventanas se accionan mediante un pequeño picaporte o una palanca unida a un brazo. Ese brazo empuja la ventana hacia el exterior; se puede tratar de un simple brazo de transmisión, de un doble brazo deslizante o de un brazo tijera. Si abres la ventana al máximo, puedes desmontar el brazo para lubrificar su mecanismo o liberar el bastidor acristalado y limpiarlo más fácilmente.

Si el mecanismo de abertura y de cierre de tus ventanas es muy especial, consulta el manual de instrucciones específico del modelo, que deberían haberte entregado en el momento de la compra o de la instalación. Naturalmente, esos manuales tienen el don de desaparecer cuando uno los necesita. Si no consigues dar con ese manual, recurre a tus dotes de observación o al ingenio: También es posible que encuentres información en internet. Y siempre puedes llamar a quien te proveyó de las ventanas.

Las ventanas se atrancan

Si tu ventana no cierra bien, empieza por examinarla para descubrir el origen del problema. Quizá varias capas de pintura han disminuido el juego necesario entre el durmiente y el batiente. Si ese es el caso, saca de los goznes los bastidores acristalados y decápalos (con un producto decapante o una pistola de aire caliente), después vuelve a ponerlos en su sitio. Si el espacio entre ellos es de 2 mm, puedes volver a pintar el bastidor. En caso contrario, localiza los puntos que se han alabeado o las zonas en las que la madera se ha hinchado, sácalo de los goznes de nuevo y nivela el canto con un taco de lijado, un cepillo o una escofina antes de volver a pintar.

Si el roce se debe a un problema de humedad, deberás asegurarte de que la madera esté totalmente seca antes de cepillarla o lijarla. No caigas en la tentación de ahorrarte el paso de buscar esa humedad antes de volver a ponerlo todo en su sitio, porque te arriesgarás a tener que repetir todo el proceso en muy poco tiempo.

Sustitución de las cuerdas de una ventana de guillotina

Los contrapesos de las ventanas de guillotina tienen la misión de ofrecer un equilibrio para que, cuando la ventana esté abierta en la posición deseada, se aguante bien ahí. Si una de las cuerdas se rompe, la ventana puede convertirse en una guillotina de verdad.

Para cambiar una cuerda, sigue los pasos ilustrados en la figura 9-2:

1. Corta con un cúter la línea de pintura en el punto donde las molduras se unen con el durmiente. Esta medida de precaución evita que la moldura se rompa cuando la retires.

2. Saca la moldura que sostiene el bastidor acristalado interior insertando una hoja fina (de una espátula, por ejemplo) entre el durmiente y cada parte de la moldura clavada. Ahora, ya puedes retirar el marco interior tirando hacia ti con cuidado.

3. Retira la moldura de separación de ambos lados del durmiente con la ayuda de la espátula para poder extraer el marco exterior.

4. Ayudándote de un destornillador, saca la pequeña tapa tras la cual se encuentra el contrapeso unido a la cuerda rota. Esos comparti-

A. Saca con delicadeza las molduras (paso 2).

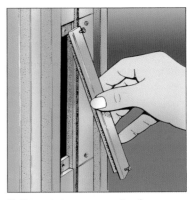

B. Extrae la tapa que oculta el contrapeso (paso 4)

C. Saca el contrapeso (paso 5).

D. Para colocar de nuevo el marco, haz un nudo en la cuerda y mete ese nudo en el pequeño hueco previsto para ello (paso 10).

Figura 9-2:
Sustitución de una cuerda rota de una ventana de guillotina

mientos ocultos por una puertecita atornillada se encuentran abajo a ambos lados del durmiente.

5. Saca el contrapeso y suelta las cuerdas de los pesos.

6. Lubrica el eje de la polea situada por encima de cada tapa.

7. Pasa la nueva cuerda por la polea y hazla bajar hasta que aparezca en el pequeño compartimiento del contrapeso.

8. Ata un extremo de la cuerda al peso. Haz un nudo en forma de ocho.

9. Vuelve a colocar el peso en su compartimiento. Tensa la cuerda de forma que el peso quede vertical en su compartimiento.

10. Ata el otro extremo de la cuerda en el marco.

El otro extremo de la cuerda que tienes en la mano se ata al marco de la ventana. La mayoría de los bastidores tienen una ranura en el lateral del mismo diámetro que la cuerda. Debajo de esta ranura hay un pequeño hueco en el que se aloja el nudo. Haz un nudo a la cuerda para que el peso cuelgue a una altura de 6 cm, aproximadamente, por encima de la parte inferior del compartimiento cuando coloques el nudo en su hueco y levantes el marco acristalado.

Ya puestos, cambia también la otra cuerda aunque no esté rota, una cuerda nueva siempre será más sólida. Sigue los pasos anteriores para cambiar las cuerdas de cada lado del durmiente y luego vuelve a montar los marcos acristalados y vuelve a clavar las molduras (o sustitúyelas por unas nuevas).

Cómo cambiar un cristal roto

Cambiar un cristal clásico (sin doble capa aislante) no es una tarea complicada. Reparar los daños no es mucho más difícil que romper el propio cristal. Reúne las herramientas adecuadas y sigue los pasos apropiados según el tipo de carpintería de tu ventana.

Es preferible desmontar el bastidor antes; e imprescindible en el caso de las ventanas de hoja fija y de guillotina.

Estos son los materiales necesarios para cambiar un cristal roto:

✔ Un cristal.

✔ Masilla.

✔ Clavos de cristalero (cabezas macho, triangulares, romboides, etc.).

También necesitarás las herramientas siguientes:

✔ Un martillo de cristalero.

✔ Una espátula de cristalero para retirar la masilla (o un viejo escoplo).

✔ Una espátula para enmasillar.

✔ Pinzas o tenazas.

Cuando trabajes con cristales rotos, ponte guantes y gafas protectoras.

Marco de madera

Para cambiar el cristal roto de una ventana de madera, empieza por medir el marco. Mide la longitud y la anchura exactas del marco en el que tienes que poner el nuevo cristal (ese emplazamiento es la hoja). Si los dos lados no miden lo mismo o eso ocurre en la parte superior y la inferior, quédate con las medidas más pequeñas. En cualquier caso, réstale 4-5 mm para permitir la dilatación del cristal cuando se produzcan cambios de temperatura.

Una vez que tengas todas las herramientas y materiales necesarios para cambiar un cristal, sigue los pasos descritos a continuación e ilustrados en la figura 9-3:

1. Coloca una cubierta en el suelo. Si es posible, elige una de tela. Eso evitará que los trozos de cristal se dispersen o perforen la cubierta si es de PVC. La retirada de los residuos será más práctica y más segura.

2. Retira todos los fragmentos de cristal que sigan enganchados.

   Retira con la mano todos los fragmentos que puedan soltarse y recurre a unos pequeños golpes de martillo (empezando por arriba) para los que presenten resistencia.

3. Extrae la masilla y el cristal que quede. Utiliza una espátula para retirar la masilla o, en su defecto, un viejo escoplo. Pega la herramienta a la masilla y da pequeños golpes de martillo para soltarla.

4. Saca los clavos con unas pinzas o tenazas.

5. Limpia la hoja hasta que quede totalmente limpia y lisa. Un rascado seguido de un lijado con un papel de grano grueso de 60/80 es indispensable.

6. Coge una bola de masilla con la mano y aplástala contra la hoja con un grosor de unos 3 mm. Esta capa de masilla permite garantizar la perfecta estanqueidad entre el marco y el cristal. Al mismo tiempo asegura la elasticidad de los materiales que se dilatan con el tiempo. La masilla no debe estar dura; por el contrario, debe quedar blanda para evitar que el cristal se rompa cuando haya una fuerte corriente de aire.

A. Ponte guantes para retirar los restos de cristal (paso 1).

B. Sujeta el cristal con clavos (paso 7).

Figura 9-3:
Sustitución
de un
cristal roto

C. Alisa la masilla con una espátula para enmasillar que debes pasar en ángulo de 45° (paso 8).

7. Coloca el cristal. Aprieta con cuidado en los bordes del cristal para hundirlo en la masilla en paralelo con la hoja. Para ello, recorre el contorno del cristal poco a poco para obtener el mismo grosor de masilla sobre todo el conjunto de la juntura.

8. Sujeta el cristal con clavos de cristalero situados a lo largo de la hoja en intervalos de 25 cm, más o menos. Utiliza la espátula para hundir los clavos del dorso de la hoja (con la precaución de dejar que sobresalgan las cabezas de alrededor de 5 mm si se trata de clavos normales y corrientes).

9. Aplica una nueva capa de masilla sobre el perímetro del cristal y alísala con la espátula para enmasillar. La masilla debe recubrir los clavos. Desliza la espátula en ángulo de 45° sobre la masilla. La juntura deberá ser uniforme para facilitar la evacuación del agua y resultará más bonito visualmente y más práctico cuando se pinte.

10. Espérate unas dos semanas antes de pintar.

Utiliza cinta adhesiva para proteger el cristal en esta fase a fin de dejar que la pintura forme una junta de estanqueidad entre el cristal y la madera. Cuando coloques la cinta adhesiva, tendrás que ponerla 2 mm por encima de la masilla. Una vez más, la colocación de la cinta te ofrecerá un aspecto visual más lineal y, por tanto, más bonito, al mismo tiempo que te garantiza que la estanqueidad sea perfecta.

Marco metálico

Para sustituir el cristal de un bastidor metálico, el procedimiento es prácticamente el mismo que en el caso de un marco de madera, a excepción de algunas pequeñas diferencias de materiales (sobre todo, la utilización de clips en lugar de clavos y de masilla especial para los bastidores metálicos).

Tras haber retirado todos los fragmentos de cristal, procede de la siguiente forma:

1. Haz saltar la masilla.
2. Retira los clips y guárdalos para reutilizarlos.
3. Rasca y limpia bien la hoja.
4. Aplica una capa de producto antioxidante sobre el metal.
5. Aplica un cordón de masilla sobre la hoja.
6. Coloca el cristal.
7. Vuelve a poner los clips en los agujeros correspondientes.
8. Aplica una nueva capa de masilla en el perímetro del cristal y alísala.

Reparar una parte podrida en el reborde

Los rebordes de la ventana están inclinados hacia fuera para que el agua pueda circular a lo largo de ellos. Ingenioso, ¿verdad? Sin embargo, si la pintura se desconcha y el reborde no está protegido, la madera se estropea.

Si el reborde de una ventana empieza a pudrirse, clava un punzón o cualquier otro instrumento fino y puntiagudo en la madera para evaluar el alcance de los daños. Si la herramienta se hunde fácilmente, la madera está podrida. Estará sana en el lugar en el que empieces a encontrar resistencia. Si la madera está totalmente podrida, tendrás que sustituir el reborde entero por una nueva pieza de madera, una tarea delicada que es preferible dejar en manos de los expertos. Si la humedad solo ha estropeado una parte de la madera, puedes arreglarlo tú mismo siguiendo estos pasos:

1. Decapa la pintura para dejar la porción de madera podrida al aire. Utiliza una pistola de aire caliente o un decapante químico y un rascador para decapar la pintura.

2. Elimina la madera podrida con un escoplo. Rasca hasta llegar a la madera sana sin mermarla.

3. Con la ayuda de una espátula, aplica el endurecedor en la cavidad.

4. Espera a que la pasta se seque para lijarla. Sigue las instrucciones de uso que acompañan al producto, que se queda duro muy rápido. Tienes que esperar a que esté tan duro como una piedra para poder empezar a lijar y dejar la zona rellenada al mismo nivel.

5. Aplica una capa de imprimador, una capa base y dos capas de pintura gliceroftálica (o de pintura microporosa) que combine con el color de la ventana. Será necesario usar una pintura de aspecto satinado o brillante, ya que estas son resistentes a las inclemencias del tiempo y al mantenimiento regular.

Aislamiento de las ventanas

Aislar las ventanas y las puertas es, al mismo tiempo, uno de los proyectos domésticos más simples, en el que el manitas inexperto puede lanzarse, y uno de los más rentables. En efecto, si calientas la casa pero hay corrientes de aire por todas partes, es como si tiraras todo el dinero directamente por la ventana. En cambio, si calafateas bien todas las aberturas, mejorarás el confort limitando el desperdicio de calor y, gracias a eso, ahorrarás una cantidad considerable de energía.

Eso no quiere decir que sea necesario tapar las rejillas de ventilación. Al contrario, estas permiten los intercambios hidrométricos.

Calafatear con juntas de estanqueidad

Las juntas de estanqueidad son refuerzos que calafatean los intersticios a veces importantes en lo referente a las uniones entre hojas (marcos móviles) y durmientes (marcos inmóviles) para impedir las filtraciones de aire. Estas juntas constituyen no solo un ahorro de energía, sino que impiden, también, que entren los insectos y, más importante, aíslan del ruido exterior, sobre todo, de los incesantes ladridos del perro de tu vecino.

La gama de junturas de calafateado es grande: burletes adhesivos en espuma para juntas del tipo de las de polipropileno extruido o las juntas metálicas para clavar de los marcos antiguos. Los productos son numerosos, sencillos de poner y siempre a un precio muy módico.

La colocación de juntas adhesivas es más o menos idéntica, sea cual sea el tipo de junta elegido:

1. Lava y limpia el polvo de la madera del durmiente o de cualquier otra superficie que quieras calafatear y deja que se seque por completo. Desengrasa bien los lugares donde colocarás la junta. Si la pintura está en mal estado, antes deberás decaparla o lijarla hasta que quede a la vista la madera y aplicar una nueva capa de pintura.

2. Corta la junta según las dimensiones de la ventana. Utiliza una regla para averiguar la longitud correcta o coloca la junta extendida a lo largo de la superficie y corta un trozo un poco más largo. Lo normal es pegar la junta en todo el perímetro del durmiente.

3. Retira muy despacio el papel protector y coloca la junta en su sitio apretando con los dedos para una perfecta adherencia.

   Si necesitas instrucciones más concretas, sigue las recomendaciones que se indiquen en el embalaje del producto.

4. Asegúrate, cerrando la ventana, de que la junta no impide el cierre.

En el caso de las juntas metálicas que se clavan, los pasos de instalación son prácticamente los mismos, con la diferencia, ya lo habrás imaginado, de que tendrás que clavarlas en vez de pegarlas.

Sea cual sea el tipo de junta, nunca debes tapar los agujeros del travesaño inferior del durmiente (la ranura de recuperación de agua) que asegura el flujo del agua.

Calafatear con masillas de estanqueidad

Las masillas de estanqueidad (generalmente vendidas en cartuchos con el formato de pistola extrusora) ofrecen una solución eficaz a las fugas de aire localizadas entre dos componentes inmóviles, como sería entre el durmiente de carpintería y la pared, pero también se pueden aplicar sobre partes móviles, entre el elemento que se abre y el durmiente (en ese caso, tienes que recubrirlo con tiras de desmoldado). Su ventaja: se adaptan perfectamente a la forma de la ranura que hay que obturar y ocupan todo el volumen de los juegos entre el elemento que se abre y el durmiente.

En general, se distinguen dos tipos de masillas, según sus propiedades físicas y mecánicas: las masillas de tipo plástico y las masillas de tipo elástico o elastómero. Las primeras, acrílicas o butílicas, tienen la misma consistencia que una pasta para modelar, pero se deforman tras numerosas compresiones y dilataciones (por los cambios de temperatura). Por su parte, las segundas, siliconas y poliuretanos, conservan su elasticidad cuando se secan, lo que las convierte en las candidatas perfectas para los aislamientos de las ventanas. Para calafatear entre paredes y carpinterías, opta mejor por una masilla acrílica; para aislar las ventanas entre el durmiente y la parte que se abre, elige una masilla elastómera de tipo silicona.

Para calafatear el exterior de una ventana con masilla de estanqueidad, sigue estos pasos:

1. Utiliza una espátula o un rascador para eliminar cualquier resto de masilla antigua en la parte exterior del marco.

2. Corta la boquilla del cartucho en el diámetro correspondiente al tamaño del cordón que quieras aplicar. El grosor de la junta debe ser levemente superior al del intersticio que vas a rellenar.

3. Aplica la masilla en un cordón regular sobre los cuatro lados del durmiente. Aprieta un poco el gatillo a la vez que desplazas la pistola a lo largo de la ranura que vas a rellenar sin detenerte.

4. Alisa la masilla. Una cuchara de plástico o el dedo mojado con agua jabonosa servirá. Una opción más delicada, si te gustan los desafíos, es dejar que se desborde la masilla y cuando se seque, cortarla con un cúter.

5. Elimina el exceso de producto en la pistola, de las manos y de cualquier otra superficie antes de que se seque.

Estores y otros accesorios

Si no quieres llevar una vida similar a la de los peces en los acuarios, haz como la mayoría de los humanos: cubre los cristales. Instalar cortinas o estores en las ventanas te permite disfrutar no solo un grado importante de intimidad, sobre todo en el cuarto de baño o el dormitorio, sino que también te da la oportunidad de decorar y proteger la estancia de la entrada de corrientes de aire (con la instalación de cortinas gruesas) o de los rayos del sol. Independientemente de cuáles sean los motivos, la instalación de cortinas o estores es bastante sencilla, incluso para un principiante.

Instalación de un estor enrollable

Los estores enrollables son funcionales, sencillos de instalar y ensombrecen muy bien la estancia, ¡todo por un módico precio! Su mecanismo con resorte (ilustrado en la figura 9-4) permite subir y bajar el estor a la altura deseada. Este mecanismo está compuesto de estribos en cada extremo de la vara: uno plano, que controla el resorte interior, el otro redondo.

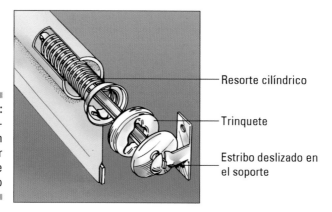

Figura 9-4: Mecanismo de un estor enrollable automático

Resorte cilíndrico

Trinquete

Estribo deslizado en el soporte

Si cambias un estor antiguo, mide la longitud del tubo, con los estribos incluidos, luego desenrolla el estor y mide la longitud de este. Compra un estor enrollable de las mismas dimensiones. Los encontrarás en diversos colores y dimensiones. No obstante, si no encuentras el estor con el ancho deseado, no te preocupes: podrás cortarlo sin problemas para ajustarlo.

La instalación de un estor enrollable es tan sencilla que hasta un niño podría hacerlo. El problema es que no los encontramos nunca cuando los necesitamos. Para instalar un estor enrollable, sigue estos pasos:

1. Mide y marca la posición de los soportes que hay que atornillar por encima de la ventana, a cada lado. Deja suficiente espacio por encima de la ventana, porque el diámetro del tubo más importante es el que tiene cuando está completamente enrollado. Utiliza un nivel de burbuja para verificar la horizontalidad de tu línea.

2. Haz los agujeros en los puntos marcados y atornilla los soportes. Utiliza un taladro con una broca que se adapte al diámetro de los tacos y del tipo de pared.

3. Coloca el tubo deslizando los estribos en los soportes. Asegúrate de que el tubo está totalmente enrollado, con los bordes bien superpuestos, cuando lo instales, porque no podrá funcionar correctamente si el tejido no está en ángulo recto.

Instalación de un estor veneciano

Los estores venecianos están compuestos por pequeñas lamas (de aluminio, PVC o madera), que puedes orientar según el grado de luminosidad deseado. Una varilla permite orientar las lamas y una cuerda subirlas o bajarlas. Estos estores se fijan en unos soportes en forma de U, que se sujetan al techo, a la pared o a los mismos batientes. Si lo instalas en lo alto de la ventana, deja espacio suficiente para que una vez plegado no impida abrirla. Un último detalle que hay que tener en cuenta: el volumen total de las lamas plegadas es mucho mayor que el de un estor enrollable.

Este tipo de estores se presenta en muchos colores y dimensiones. Para instalar un estor veneciano sobre la jamba de una ventana de un solo batiente, procede como sigue (puedes operar de la misma forma en el caso de dos estores más pequeños fijados sobre los dos batientes de una ventana a la francesa):

✔ Mide y marca la posición de los soportes.

✔ Coloca el estor en la posición prevista sin hacer ningún agujero aún para comprobar que no sea demasiado largo. Suele ser fácil extraer lamas para reducir la caída del estor bajo la ventana (el largo de la pared) si es más alto que la ventana. Si tienes que cortar el estor antes de instalarlo y agujerear la pared:

✔ Coloca los soportes en los ángulos superiores y utilízalos como referencia para marcar la ubicación de los tornillos con un lápiz.

1. Agujerea en los puntos marcados y atornilla los soportes. Utiliza un taladro con una broca que se ajuste a los tacos y a las características de la pared.

2. Mete la barra en el interior de los soportes, como se ilustra en la

figura 9-5, y cierra las pequeñas válvulas de seguridad de cada soporte.

3. Si es necesario corta la cuerda en la dimensión correcta.

4. Si el estor es demasiado ancho existe una herramienta que corta las lamas sin estropearlas. Pídele consejo al vendedor.

Figura 9-5:
Instalación
de un estor
veneciano

Instalación de un estor de papel

Querido amigo manitas principiante, si te apetece tener un estor y estás de alquiler, sé lo que necesitas. Esa pequeña maravilla, hermosa a la vista y fácil de instalar, es el estor de papel. Las lamas están plegadas como un acordeón, lo que permite cortar lo que sobre de largo y de los lados sin problemas. Para el lateral, es preferible comprar una guillotina (la tienen en las tiendas), que te permita cortar el conjunto de una vez, con un resultado más estético. Para la parte inferior, una regla con un cúter o unas tijeras bastarán.

La colocación es de lo más sencillo. Este tipo de estor se fija arriba con un adhesivo que va con él por encima y se adapta sin problemas a las ventanas fuera de las cotas. En cinco minutos, tendrás las ventanas vestidas. Para la abertura manual, basta subirlo y con la ayuda de una pinza de la ropa, sujétalo como te parezca. A partir de aquí, dejo que te lo imagines... De ti depende tener unos estores recogidos a los lados con un cordón, en forma de abanico, etc.

Instalación de una barra para cortinas

Es frecuente colocar las cortinas sobre sencillos soportes metálicos de pared que se atornillan o se deslizan en el interior de soportes de techo. Las más decorativas son las barras redondas, en madera o en latón, y las más clásicas son las barras riel, básicas pero ideales para visillos.

Para instalar una barra para cortinas sobre soportes metálicos de pared, sigue los pasos siguientes:

1. Mide y marca la posición de los soportes. Mide al menos 5 cm por encima de la ventana y localiza la posición de los soportes centrando la barra respecto a la ventana. Utiliza un nivel de burbuja para comprobar la horizontalidad. Es preferible colocar las bridas de fijación en el exterior del marco de la ventana para facilitar el plegado de las cortinas detrás de la ventana que deberás abrir. Si hay demasiado material entre las bridas de la barra y la ventana, esta no se quedará fija sino que se cerrará constantemente.

2. Agujerea en los puntos marcados y atornilla los soportes. Para ello usa un taladro con una broca que se ajuste al diámetro de los tacos y a las características de la pared. Si el soporte es de tipo panel de yeso, utiliza tacos Molly, que tienen una parte metálica que se abre por el centro (hablamos más de ellos en el capítulo 14) para hundirse en el panel de yeso, engancharlo en plan bocadillo y encastrarlo.

3. Coloca la barra sobre los soportes.

Protecciones y sistemas de alarma

En las casas unifamiliares, los ladrones entran casi siempre por las ventanas. Si no hay cerrojos y los postigos no están cerrados, basta con romper el cristal y girar la falleba para colarse en tu casa. Los cerrojos encastrados permiten bloquear los batientes cuando están cerrados. Se colocan como los de las puertas (están en el capítulo 10). Si las jambas de las ventanas son demasiado estrechas, puedes instalar cerrojos de superficie (también salen en el capítulo siguiente).

Para las estancias en la planta baja, se recomienda instalar rejas de hierro forjado o barrotes con una separación máxima de 12 cm y empotrados a una profundidad de 8 cm.

Los cristales irrompibles ofrecen también una protección muy eficaz. Los vidrios sintéticos indestructibles mecánicamente son especialmente interesantes por su resistencia, sus propiedades aislantes y su poco grosor.

Bloqueo de la falleba

Mientras te enteras de más cosas sobre los cerrojos (en el capítulo 10), te explicaré un pequeño truco para bloquear la falleba cada vez que te ausentes:

1. Haz un agujero en la parte superior de la varilla. Para ello utiliza un taladro provisto de una broca para metales y agujerea lejos del picaporte.

2. Introduce un clavo de cabeza plana en el agujero para bloquear la varilla.

Cómo instalar un detector de abertura

El 10 por ciento de los allanamientos los cometen ladrones profesionales y el 90 por ciento, principiantes que viven a pocos kilómetros del objetivo. Mientras que un ladrón profesional y decidido consigue siempre desarmar un sistema de alarma (a excepción, quizá, de los más sofisticados), los ladrones de fin de semana suelen salir corriendo cuando se dispara una sirena o se enciende una simple luz.

Por lo general, los sistemas de alarma más simples están compuestos de un dispositivo de detección y de un sistema de alerta (sirena, luz, llamada telefónica u otro) que funcionan con pilas. Si estos aparatos son sencillos de instalar, también tienen una eficacia muy limitada y no desempeñarán su papel disuasorio más que con los ladrones de poca monta. Los sensores de choque pueden estar compuestos por un simple disco adhesivo colocado en un cristal y conectado a una caja oculta (mira la figura 9-6).

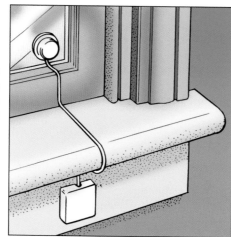

Figura 9-6: Sensor de choques compuesto por un disco adhesivo que funciona con pilas

En comparación con los sistemas a pilas y con los tradicionales cableados, las nuevas instalaciones electrónicas por transmisión de ondas de radio presentan muchas ventajas (fiabilidad, facilidad de instalación, múltiples funciones evolutivas, entre otras). Tienen, eso sí, un inconveniente: su precio. Estas alarmas inalámbricas se instalan en unos minutos sin ningún problema de conexión. Basta seguir el procedimiento adecuado que acompaña al producto y que normalmente consiste en pegar o atornillar los sensores en los lugares indicados y en instalar la central en la habitación que elijas.

Compra el equipo básico y después añádele los accesorios necesarios según tus necesidades. Estos son algunos:

✔ Flash exterior o un indicador luminoso que se active cuando se dispare la alarma. Esa señalización visual, muy útil para los sordos y las personas con problemas de audición, permite también llamar la atención de los vecinos.

✔ Sirena de alarma exterior para alertar al vecindario.

✔ Detector de intrusos con dispositivos ópticos regulables para que el paso del gato o del perro no los active.

✔ Sensor de fractura de cristal insensible a las vibraciones causadas por el viento.

Capítulo 10

Puertas y cerrajería

· ·

En este capítulo

▶ Mantener las cerraduras y las bisagras

▶ Mantener y reparar las puertas

▶ Instalar y reparar cerraduras y cerrojos

▶ Accesorios para puertas

· ·

L as abres y las cierras a lo largo de todo el día sin pensarlo hasta que, de repente, se ponen a chirriar, se atrancan o, peor aún, se niegan a obedecer. Si quieres mantener las puertas en buen estado y que continúen pasando desapercibidas, sigue los consejos de mantenimiento y de reparación de este capítulo.

Mantenimiento de cerraduras y bisagras

Las puertas de una casa unifamiliar se abren y se cierran miles de veces en un año. Para velar por su buen funcionamiento, la medida más elemental consiste en mantener en buen estado lo que les permite abrirse y cerrarse: las bisagras y los cerrojos. Engrasa bien las bisagras y los cerrojos de tus puertas al menos una vez al año mediante un lubricante con pulverizador.

Cómo lubricar una cerradura

Si tienes una cerradura de superficie agarrotada, vaporiza un lubricante por el ojo, el pestillo y el cerradero. Si eso no basta, desmóntala para engrasar las piezas del mecanismo. El desmontaje de una cerradura de superficie no podría ser más simple: basta con desatornillar y retirar la placa de cobertura de detrás de la caja. Fíjate bien en la colocación de las piezas para poder montarlas después correctamente.

Si quieres saber más sobre otros tipos de cerraduras y cerrojos, consulta el apartado "Instalación y reparación de cerraduras y cerrojos", más adelante en este capítulo.

Cómo lubricar una bisagra

Normalmente, las puertas van equipadas con dos o tres bisagras. Las puertas que dan al exterior, como son más pesadas, cuentan con tres o cuatro. Si la puerta chirría, debes engrasar las bisagras. Puede tratarse de bisagras bajo la forma de placas atornilladas, rectangulares con doble hoja, con pasador desmontable, contra acodadas y desmontables, etc., de pernios con lamas o pasador desmontable o con goznes normales que se encajan y desencajan del modo más sencillo del mundo.

Para engrasar los goznes de una puerta, desquíciala levantándola bien vertical y unta los pernios con vaselina o grasa. Vuelve a colocar la puerta y comprueba que ya no chirría. A continuación, limpia cualquier exceso de lubricante.

Existen arandelas (de teflón) que eliminan los chirridos de las puertas, suavizan su giro y, sobre todo, te ahorran el engrasado. Basta con deslizarlas de dos en dos entre los goznes de las puertas.

Si el mecanismo es una bisagra con pasador desmontable, coloca un pequeño clavo bajo el pasador para empujarlo hacia arriba dando algunos golpes con el martillo, tal como se ilustra en la figura 10-1. Sostén la puerta para no forzar la otra bisagra o coloca temporalmente un clavo largo en

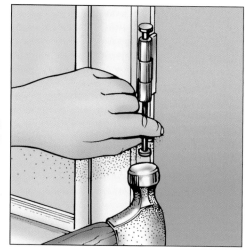

Figura 10-1:
Una
bisagra
con
pasador
desmontable

la bisagra, deja el pasador sobre unas servilletas de papel y úntalo con grasa o aplícale un lubricante con vaporizador. Repite esa operación con todas las bisagras de este tipo, de una en una.

Antes de engrasar los goznes o las bisagras, es necesario darle un toque-cito de desengrasante a las piezas mecánicas, seguido de un lijado, con papel de grano 100/120 o con lana de acero, para retirar el posible óxido y la grasa antigua que pueda tener. Hecho esto, podrás engrasar las piezas que quieras.

Reparación de bisagras

Si una bisagra baila puede entorpecer la apertura de la puerta (que colga-rá, rozará o se atrancará). Por suerte, puedes solucionar ese tipo de pro-blemas muy fácilmente. Empieza verificando que las bisagras estén bien atornilladas. Abre la puerta, aguántala por su picaporte o su tirador y muévela de arriba abajo. Si observas que baila a la altura de los tornillos de una bisagra, tendrás que apretarlos.

Si los tornillos están flojos desde hace poco, un simple destornillador bastará para arreglar el problema. En cambio, si bailaba desde hacía más tiempo, el movimiento constante entre las hojas y los tornillos de la bisa-gra probablemente haya agrandado los agujeros de los tornillos. Resulta-do: ¡los tornillos ya no sirven para nada!

Si las bisagras siguen bailando aún cuando mueves la puerta, incluso después de haber apretado los tornillos, tienes que pasar al plan B: la reparación de los agujeros que se han hecho grandes. Repáralos de uno en uno. Aquí te explico cómo proceder de la forma más sencilla del mundo:

1. Retira el tornillo que baila.

2. Moja la punta de madera de una cerilla en cola para madera y húnde-la lo máximo que puedas en el agujero del tornillo defectuoso (fíjate en la figura 10-2). Da unos cuantos golpecitos con el martillo, pero con cuidado, sin estropear la hoja.

3. Rompe o corta el extremo que se enciende de la cerilla a ras de la hoja de la bisagra.

4. Hunde el tornillo en la pieza que hace de taco con la ayuda de un destornillador.

5. Repite estos cuatro pasos con cada tornillo deteriorado.

Figura 10-2: Se puede arreglar un tornillo que baila con ayuda de una cerilla

En lugar de una cerilla, los jugadores de golf podrán utilizar un *tee* de golf, sobre el que aplicarán también una fina capa de cola para madera antes de hundirlo al máximo en el agujero para el tornillo. Deja que se seque la cola antes de cortar la parte del *tee* que sobresale.

Aquí tienes otras posibilidades para reparar un agujero de bisagra demasiado grande.

Sustituye el tornillo por otro de diámetro y longitud superiores. Por ejemplo, si el tornillo que retiras mide 4 mm de diámetro y 25 mm de longitud, sustitúyelo por un tornillo de 4,5 mm de diámetro y 30 mm de longitud. Solo necesitarás los cinco minutos que dedicarás a rebuscar en tu caja de herramientas y... ¡tachán, problema arreglado!

Otras dos soluciones consisten en tapar los agujeros de los tornillos:

✔ **Con pasta para madera.** Si tu armazón es de madera natural, adapta la pasta a la esencia (color) de la madera. En las estanterías de tu tienda de bricolaje favorita tendrás una gran gama de tonos para elegir. Aplica uno o dos. Pasa la pasta de madera con una espátula de pintor; después, será necesario lijar un poco. Este tipo de reparación es rápida, pero tiene un inconveniente: la pasta de madera tarda más en secar que la resina.

✔ **La resina bicomponente.** Ideal si tienes que pintar el armazón después de la reparación. Se aplica igual que la pasta de madera. La diferencia es la mezcla de los dos componentes y que no puedes elegir color. ¿Qué querrás blanco o blanco?

La gran ventaja es el secado ultrarrápido en función del endurecedor que hayas mezclado. Solo tendrás que esperar entre diez y treinta minutos antes de poder trabajar sobre ella.

Mantenimiento y reparación de las puertas

En los apartados vas a ver algunos problemas comunes relacionados con las puertas, así como su solución y algunos consejos útiles para el mantenimiento.

Rectificación de una puerta abombada

Para arreglar una puerta deformada, empieza por desencajar la puerta del quicio para colocarla en horizontal sobre dos caballetes, sobre un banco de carpintero o, aún mejor, sobre el suelo, si es posible con la parte abombada hacia arriba. Cubre la puerta con una toalla vieja y coloca objetos pesados sobre la parte curvada. Espera algunos días y, cuando la puerta haya vuelto a su forma original, retira todo el peso y vuelve a colocarla sobre los goznes.

Antes de volver a colocar la puerta, aplica una capa del acabado que desees sobre el lado que estaba abombado. Pasa también un producto de tratamiento hidrófugo sobre cualquier parte de madera expuesta, en especial por la parte de abajo, para evitar que la humedad penetre de nuevo en la madera y vuelva a abombarla.

Reparación de una puerta plegable

Las puertas plegables se montan siempre de dos en dos. Suelen utilizarse para los armarios y roperos, a los que se accede plegando las puertas sobre sí mismas; entonces se desplazan sobre unas ruedas de nailon que, a su vez, se deslizan por un sistema de raíl suspendido, tal como se ilustra en la figura 10-3. Las puertas, junto a los montantes, están equipadas con un eje de fijación en el extremo exterior del raíl suspendido. Ciertos modelos cuentan también con un sistema con el que se fijan al suelo para evitar que la parte inferior de la puerta se salga del raíl. Para que tus puertas se deslicen y se plieguen con suavidad, limpia y engrasa el raíl, las ruedas, así como el sistema de fijación, como mínimo una vez al año.

Abre las puertas del todo y limpia el polvo del raíl con un trapo limpio. Vaporiza enseguida un poco de producto lubricante sobre el raíl y las ruedas (cuidado, no lo eches sobre la ropa del armario, en el ropero, ni sobre la moqueta). Aplica una fina capa de lubricante a las diferentes piezas del sistema y limpia cualquier exceso de producto con servilletas de papel.

Si las puertas se atascan (no se deslizan con facilidad sobre los raíles), a pesar de que has limpiado y engrasado bien su mecanismo, empieza verificando que todos los componentes están bien sujetos y en buen estado. Si una de las piezas del mecanismo está rota, sustitúyela por una pieza idéntica (la encontrarás en una gran superficie de bricolaje. Verifica también el estado de las bisagras entre cada doble puerta. Si descubres que los tornillos de las bisagras bailan, intenta apretarlos. Si no lo consigues (porque el agujero se ha hecho grande), sigue los pasos descritos más adelante en el apartado "Reparación de bisagras".

Figura 10-3:
Las puertas plegables están equipadas con ruedas que se deslizan por raíles y ejes de fijación que permiten a los paneles plegarse sobre sí mismos

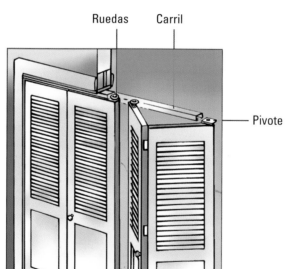

Ruedas   Carril

Pivote

Para trabajar con las puertas plegables, a veces es más fácil desmontarlas. Para sacarlas, basta con cerrarlas, levantarlas y sacarlas del marco por debajo. Quizá te vaya mejor colocarte en la parte interior de las puertas, en vez de en la exterior.

Si cuando vuelves a montarlas te da la impresión de que no están rectas (el espacio entre la puerta y el montante no es exactamente igual), utiliza un destornillador o una llave inglesa para ajustar el eje, que se encuentra en el umbral. Algunas puertas plegables cuentan con un eje regulable en el ángulo inferior.

No esperes a que no se cierren para reparar las puertas. En cuanto chirríen, se atranquen, se deslicen mal... lo mejor es echarles un ojo enseguida. Como en una pareja, no esperes a que la situación se degrade demasiado para intervenir. Al mínimo chirrido, intervén. Eso evitará que se deteriore mucho y que los desperfectos lleguen a ser irreversibles. Más vale que pongas a grabar tu programa de la tele preferido y te levantes del sofá media hora para realizar esta reparación que tener que cambiar todas las puertas unas semanas más tarde.

Reparación de una puerta vidriera corredera

Igual que las puertas plegables, las puertas correderas se abren deslizándose sobre unos raíles, pero a diferencia de sus primas hermanas plegables, no cuentan con ninguna bisagra. Sobre todo se ponen puertas vidriera en habitaciones que dan a terrazas, balcones o jardines, puesto que sus grandes ventanales, que eclipsan las paredes, abren visualmente la estancia al aire libre y, al mismo tiempo ofrecen acceso al exterior.

Algunos problemas menores a veces arruinan este bello paisaje: los residuos, las hojas y otras suciedades, transportados por el viento, o bien por las suelas de los zapatos o por las patitas de nuestros animales domésticos que se deslizan por los raíles e impiden la apertura y cierre de las puertas. Para evitar este tipo de contrariedad, cada vez que pases el aspirador, limpia los raíles con la ayuda de uno de esos pequeños accesorios en forma de cepillo. De vez en cuando, vaporiza también un poco de lubricante con pulverizador sobre los raíles del mecanismo.

A veces, aunque el carril de desplazamiento de la puerta vidriera corredera esté totalmente limpio, continúa resistiéndose. En ese caso, el problema probablemente esté causado por un roce entre las ruedas y el raíl del suelo. Las ruedecitas del sistema de suspensión también pueden desgastarse y las puertas, entonces, tienden a hundirse impidiendo el desplazamiento por el suelo.

La mayoría de las puertas vidrieras están dotadas de tornillos de ajuste situados en la parte inferior de cada extremo de la puerta. Estos tornillos (ilustrados en la figura 10-4) permiten ajustar la posición de las ruedecitas. Elige un destornillador adecuado y atornilla hacia un lado. Después comprueba si las puertas se deslizan más fácilmente. Si el problema se agrava y todavía cuesta más mover la puerta, atornilla hacia el lado contrario. Tras unos cuantos ajustes, la puerta debería deslizarse por el raíl inferior tan suave como la seda.

Mantenimiento de la puerta corredera de un armario

Las puertas correderas de interior a menudo se utilizan para armarios o roperos; incluso, a veces, para ocultar instalaciones como el calentador de agua o las calderas. Puedes desmontar sin problemas los paneles para acceder a lo que hay detrás. Aunque el principio de su funcionamiento es siempre el mismo —puertas equipadas con unas ruedecitas sobre los travesaños superiores que se montan en los raíles de arriba y de abajo por los que se deslizan—, su mecanismo puede presentar algunas variaciones (mira la figura 10-5).

Para que las puertas se deslicen siempre con suavidad, acuérdate de limpiar a menudo los raíles, con un cepillo de dientes y un aspirador, y de engrasar las diferentes piezas de ensamblaje (raíles, guías y ruedecitas). Si las ruedecitas están dañadas, puedes sustituirlas procurándote unos modelos idénticos en cualquier tienda de bricolaje. Algunos sistemas están provistos de tornillos de ajuste, que permiten ajustar el espacio entre las puertas y su raíl.

Si las puertas no se deslizan fácilmente sobre sus soleras (raíles en "U" fijados al suelo), frota una vela por el borde inferior de las puertas. La cera hará que se deslice con suavidad.

Antes de descolgar la puerta, no olvides aflojar los tornillos de ajuste (de altura) en la parte inferior de las puertas sobre las ruedas.

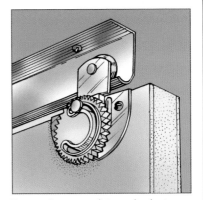

Un raíl simple suspendido con una rueda.

Una rueda con un sistema de ajuste.

Figura 10-5:
Limpia y
engrasa
regular-
mente las
piezas de
ensamblaje
de las
puertas
correderas

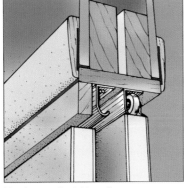

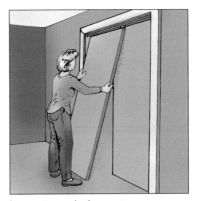

Un sistema de doble raíl.

La puerta puede desmontarse
levantándola.

Mantenimiento de una puerta de garaje basculante

Como las puertas de los garajes están especialmente expuestas a las inclemencias del tiempo, tienes que examinarlas y hacerles una puesta a punto como mínimo una vez al año. La mayoría de las puertas de garaje modernas están formadas por un ensamblaje de paneles que se deslizan sobre carriles-guía, ya sea en horizontal para las puertas de garaje deslizantes, o bien en vertical para las basculantes (observa la figura 10-6).

Utiliza un producto lubricante con pulverizador y un palillo para limpiar y engrasar todos los componentes siguientes:

- ✔ **La combinación de bisagras y ruedas.** Estos elementos se sitúan en los laterales de la puerta entre cada panel. Aplica un poco de aceite de engrasado sobre la ruedecita y la bisagra de cada panel. No le apliques una capa muy gruesa de producto; en vez de hacer que se deslice con más facilidad, las partículas retenidas podrían atascar el sistema y acabar bloqueándolo.

- ✔ **Las bisagras de diferentes secciones.** Aplica un producto lubricante sobre todas las bisagras de los diferentes paneles y acciona la puerta varias veces para que se reparta bien el producto.

- ✔ **El mecanismo de cierre de la puerta.** Vaporiza el producto lubricante en el interior de la cerradura y gira la llave varias veces para repartir el lubricante en el mecanismo. Si la puerta cuenta con una barra de seguridad, aplica también el producto en los puntos por los que se deslice.

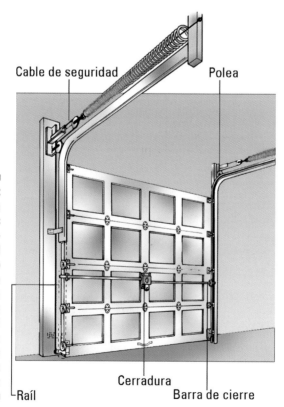

Cable de seguridad   Polea

Figura 10-6:
Engrasa los componentes del mecanismo de abertura de la puerta del garaje una vez al año como mínimo

Cerradura
Raíl   Barra de cierre

✔ Utiliza un aceite con vaporizador especial para el mecanismo de los cerrojos. Al ser más fluido y menos graso, se mantendrá mejor con el tiempo.

Si la puerta de tu garaje está automatizada, comprueba que tiene un mecanismo de seguridad para obstáculos con inversión de la maniobra de cierre.

Si hay piezas mecánicas de acero, mejor lubrícalas con una grasa o un aceite antioxidante. Efecto 2 en 1, ¡una ingeniosa garantía!

Instalación y reparación de cerraduras y cerrojos

Existen dos tipos de instalación de cerraduras y cerrojos: de superficie (o superpuestos) y de picaporte. Las primeras se atornillan a la puerta en la parte interior. Si instalarlas es simple y rápido, también lo es forzarlas: a veces una simple patada puede bastar para arrancarlas. Las cerraduras de picaporte están encastradas. Su colocación es más difícil, pero garantiza una protección más eficaz.

Colocación de una cerradura encastrada

Para encastrar una cerradura en una puerta, sigue estos pasos (puedes verlos ilustrados en la figura 10-7):

1. Señala la ubicación de la cerradura y márcala sobre la puerta. Lo más habitual es ponerla por encima del pomo o a la altura del travesaño central. Sobre una puerta plana, lo normal es que la ubicación esté marcada en el canto.

2. Dibuja en un papel la plantilla del cerrojo y pégala con cinta adhesiva en la cara y el canto de la puerta. Utiliza cinta de carrocero.

3. Marca, con la ayuda de un clavo y un martillo, el centro de los agujeros del cilindro (en la cara de la puerta) y del pestillo (en el canto).

4. Agujerea la puerta con un taladro provisto de una broca (también llamada sierra de perforación) o de una mecha para madera plana del diámetro apropiado.

5. Haz un agujero en el canto para el pestillo.

A. Marca las ubicaciones de los tornillos según la plantilla (paso 3).

B. Haz un agujero para encajar el cilindro (paso 4).

C. Haz otro agujero para que pase el pestillo (paso 5).

D. Delimita con el cúter el perímetro de la placa del canto y marca un pequeño refuerzo con el escoplo de madera (paso 6).

Figura 10-7:
Colocación
de una
pequeña
cerradura
encastrada

E. Inserta el cilindro colocando bien su varilla en el orificio de maniobra del pestillo (paso 9).

6. Con un cúter marca el contorno de la placa del canto.

   Esta placa también debe estar encastrada. Utiliza un cúter para trazar el contorno y entallar la madera por todo el diámetro. A continuación, abre la muesca de encaje con ayuda de un martillo y de un escoplo.

7. Cuando la placa esté ajustada, sujétala en su sitio y utilízala como plantilla para clavar los dos tornillos de sujeción.

8. Antes de instalar la cerradura, rocía los componentes móviles con un poco de producto lubricante.

9. Inserta el pestillo en su orificio, después el cuerpo de la cerradura, prestando atención a la varilla del cilindro y colocándola correctamente en el orificio previsto para ella.

10. Ajusta el cilindro en el interior de la puerta, de forma que los agujeros piloto estén correctamente alineados con las ubicaciones de los tornillos de la parte exterior del cuerpo.

11. Atornilla el cilindro y su placa de fondo.

12. Pasa un poco de tiza (birla a tus hijos un rotulador que pueda borrarse o eliminar con agua) por el canto del pestillo para señalar la ubicación de la muesca en el durmiente. Cierra la puerta y dale una vuelta a la llave para que el pestillo marque el durmiente.

13. Utiliza la placa de la muesca para delimitar el perímetro con el cúter y señala el encaje con un escoplo.

14. Atornilla la placa.

15. Cierra la puerta y haz varias pruebas para verificar la instalación. Si es necesario, afloja los tornillos para reajustar el cerrojo.

Colocación de un cerrojo de superficie

Un cerrojo de superficie, o superpuesto, puede colocarse sin problemas encima o debajo de una cerradura para reforzar su seguridad.

Para colocar un cerrojo de superficie, procede como sigue:

1. Marca la ubicación del cerrojo. Los de refuerzo se suelen colocar encima de la cerradura a 1,7 m del suelo o, si se trata de un tercer cerrojo, debajo de la cerradura.

2. Agujerea la puerta con un taladro provisto de la broca del diámetro adecuado para el orificio de paso del cilindro.

3. Marca, con la ayuda de un clavo y un martillo, las posiciones de los tornillos.

4. Haz los agujeros con la broca correspondiente.

5. Inserta el cilindro y sujeta el cerrojo sobre su placa de fondo con un destornillador.

6. Cierra la puerta para marcar la posición de la muesca que tendrás que montar también superpuesta.

7. Abre un ligero entallado en el durmiente con el escoplo y coloca la muesca. La muesca colocada superpuesta se encastra ligeramente en el armazón de la puerta o de la ventana para que se acople mejor. Clava los tornillos en diagonal y será más resistente.

8. Cierra la puerta y prueba el cerrojo para comprobar que todo está bien. Si es necesario, saca los tornillos y reajusta el cerrojo.

El pestillo debe penetrar en la muesca sin tocar los bordes y, cuando el cerrojo esté abierto, debe quedar a ras del canto del batiente para no entorpecer la apertura.

Accesorios para puertas

Los accesorios para puertas son numerosos y variados, desde picaportes hasta topes, pasando por los tiradores y las aldabas, la gama es lo bastante amplia como para perderse entre los estantes. En este apartado veremos dos de esos accesorios: los topes de las puertas y las barras de umbral.

Instalación de un tope de puerta

Un tope de puerta es una pieza que impide que choque contra la pared o el zócalo. Existen diferentes tipos de topes; además de los modelos más comunes que se fijan al suelo, hay otros que pueden fijarse en el zócalo con la ayuda de un simple adhesivo; estos dos tipos se ilustran en la figura 10-8.

Los topes de zócalo con una cara adhesiva son los más sencillos de instalar. Por su parte, muchos de los topes de puerta que se fijan al suelo van atornillados. Para marcar su ubicación, coloca el tope en el suelo, abre lentamente la puerta hasta que entre en contacto con el objeto que no debe estropear (un aplique, el zócalo o la pared, por ejemplo). Abre la puerta y desplaza el tope de 5 a 10 mm hacia la puerta. Marca la ubicación en el suelo, haz un agujero, pon un taco y atorníllalo.

Figura 10-8:
Dos tipos
de topes,
fáciles de
colocar
que
protegen
la pared

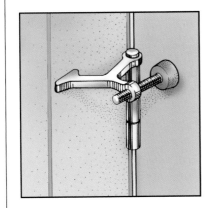
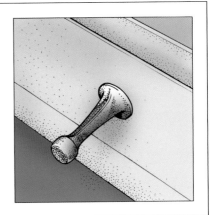

Sustitución de una barra de umbral

El umbral de una puerta es la parte del marco situada bajo la parte inferior de la puerta. Las barras son piezas que protegen esa área y unen los revestimientos que hay a un lado y otro de la puerta. Algunas barras, como la ilustrada en la figura 10-9, frecuentes en las puertas de entrada, están dotadas de una parte ensamblada en aluminio o en vinilo que permite rellenar el intersticio entre la parte inferior de la puerta y el umbral.

Si la barra de umbral de tu puerta de entrada está desgastada, no dudes en sustituirla. Una barra de umbral en buen estado impide la entrada de insectos y puede reducir notablemente las facturas de la calefacción o del aire acondicionado.

Para sustituir una barra de umbral, el primer paso consiste en medir la anchura de la puerta. En las casas antiguas puede ocurrir que la anchura de la puerta y la del umbral no sean exactamente iguales. Compra una nueva barra de umbral del mismo tamaño que la antigua o un poco más grande, porque más tarde podrás cortarla.

Para sustituir una barra de umbral estándar por una barra que lleve una banda ensamblada, sigue los siguientes pasos, ilustrados en la figura 10-9:

1. Arranca todos los clavos y tornillos con unas tenazas, un martillo con punzón de clavos o unas tenazas de carpintero.

2. Retira la barra de umbral. Si la barra no se desliza por debajo de los laterales de las jambas, podrás retirarla sin demasiados problemas. En caso contrario, utiliza una pequeña sierra para cortar los extremos

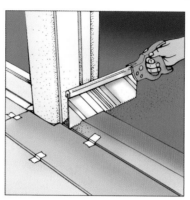

A. Retira los clavos y desmonta el umbral. Si es necesario, córtalo en tres puntos para levantarlo (pasos 1 y 2).

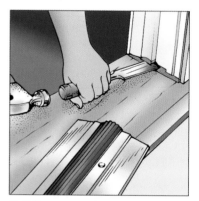

B. Utiliza un escoplo o una sierra para tallar la parte inferior de la puerta (paso 3)

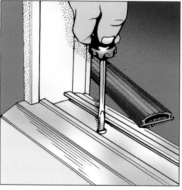

Figura 10-9: Instalación de una barra de umbral estanca

C. Atornilla la barra de umbral e instala la banda para tapar los burletes (pasos 4 y 5).

de la barra. A continuación, retira la parte central y extrae los trozos bajo cada jamba con una palanca.

3. Corta la nueva barra para adaptarla a las dimensiones de la puerta. Corta la parte inferior de las jambas a fin de deslizar los extremos de la barra por debajo con una pequeña sierra o un escoplo.

4. Coloca la nueva barra y fíjala con los tornillos y los clavos que la acompañen.

5. Calafatea las uniones entre los extremos del nuevo umbral y las jam-

bas con masilla acrílica e instala la banda de vinilo en la ranura central de la barra. A veces sucede que, tras la sustitución o colocación de una nueva barra de umbral, tienes que ajustar la parte inferior de la puerta, porque ya no cierra. Para ello, señala la altura de la barra de umbral en la puerta, añade 3 mm a este lado y traza una línea en todo lo ancho de la parte inferior de la puerta.

Desencaja la puerta del quicio, colócala sobre una mesa o unos caballetes y córtala, preferiblemente con una sierra circular. Ten cuidado con los dedos, pero también con los cálculos. Tienes que tener en cuenta el grosor de la puerta, más el de los dientes de la hoja de la sierra, que deberán superar levemente la puerta, es decir, debe quedar a caballo entre la madera que hay que cortar y el vacío. Eso evitará que calientes la hoja de la sierra y, además, te asegura un corte limpio y uniforme sin riesgo de que la madera estalle en todos los sentidos. ¡Si eso sucediera, te tocaría disfrutar de las grandes alegrías de la reconstrucción y el lijado!

Parte IV
Fontanería y electricidad

—Es una carta de agradecimiento del fontanero. Dice que las reparaciones de nuestro cuarto de baño han financiado los estudios de su hijo de los próximos dos años.

En esta parte...

El chiste con el que se inicia esta parte ilustra a la perfección las inquietudes que pueden despertar los problemas con la fontanería; lo primero que pensamos es que las reparaciones serán caras. La fontanería, como todo oficio, requiere unos conocimientos que nadie puede aprender leyendo unas cuantas páginas. No quiero transformarte de repente en el superfontanero, ese tipo con una capa que echa a volar para ayudar a las abuelitas del barrio blandiendo un desatascador y una llave de lavabo. Te propongo que aprendas a solventar los pequeños problemillas. No sirve de nada, por ejemplo, hacer que venga un especialista por un flotador de agua que hace aguas cuando con un simple destornillador podrás repararlo.

Lo mismo sucede con la electricidad y los electrodomésticos. Aunque el objetivo de esta parte no es convertirte en magoelectricista ni en el Terminator de las averías, aprenderás dos o tres cosillas indispensables para reparar las averías más comunes y afrontar las situaciones más eléctricas. ¡Mantente conectado!

Capítulo 11

Fontanería: manual del usuario

L a palabra *fontanería*, que designa el conjunto de instalaciones de agua y de gas de una casa, proviene del término *fontana*, que es sinónimo de *fuente*. En algunos países latinos, también se usa el término *plomería*, derivada del *plomo*, material con el que se fabricaban antiguamente todas las tuberías de las viviendas, si bien luego se sustituyó por cobre. Más recientemente llegó el PVC, poco costoso y fácil de usar.

El término *plomero*, aunque se sigue usando, ya no tiene razón de ser, puesto que ya no se trabaja con plomo. En la actualidad, que somos tan modernos y tan dados a utilizar los términos más políticamente correctos e idóneos para cada cosa se acabó eso de gritar por el interfono "¡Soy el plomero!" o "¡Soy el fontanero!" (¿Quién tiene una fuente en casa?) Ahora ese señor que repara tus conductos es un instalador sanitario.

La mayoría de las urgencias en lo referente a fontanería se deben a una mala utilización o un mal mantenimiento de la instalación. Para evitarte los problemas derivados de tuberías atascadas o heladas, grifos atrancados, inodoros con fugas y otros avatares de la vida doméstica, este capítulo se propone enseñarte a tratar los equipamientos sanitarios como se merecen.

Sin importar que seamos propietarios o inquilinos, todos nos hemos visto obligados un día a llamar a un fontanero. Si no sabes de ninguno, pídeles a amigos, compañeros de trabajo o vecinos que te recomienden uno de confianza. De hecho, es preferible tener localizado un fontanero antes de que se presente una emergencia, en vez de llamar en ese momento al primero que surja.

Lo primero es localizar la llave de paso

La primera precaución que hay que tomar, en lo que respecta a la fontanería, es verificar que todo el mundo en la casa sabe dónde está la llave de paso general. También estaría bien que localizaras las llaves de paso individuales de cada equipamiento (mira la figura 11-1).

Gira con regularidad las llaves de paso. Puede parecer un gesto inútil, pero ellas también, a fuerza de no hacer gimnasia, se oxidan.

✔ La *llave* (o *válvula*) *de paso general* se sitúa en la entrada principal —la tubería por la que el agua llega a la casa— tras el contador o tras el balón regulador de presión, si tienes un pozo. Es fácil comprender

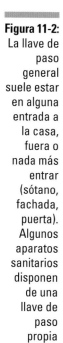

Figura 11-2: La llave de paso general suele estar en alguna entrada a la casa, fuera o nada más entrar (sótano, fachada, puerta). Algunos aparatos sanitarios disponen de una llave de paso propia

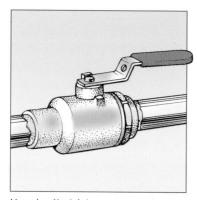

Llave (o válvula) de paso general.

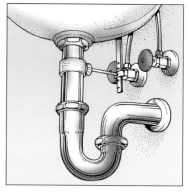

Llave de paso de lavabo (agua caliente y agua fría).

Llave de paso del inodoro.

que, al cerrar esa llave, se interrumpe el suministro del agua en toda la casa.

✔ Las instalaciones recientes disponen también de *llaves de paso individuales* conectadas a los fregaderos y a los inodoros. Permiten trabajar sobre un equipamiento concreto sin tener que cortar el suministro de toda la casa. Las llaves de paso (la de agua caliente y la de agua fría) de los fregaderos o los lavabos suelen estar en el armario del fregadero o debajo de él. La llave de paso de los inodoros se encuentra en uno de los laterales o debajo de la cisterna. También existe la posibilidad de que las llaves de paso estén agrupadas por estancias: en la cocina, por ejemplo, una llave corta el agua de todos los equipos (fregadero, lavavajillas, lavadora, etc.). Lo mismo sucede con el cuarto de baño, donde una llave permite cerrar a la vez el suministro de la bañera y de los lavabos.

✔ En la bodega, o el sótano, encontrarás válvulas de paso para las *llaves de extracción* (llaves de exterior o colocadas en estancias utilitarias como el garaje, los cobertizos de jardín, etc.). Son sencillas llaves de paso de agua fría, fijadas sobre un soporte mural. Según donde vivas, puede que como están en el exterior, o en un recinto sin calefacción, estas tuberías están expuestas al hielo. Por este motivo, en invierno, deben cerrarse y luego purgarse. Encontrarás la llave de paso correspondiente si sigues el recorrido del conducto que lleva hasta la llave de extracción. Corta el agua, luego, vacía la tubería (a través de la llave de purga o abriendo la llave de extracción). Las casas más nuevas disponen de sistemas de protección anticongelante; en ese caso, la llave de paso propia de la instalación se encuentra en el interior de la casa, al final de la derivación unida a la tubería de suministro exterior.

Problemas de evacuación

Complementando las tuberías de entrada de agua, los conductos de evacuación reciben y expulsan las aguas residuales. Con un mínimo de mantenimiento y una pizca de sentido práctico, se puede evitar el problema de un conducto obstruido, fregaderos y váteres embozados o, un escenario catastrófico: una instalación totalmente atascada. Ahora bien, los incidentes ocurren. Si una instalación se emboza, sigue los consejos que te daré a continuación para resolver la situación.

Para evitar problemas, tira agua caliente con regularidad en los sifones del fregadero y limpia frecuentemente la válvula de desagüe del sifón casquillo.

Cómo evitar las obstrucciones

No tendrías que enfrentarte a conductos embozados si aplicaras algunas medidas preventivas sencillas (¡siempre que tus hijos no intenten tirar a su vecinito por la taza del váter, por supuesto!).

✔ **Cocina.** Las obstrucciones del fregadero de la cocina se deben, la mayoría de las veces, a residuos u objetos extraños en el conducto de evacuación. Los fregaderos están dotados de una rejilla de retención que sirve para filtrar los desechos que, por su tamaño, no deben entrar en el conducto. No retires nunca esa rejilla, y tómate la molestia de recuperar manualmente los residuos que se acumulen. No es agradable, pero esa sencilla precaución basta para evitar problemas más graves.

✔ **Cuarto de baño.** Los equipamientos sanitarios del cuarto de baño se embozan por la acumulación de cabellos. Instala rejillas de retención en los desagües de evacuación y límpialas después de cada uso. Encontrarás rejillas de recambio en las ferreterías y las tiendas de bricolaje. Antes de salir a comprar, mide el diámetro del desagüe.

✔ **Secadora.** La evacuación de la secadora es propensa a embozarse por la aglomeración de pelusa. Puedes evitarlo instalando, en la entrada del tubo de evacuación de la máquina, un filtro destinado a atrapar la pelusa acumulada.

✔ **Desagüe principal.** ¿Ya te has enfrentado al hedor, a las molestias y al follón que supone un atasco en el desagüe principal? Si te ha pasado, seguramente estarás de acuerdo con la regla que prescribe una limpieza regular del desagüe principal. La operación requiere la intervención de una empresa especializada. El coste y la frecuencia de las limpiezas dependen de la longitud de la instalación, de la presencia o no de factores agravantes (por ejemplo, árboles cuyas raíces pueden perforar y atascar las tuberías), del número de personas que utilizan la instalación y ¡del número de veces por semana que comáis alubias!

Si viertes con regularidad productos desodorantes en las tuberías y llamas para que limpien con regularidad los desagües y bajantes, ¡te olvidarás de los malos olores!

✔ **Fosa séptica.** La evacuación hacia una fosa séptica no es diferente a un sistema de evacuación hacia el alcantarillado de la ciudad; las medidas preventivas para evitar las obstrucciones son exactamente las mismas. Es necesario, además, controlar los problemas de saturación del campo de distribución subterránea, es decir, todo aquello que contribuye a empapar la tierra alrededor de la fosa: una mala evacuación de las aguas pluviales los días de fuertes precipitaciones, problemas de humedad del subsuelo o la presencia de raíces de árboles. Por último, la regla de oro que hay que respetar en una casa que cuente con una fosa séptica es no tirar por el váter nada que no sea biodegradable: nada de pañales (ni siquiera los desechables), nada de tampones ni compresas de ningún tipo, nada de productos tóxicos, etc. Si llega el caso, cuelga un cartelito para informar a tus invitados. Puedes utilizar un triturador en combinación con una fosa séptica, siempre que el depósito se purgue con regularidad.

Una práctica común en las empresas de construcción poco escrupulosas consiste en vaciar los restos de materiales de construcción en los conductos de evacuación. Estos materiales (los *mejores* son el yeso y la argamasa) son líquidos al tirarlos, pero se endurecen en las tuberías. ¡Imagínate entonces la faena! Por tanto, controla las obras que se realicen en tu casa (sobre todo la fase de limpieza).

Desembozar un fregadero

Si tu fregadero desagua cada vez más despacio o ya no desagua, ten por seguro que está embozado.

La solución inmediata es recurrir al desatascador químico. Lo más difícil en la operación seguramente será elegir cuál de ellos te conviene entre la retahíla de productos en forma líquida, sólida o en gel que encontrarás en los supermercados, las ferreterías y las tiendas bricolaje. Una vez que tengas el bote, todo es muy sencillo. Hay que verter el producto, esperar a que disuelva las impurezas y, por último, enjuagar dejando que corra el agua por la tubería.

Los productos químicos utilizados para desatascar las tuberías y los sifones de PVC pueden estropear las partes de plástico o de goma en los trituradores y provocan graves quemaduras al entrar en contacto con la piel o con los ojos. Antes de verter un producto químico en las tuberías, lee las instrucciones del fabricante con atención y respétalas escrupulosamente. Si la obstrucción no desaparece después de dos o tres intentos, no te quedará más remedio que hacerte con un buen par de guantes porque vas a tener que meter las manos en (uff)... el fango.

Cómo desmontar el sifón

El sifón es un accesorio ubicado bajo el fregadero, entre el desagüe y la tubería. Está pensado para retener permanentemente un poco de agua, que bloquea el ascenso de malos olores del conducto de evacuación. Se reconoce por su forma en S (sifón acodado) o de botella (sifón recto).

Si el desatascador químico no ha acabado con tus problemas, aún queda la solución del desatascador mecánico a través del sifón. Los sifones más nuevos disponen de un tornillo de purga que facilita muchísimo estas operaciones (puedes verlo en la figura 11-2); si no lo tienen, se desenroscan con la mano en un abrir y cerrar de ojos. Si el fregadero es antiguo, será necesario desmontar el sifón entero. Asegúrate de que no sea excesivamente complicado; hay que aflojar las tuercas (o casquillos) de unión que sujetan el sifón con una llave de cremallera o una llave inglesa. Por lo general es posible acabar de desatornillarlo con la mano. Para no estropear la superficie decorativa de las tuercas, protege las mordazas de la llave con cinta adhesiva.

Elimina las impurezas que bloquean el sifón, luego vuelve a montarlo. Aprieta la tuerca con la mano para empezar, asegúrate de que está correctamente colocado y, después, apriétalo con la llave. Suele bastar con darle media vuelta más para evitar cualquier fuga del sifón; no aprietes demasiado.

A veces se aconseja desembozar el fregadero con el desatascador manual de ventosa antes de proceder al desmontaje del sifón. Este método no es el mejor porque hay cierto riesgo de empujar el tapón más adentro en la tubería, es decir, más allá del sifón, de donde ya será difícil sacarlo.

Cómo utilizar un desatascador de ventosa

El desatascador de ventosa es tu amigo (si es tu único amigo, quizá sea el momento de analizar la situación de tu vida). Esta herramienta tan simple puede atrapar un tapón que los agentes químicos no hayan podido disolver despegando la masa de desechos mediante una aspiración brutal.

Si queda un fondo de productos químicos, arréglatelas para vaciar por completo el fregadero antes de volverte loco con la ventosa. Esos pro-

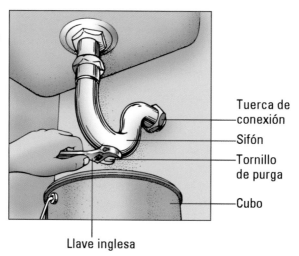

Figura 11-2: Algunos sifones tienen un tornillo de purga, que ahorra desmontarlo todo para acceder a la obstrucción

Tuerca de conexión

Sifón

Tornillo de purga

Cubo

Llave inglesa

ductos son muy corrosivos e incluso diluidos pueden provocar graves quemaduras si te alcanzan las salpicaduras.

Llena el fregadero con el agua suficiente para cubrir la goma de la ventosa. Coloca el desatascador sobre el desagüe (abre antes la válvula de cierre o el dispositivo de bloqueo del desagüe), después aspira vigorosamente con la ventosa haciendo un movimiento de succión: apoya con fuerza la goma sobre el desagüe, después levántalo con un fuerte impulso (mira la figura 11-3). Si la maniobra funciona, lo notarás enseguida, porque el fregadero se vaciará de golpe.

Para garantizar la expulsión del tapón con la ventosa es necesario que todos los orificios del fregadero, sobre todo el rebosadero, estén tapados con un trapo mojado para impedir que pase el aire, que impediría el efecto ventosa.

Gira, gira que te gira...

Si la ventosa no da ningún resultado, habrá que recurrir a tu segundo mejor amigo: el muelle desatascador. Esta herramienta, formada por una varilla metálica en espiral que acaba en una escobilla, es bastante simple de utilizar, pero será necesario que un vendedor te aconseje cuando vayas a comprarla. A diferencia de la ventosa, permite retirar impurezas situadas bastante lejos en la tubería. Para desembozar el conducto, hay que empujar la varilla con un movimiento giratorio, hasta que se encuentre con la masa de desechos y la deshaga. Hay modelos que se adaptan a una taladradora eléctrica y así multiplican por diez la potencia de rotación.

Introduce el muelle desatascador en el desagüe, luego hazlo avanzar forzando un poco al principio para pasar la curva del sifón. Una vez que lo hayas pasado, el progreso es fácil, aunque cualquier resistencia indicará

Figura 11-3:
Hay movimientos de succión y de retroceso (de arriba a abajo y de abajo a arriba) para liberar el tapón

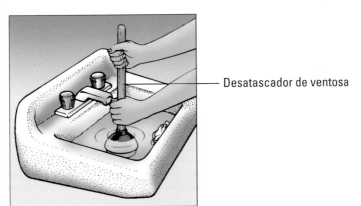

Desatascador de ventosa

que has llegado al elemento que obstruye la tubería. Tienes un esquema en la figura 11-4.

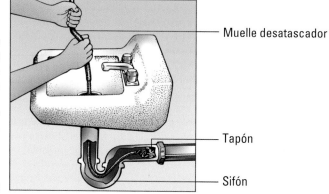

Figura 11-4: Introduce el cable en la tubería girando y empujando para que enganche el tapón

Muelle desatascador

Tapón

Sifón

Gira forzando hasta que la resistencia desaparezca y el cable circule libremente por el conducto. El movimiento rotativo hace que el muelle se enganche a la masa compacta de residuos y la deshaga. Si te parece que el muelle no lo está deshaciendo, empújalo hacia ti y sácalo de la tubería. El tapón debería salir también enganchado en el extremo del muelle. Cuando te hayas librado del tapón, haz que circule agua a mucha presión por el conducto para que arrastre lo que pueda quedar.

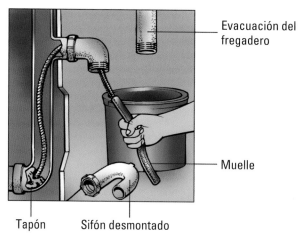

Figura 11-5: Si el origen de la obturación está más abajo, desmonta el sifón e introduce el muelle

Evacuación del fregadero

Muelle

Tapón   Sifón desmontado

Si no consigues hacer bajar el muelle desatascador por la tubería, o si es demasiado corto para llegar a la obstrucción, te interesa desmontar el sifón para poder introducir el cable por esta abertura.

Coloca un cubo debajo del fregadero para recoger en él el agua que caiga (evita cualquier contacto con esta agua, que puede contener restos de producto desatascador). Afloja el tornillo de purga si lo tiene el sifón; después inserta el muelle desatascador en dirección hacia el tapón y hazlo avanzar por la tubería hasta que llegues a la obstrucción. Los sifones antiguos no tienen componentes de purga, así que hay que desmontarlos por completo, aflojando las tuercas que los sujetan; observa con atención la figura 11-5.

Desembozar una bañera

Igual que el fregadero, la bañera también puede embozarse. En cambio, y por desgracia, el sifón de la bañera no se vacía tan fácilmente como el de un fregadero; todos los esfuerzos por desembozar la tubería deben hacerse a través del desagüe.

Aplicación de productos químicos

La medida más rápida para desembozar una bañera es recurrir a los agentes químicos. Vierte el producto en el desagüe y espera el tiempo indicado por el fabricante; después abre el grifo de agua fría y deja que corra para que se enjuague bien. Puede que tengas que repetir el proceso varias veces antes de que el desatascador disuelva lo suficiente el tapón para que la tubería quede despejada. Con cada aplicación, deberías constatar un progreso en el flujo del agua estancada. Este es el método más eficaz para las bañeras, ya que las sustancias que contienen los desatascadores químicos atacan en particular a las proteínas y, por tanto, hacen maravillas con las masas de cabellos acumulados en los conductos, causa principal de las obstrucciones de bañeras.

Utilización de un desatascador de ventosa

Si la química no ha podido acabar con el tapón, recurre a tu viejo amigo el desatascador de ventosa para que venga al rescate. Procede del mismo modo que con el fregadero:

1. Levanta la válvula de cierre. El pequeño accesorio de metal, plástico o caucho que, en condiciones normales, se encarga de retener el agua del baño.

2. Obtura todos los rebosaderos con un trapo húmedo.

3. Haz que fluya suficiente agua para recubrir la goma de la ventosa. Como en el paso 2, se trata de no dejar que ninguna entrada de aire se cargue el efecto ventosa.

4. Coloca la ventosa sobre el desagüe y aprieta; después levántala con fuerza. Sabrás que el tapón se ha deshecho cuando el agua empiece a circular sin problemas.

El recurso del muelle desatascador

Si ninguno de los dos método anteriores ha dado resultado, te queda recurrir al muelle desatascador (échale una ojeada al apartado sobre cómo desembozar un fregadero, "Gira, gira que te gira..").

1. Retira la válvula de cierre de la bañera. Inserta, entonces, el muelle desatascador y húndelo en la tubería hasta que te encuentres con un obstáculo. El paso del sifón siempre es un poco complicado, por su forma sinuosa.

2. Cuando hayas llegado al tapón, fuérzalo con un movimiento giratorio para deshacerlo.

3. Si el muelle no puede pasar el sifón, sácalo y mételo por el orificio del rebosadero. Para ello, desmonta el dispositivo de protección del rebosadero. Si hay tornillos, ten cuidado de que no se caigan por la tubería. ¡Sería el colmo que tiraras objetos en el conducto que intentas desembozar!

4. Desliza el muelle desatascador directamente en el orificio del rebosadero sin pasar por el sifón (como en la figura 11-6). Ten en cuenta que esta táctica no sirve de nada si el problema está en el sifón.

5. Al llegar al tapón, haz fuerza para deshacerlo. Cuando no encuentres más resistencia, sabrás que el conducto está desembozado. Retira el muelle, luego haz que circule el agua con mucha presión para enjuagarlo bien.

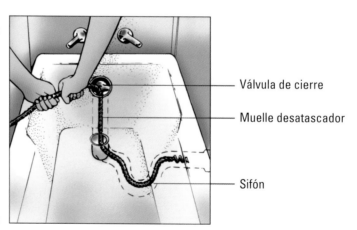

Figura 11-6: Si el muelle no puede deslizarse en la tubería desde el desagüe, pasa por el orificio del rebosadero

Válvula de cierre

Muelle desatascador

Sifón

Desembozar la taza del váter

Así que has accionado la cisterna del váter y lo que pensabas que iba a ocurrir no ha ocurrido. No te lo tomes como algo personal, en lugar de poner mala cara, disfrázate de investigador y observa qué sucede cuando tiras de la cadena:

✔ **Hipótesis 1.** El agua no se evacúa como de costumbre; considérate afortunado, parece ser un problema fácil de resolver.

✔ **Hipótesis 2.** El nivel del agua baja lentamente y apenas se evacúa.

✔ **Hipótesis 3.** El nivel del agua apenas baja (más bien nada), después sube por encima del nivel habitual. En el peor de los casos, el agua continúa subiendo desborda la taza e inunda el lavabo. ¡Socorro!

Moraleja: si ves que el agua sube más allá del nivel normal, no vuelvas a darle al botoncito, porque te arriesgas a provocar una inundación.

Si tu inodoro te juega una de esas malas pasadas, significa que está completa o parcialmente embozado (¡qué deducción!). Estos son los tres recursos que tienes:

✔ Tu amiga la ventosa, que podrá entrar en acción una vez más.

✔ El tubo flexible versión especial para inodoros.

✔ El muelle desatascador.

Antes de iniciar la misión de desembozado, enjuga el agua (y los residuos, si los hay) que hayan podido desbordarse de la taza. No olvides que los residuos que salen de los inodoros son verdaderas bombas de microbios. Limpia bien la zona, las manos y la ropa con un desinfectante.

El desatascador de ventosa de mango largo

Si no existe, ¡habrá que inventarlo! La ventosa especial para inodoro está dotada de un mango largo que permite hundir y accionar el accesorio sin salpicarlo todo y sin llenarte de agua hasta los codos (¡puaj!). El truco consiste en colocar correctamente la goma, que debe cubrir todo el agujero de evacuación al fondo de la taza. No es muy fácil, pero no debe pasar absolutamente nada de aire para poder hacer un verdadero efecto ventosa. Cuando todo esté en su sitio, presiona con suavidad por el mango y luego tira con un golpe seco para generar la aspiración que debe desalojar la masa de desechos (mira la figura 11-7).

Dicho esto, no estás obligado a invertir en el Rolls Royce de las ventosas para inodoros; si la usas con un buen par de guantes, tu pequeña ventosa de cocina también puede valer. Se trata de no ser demasiado aprensivo.

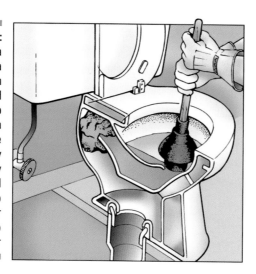

Figura 11-7: Aplica la ventosa con suavidad pero firmeza en el fondo de la taza y levanta y baja el mango para crear el efecto aspirador

El tubo flexible especial

Un método un pelín más agresivo consiste en utilizar un tubo flexible especial para baños. Es una especie de muelle desatascador, más corto que los modelos utilizados para los fregaderos; accionado manualmente, gira y avanza por el sifón de la taza para limpiar la masa que obstruye la evacuación. Inserta el tubo flexible hasta el fondo del inodoro, gira enseguida con suavidad la manivela para deshacer el tapón (mira la imagen cortada de la figura 11-8).

Comprendo que la idea de pedir un tubo flexible para desembozar el inodoro como regalo de Navidad no te entusiasme mucho. Sin embargo, imagínate qué suerte tenerlo a mano el día que se te presente un problema de ese tipo. Sobre todo, porque esta herramienta poco costosa está especialmente estudiada para desembozar los sifones de los inodoros, ya que, justamente, es en el sifón donde se producen la mayoría de los atascos. Te aconsejo que hagas esa inversión antes de encontrarte con el problema y verte obligado a explicarles a tus invitados que no se puede usar el baño.

La artillería pesada

Si tu tubo flexible no ha logrado vencer al tapón, probablemente será porque está alojado bastante lejos en el conducto, más allá del sifón. El radio de acción del tubo flexible, es el sifón; no llega más lejos. Por tanto, será necesario llamar a otro especialista del desembozado: el muelle desatascador, siempre a tu servicio.

Asegúrate de que la cabeza del accesorio pasa por el codo retorcido del sifón. Debes saber que hay algo peor que un váter embozado: ¡un váter embozado con un muelle desatascador atrancado dentro!

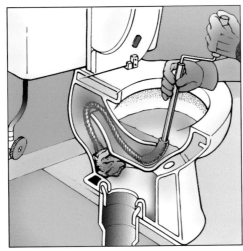

Figura 11-8:
Utiliza un tubo flexible especial para deshacer el tapón del sifón de la taza

Haz avanzar el muelle desatascador por el inodoro hasta que se encuentre con el elemento obstructor. Sabrás que has alcanzado el objetivo cuando te resulte difícil girar el cable y este no avance ni un milímetro más. En ese momento, haz retroceder el muelle unos centímetros para desenganchar la masa de desechos. El nivel del agua debería descender, señal de que el conducto se ha desembozado. Acciona entonces la cisterna para que el intruso se vaya por el conducto principal hacia, esperamos, la alcantarilla o a la fosa séptica.

Si la masa en cuestión es un objeto entero, como un pañal desechable, un pato de plástico u otro similar, es posible que tengas que sacarlo enganchado del extremo del muelle para retirarlo de la taza del váter. A veces, es la única opción para desembozar el conducto. ¡Ánimo!

Desembozar el conducto de evacuación principal

Puede suceder que el atasco esté tan lejos del equipo sanitario, que sea imposible alcanzarlo con un muelle. Si lo has introducido todo lo que da de sí su longitud, lo más lejos posible, y aun así, no has alcanzado el tapón, el último recurso antes de llamar al fontanero es intentar desembozar la tubería de evacuación principal.

La evacuación principal (conducto de un gran diámetro, en amianto-cemento, cobre o PVC) suele tener un tapón de desembozado situado en el punto donde el conducto penetra en el subsuelo de la casa o en el punto donde traza un ángulo de 90° para atravesar la pared y unirse a los bajantes.

El tapón de desembozado puede estar pensado para permitir la inserción de un muelle desatascador en caso de obstrucción de la instalación (mira la figura 11-9). Una observación: es muy probable que el tapón esté absolutamente atascado (a excepción del caso del cobre). Los fontaneros, acostumbrados a este tipo de contratiempos, no se andan con tonterías y sin más rompen la protección del tapón. Si eres un principiante de la fontanería, esta medida puede parecerte un poco extrema. Otro detalle que debes tener en cuenta antes de lanzarte salvajemente sobre la tubería: puede contener agua que esté esperando la ocasión de lanzarse a tu cara.

Ahora, si sigues dispuesto a hacerlo (confiésalo, a ti lo que te hace más ilusión es romper el material), compra otro tapón de desembozado antes de retirar (es decir, destrozar) el que está puesto. Piensa que tendrás que volver a cerrarlo cuando hayas resuelto el problema. Una vez que la tubería esté abierta, basta con deslizar el muelle para intentar sacar el elemento obstructor.

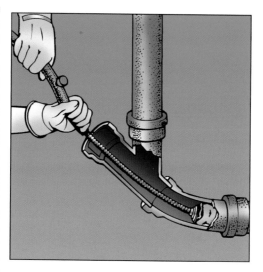

Figura 11-9: El tapón de desembozado de la tubería de evacuación permite sacar un tapón al que no se llega desde el váter de un equipamiento sanitario

Desembozar un grifo obstruido o sucio

Los grifos nuevos están provistos de un dispositivo muy práctico llamado difusor (como el de la figura 11-10). Se trata de un pequeño tamiz que regula el flujo del agua y evita las salpicaduras cuando el chorro choca con un objeto. Sin él, tu grifo parecería una manguera contra incendios.

Como el agua es calcárea, el difusor se obstruye con frecuencia; el caudal es irregular y el chorro sale hacia todos los sentidos. Este pequeño inconveniente es muy fácil de solucionar:

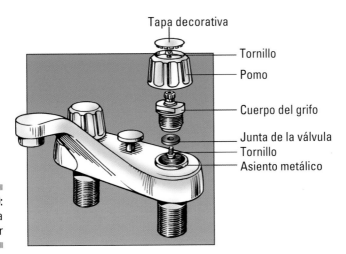

Tapa decorativa

Tornillo

Pomo

Cuerpo del grifo

Junta de la válvula
Tornillo
Asiento metálico

Figura 11-10:
Anatomía
del difusor

1. Desenrosca la parte situada en el extremo del grifo. Por lo general se trata de un manguito con rosca. Si tienes que forzarlo con unas tenazas, protege el manguito con un trapo o con cinta adhesiva.

2. Desmonta el dispositivo prestando atención al orden de los elementos para la fase posterior del montaje.

3. Pon el tamiz bajo el agua para limpiar la cal. Si eso no basta, calienta un poco de vinagre en una olla y mete el tamiz a remojo unos instantes.

4. Vuelve a montar el dispositivo prestando atención al orden de las piezas. El caudal de agua debería verse claramente mejorado.

¡Adiós a las fugas!

El ruido repetitivo de un grifo o de una taza de váter que tiene una fuga puede ser insoportable, sin contar con que la factura del agua también se resentirá. En este apartado aprenderás a reparar las fugas más comunes que afectan a los grifos, las tuberías o incluso a los inodoros.

Un trozo de cordel anudado entre la fuga y el punto de impacto del agua permite atenuar el ruido de las gotas mientras llega el momento de repararlo.

Reparación de un grifo que tiene una fuga

El ruido incesante de las gotas que caen de un grifo puede convertirse en una verdadera tortura para los nervios, ¡aunque sea la señal de que la conducción de agua funciona!

Antes de cualquier intervención sobre un grifo, corta el suministro de agua del fregadero (agua caliente y agua fría). Puedes cortar solo la del lavabo si dispone de llaves de paso individuales; también es posible cortar la de los grifos cerrando el suministro de toda la habitación; o cerrar directamente la llave de paso general (repasa el primer apartado de este capítulo).

Fuga por el prensaestopas

Las llaves de extracción y las llaves de paso están constituidas por una parte fija, el cuerpo de la llave, y una parte móvil, la cruz, que es la cabeza que se gira hacia un sentido o hacia el otro para permitir el paso del caudal o cortarlo. Debajo de la cruz se sitúa una tuerca llamada prensaestopas. El nombre viene de la estopa que, en las antiguas llaves, daba estanqueidad a la conexión. Actualmente, la estopa se ha sustituido por una junta, pero eso no quita que uno u otro puedan tener fugas.

Empieza por desenroscar la tuerca prensaestopas con una llave inglesa o una llave plana sin forzar demasiado. Abre la entrada de agua y verifica el resultado. A veces, esta operación puede bastar para resolver el problema. Si sigue habiendo una fuga, vuelve a cortar el agua y sigue los pasos que te especifico a continuación:

1. Desenrosca la tuerca prensaestopas sujetando la parte baja del grifo con otra llave para evitar desatornillarlo.

2. Cuando el prensaestopas esté totalmente desenroscado, retira la estopa que haya, o la junta, si es eso lo que tiene. Para coger la estopa, fabrícate un pequeño gancho con un hilo de hierro, por ejemplo. Si el grifo es reciente y si está provisto de una junta, extráela desmontando la cruz.

3. Añade estopa nueva untada de pasta de estanqueidad (o cinta de teflón) o coloca una nueva junta.

4. Vuelve a colocar el prensaestopas. Empieza por enroscarlo con la mano, después acaba de apretarlo con una llave.

Siempre va bien tener algunas hebras de estopa, o cinta de teflón, o juntas de recambio guardadas para evitar que te coja por sorpresa y tengas que salir corriendo a la tienda cuando se presente el problema.

Fuga en un grifo de válvula

Existen dos tipos principales de grifos: los grifos de válvula y los grifos de cartucho cerámico. Una fuga en la válvula (veremos el tema de los cartuchos cerámicos más adelante en este apartado) significa que la junta de la parte móvil que, según el movimiento de la manilla del grifo, abre o cierra el paso del agua, está estropeado. Con mucha menos frecuencia, la fuga procede del asiento metálico en el que se inserta el cuerpo del grifo. Teniendo en cuenta que esta parte está protegida por una junta, puede que esté gastada y que el roce de metal contra metal haya roído el soporte o que el asiento esté corroído o sucio.

Para cambiar la junta de una válvula, procede del modo siguiente (ve siguiendo la figura 11-11):

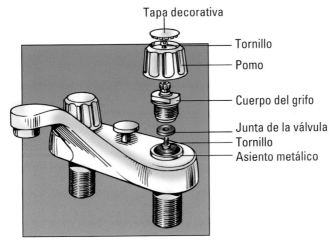

Tapa decorativa
Tornillo
Pomo
Cuerpo del grifo
Junta de la válvula
Tornillo
Asiento metálico

Figura 11-11:
Partes constitutivas de un grifo con válvula

1. Corta el agua y pon el grifo en posición abierta. A continuación, levanta la tapa decorativa del grifo; según su configuración, tendrás que desenroscarlo o hacer que salte.

   Protege el fregadero con una toalla de rizo para no estropear el revestimiento si un pomo o una herramienta se te resbalan de las manos.

2. Suelta el pomo del grifo. Si se resiste, puedes despegarlo delicadamente con un destornillador. Protege la herramienta con un trapo para no estropear la superficie del pomo.

3. Desenrosca el cuerpo del grifo. Afloja la tuerca con una llave inglesa o una llave plana. No la fuerces demasiado porque te arriesgas a torcer todo el mecanismo. Aplica unas gotas de desatascador, espera a que haga efecto y después inténtalo de nuevo.

4. Termina de soltar el cuerpo del grifo, luego sácalo completamente de su asiento; en el extremo se encuentra la válvula.

5. Retira y sustituye la junta gastada. Te conviene ir a la ferretería de la esquina con la junta en el bolsillo para comprar una idéntica. Incluso puedes llevarte todo el mecanismo, porque si está muy gastado, será necesario cambiarlo entero.

6. Vuelve a montar el grifo y asegúrate de que está en posición de cerrado. Abre el suministro del agua y haz una prueba.

Si el grifo sigue perdiendo después de todo esto, la fuga proviene del asiento de la válvula, que puede estar corroída o sucia. En ese caso, tendrás que agenciarte un pequeño artilugio que se llama *rodador* y volver a poner en forma el asiento metálico de la válvula siguiendo las instrucciones que acompañan a la herramienta.

Intervención sobre un grifo de cartucho cerámico

Los grifos de cartucho cerámico son la bomba. La válvula de caucho se sustituye por un cartucho cerámico que regula el caudal del agua con una extrema precisión y garantiza la estanqueidad perfecta del mecanismo. La cerámica es un material que no se desgasta y es insensible a la cal.

Si tienes que cambiar el cartucho de un grifo de un solo orificio de cartucho cerámico, debes proceder de la siguiente manera (ve mirando la figura 11-12 para identificar las partes):

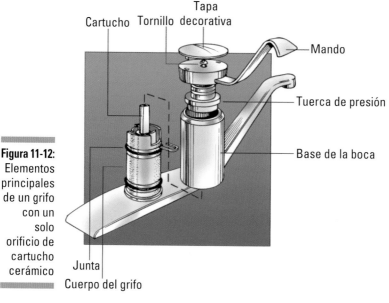

Figura 11-12: Elementos principales de un grifo con un solo orificio de cartucho cerámico

1. Retira el mando. Para ello, levanta la tapa decorativa del mando para dejar a la vista el tornillo que lo sujeta. Afloja el tornillo, retíralo y después separa el mando del resto del conjunto.

2. Retira la base de la boca desenroscando la tuerca de presión. Solo se puede en los grifos cuya base puede moverse.

3. Retira el cartucho y cámbialo. Si no logras sacarlo, vuelve a montar el mando, que te permitirá sujetarlo mejor para extraer el cartucho. Llévate el cartucho a la tienda para comprar otro del mismo modelo.

4. Vuelve a montar el grifo

Vuelve a colocar el cartucho en el sentido correcto, ya que este influye en el suministro del agua caliente y el agua fría. Normalmente, se gira el mando del grifo hacia la derecha para el agua fría y hacia la izquierda para el agua caliente. Si cambias la posición del cartucho, cambias también la posición del agua caliente y el agua fría; ¡un poco molesto!

Reparación de una fuga en una tubería

Plomo, acero, cobre, PVC, los materiales utilizados para las tuberías son muy diversos; sin embargo, su punto en común es que todos tienden a tener fugas. Incluso un hilillo de agua, que se escape gota a gota, debe tratarse sin demora. Es la señal de que se prepara una fuga más importante.

Actúa muy rápido si detectas el más mínimo signo de humedad en el interior de la habitación. El olor a moho, y no digamos las manchas de humedad en la pared o en el techo, pueden advertir de una fuga en una tubería encastrada.

Antes de empezar con la reparación, tienes que cortar el agua y drenar la instalación para poder trabajar en las tuberías sin que el agua circule por ellas. Todos los conductos de suministro de agua de la vivienda están conectados con el conducto de entrada principal, alimentado por el agua de la ciudad o por tu pozo. Corta el agua cerrando la llave de paso general, como ya te he explicado en el primer apartado de este capítulo.

Informa a la familia de cuándo tienes previsto trabajar en las tuberías. No tienes ninguna necesidad de que alguien accione la cisterna en el momento en que estés taponando una fuga. Puedes hacer una cruz con cinta adhesiva sobre la taza del váter si tu familia es despistada.

Para reparar una fuga en un conducto de agua de plomo, es posible taponarla con un martillo. Para acabar con ella basta con golpear el metal hasta que el agujero de la fuga quede cerrado. ¡Fácil, aunque solo es una solución provisional!

Fuga en plena tubería

En contra de lo que se pueda pensar, las fugas en plena tubería no son las más difíciles de reparar. Existen, de hecho, piezas de reparación adaptables a la mayoría de los tubos. Se trata de un manguito grueso que envuelve el diámetro del conducto y se fija mediante diversos dispositivos de presión (tornillos, abrazaderas o tuercas). Primero, tienes que poner una junta de estanqueidad, generalmente incluida en el kit de reparación, antes de instalar la pieza de conexión y después apretarla (observa la figura 11-13).

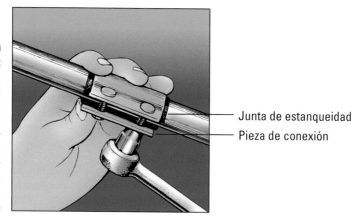

Figura 11-13: Una pieza de conexión permite reparar una fuga rápida y fácil- mente

Junta de estanqueidad
Pieza de conexión

Estas piezas de conexión que se colocan tan rápido pueden durar diez años. No obstante, hay que evitar contar con ellas tanto tiempo y considerar el taponado como algo provisional. No se trata, en ningún caso, de una reparación definitiva.

Fuga en las juntas de unión

Si la fuga se encuentra en las juntas de unión, hay una pequeña posibilidad de que puedas arreglarlo tú sin tener que llamar al fontanero. El taponado se realiza con masilla a base de resina de epóxido que se endurece a cierta temperatura cuando se mezcla con un endurecedor. La reparación es provisional y se aplica únicamente sobre acero galvanizado o cobre.

Corta el agua antes de empezar, después abre un grifo para drenar la tubería. Sigue escrupulosamente las indicaciones del fabricante; deberían ser más o menos estas:

1. Seca bien la parte que se va a reparar. La pasta no se pegará sobre una superficie húmeda. Si no has cortado el agua, avisa para que nadie use los equipamientos sanitarios alimentados por este conducto.

Cuándo hay que llamar a un fontanero

Poca gente se alegra de invitar a un fontanero a que se desplace hasta su domicilio. No obstante, un conducto o una junta de un conducto con una fuga de proporciones importantes, o dicho de otro modo, que vaya más allá de algunas gotas, debe valorarla un profesional. Ten claro que las fugas no se arreglan solas. Peor aún, tienen la fastidiosa costumbre de agravarse.

Aparte de encontrar uno bueno, la dificultad principal cuando se llama a un fontanero está en describir bien el problema para que el profesional pueda llevar el material necesario para la reparación y, así, pierda el mínimo tiempo posible. La fontanería aborda asuntos muy diversos y variados, como las tuberías.

Los arreglos que pueden hacerse en tuberías antiguas son precisos y difíciles en sí mismos. Para reparar de forma permanente una fuga en el cobre o el acero galvanizado, normalmente es necesario sustituir una pieza entera. Ahí es donde surge el problema de la estanqueidad. Añadir un trozo de tubería es una cosa, pero hacer que quede bien soldado, como si hubiera formado parte desde siempre de la instalación, es otra. El PVC es más fácil de reparar, pero también tendrás que llamar a un profesional.

2. Si la parte que vas a reparar está oxidada, frótala con tela esmeril.

Los pasos 1 y 2 tienen el objetivo de facilitar el pegado de la resina.

3. Mezcla la resina y el endurecedor, luego tapona la fuga. Para saber las proporciones, consulta las instrucciones del fabricante.

No se aconseja hacer la reparación a una temperatura inferior a 10 °C.

4. Deja secar. Cuando el retoque esté perfectamente seco, vuelve a abrir el agua y haz una prueba abriendo un grifo conectado a la tubería.

Bueno, también puede ser que esto no funcione, dependiendo de la envergadura de la fuga y de la presión de la instalación. Si ese es el caso, llama al fontanero.

Cómo descongelar una tubería

La mejor forma de evitar que una tubería se congele es protegerla contra el frío. En invierno, los conductos situados en el exterior o en lugares sin calefacción pueden congelarse, es decir, estallar en la medida en que, a cantidades iguales, el hielo ocupa un volumen mayor que el agua. Aquí tienes algunos consejos para evitar este problema:

Protege la tubería. Existen un montón de materiales que permiten mantener calientes tus tuberías (manguitos de espuma, trenzados, revestimientos de lana de vidrio y similares).

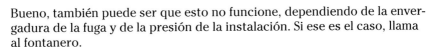

(cont.)

(continuación)

Deja que el agua circule continuamente en las instalaciones sanitarias cuyas tuberías pasen por lugares sin calefacción. Al agua corriente le cuesta más congelarse que a la estancada.

En los cuartos de baño y las cocinas situadas en las habitaciones orientadas al norte, abre las puertas de los armarios que tapen las cañerías. Eso permite que el aire ambiental de la estancia circule alrededor de las tuberías.

Si una de las tuberías se congela, puedes hacer que entre en calor con un secador de pelo o un decapador térmico. Antes de empezar, abre uno de los grifos de la tubería para dejar escapar el vapor generado por el recalentamiento del agua atrapada en el conducto. Pasa enseguida la fuente de calor cubriendo una gran superficie sin insistir en un punto en particular para evitar un exceso de presión. Ten paciencia, la tubería acabará recalentándose, pero va bien si operas poco a poco para no dañar la instalación.

Si realizas tú mismo la reparación, es conveniente que después verifiques frecuentemente la conexión. La pasta de reparación se puede deteriorar y la fuga volverá. Debes saber que la masilla es menos segura que las piezas de conexión de las que te he hablado al principio del apartado.

Reparar inodoros que pierden

Un pequeño charco alrededor del zócalo del inodoro es la señal de que la unión entre la taza del váter y el conducto de evacuación está dañada. Según el tipo de instalación, se encuentran dos clases de uniones: la junta de mortero o de masilla para una conexión vertical (al suelo) o la conexión de plástico que se empotra en el bajante para una unión horizontal (a la pared).

Para cambiar esta junta, será necesario mover la taza, tarea que quizá exija que recurras a la ayuda de alguien forzudo.

Para no molestar demasiado a los habitantes de la casa, compra todo lo que necesites antes de empezar la reparación. Eso te permitirá tener el inodoro fuera de servicio menos tiempo.

Como es costumbre en las reparaciones de fontanería, empieza por cortar el agua, ya sea por la llave de paso del inodoro o por la general (repasa, si lo necesitas, el primer apartado de este capítulo).

Una vez tomada esta precaución, procede del modo siguiente:

1. Acciona la cisterna para vaciar el depósito.

2. Saca toda el agua que puedas. Utiliza primero una tacita, después

enjuga el resto con una esponja. No te pongas en plan remilgado. ¡Esa agua está limpia!

3. Con un pequeño recipiente, vacía la taza del váter. Saca toda el agua que puedas. Ahí, en lo que respecta a la higiene, el agua de la taza deja mucho que desear, así que ponte guantes y lávate las manos con un desinfectante cuando acabes.

4. Desmonta la conducción de agua del depósito de la cisterna. Coloca un recipiente debajo de la llave de paso del inodoro para recoger el agua que pueda salir, luego desenrosca la conducción del agua, es decir, el tubo que lleva el agua hacia la cisterna. Retira por completo ese tubo para que no se deforme o pliegue cuando desplaces el asiento.

5. Separa el depósito de la taza. El depósito está sujeto a la taza con unos grandes tornillos incrustados en el asiento; están fijados por unas tuercas a las que se accede por debajo del asiento (mira la figura 11-15).

6. Levanta el depósito y sácalo. Si está empotrado en la pared y unido a un tubo sujeto con grandes tuercas (bajante de la cisterna), ¡no lo arranques de la pared! Basta con desmontar el bajante de la cisterna.

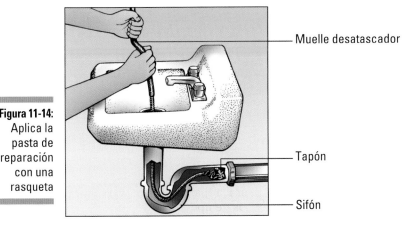

Figura 11-14:
Aplica la
pasta de
reparación
con una
rasqueta

Muelle desatascador

Tapón

Sifón

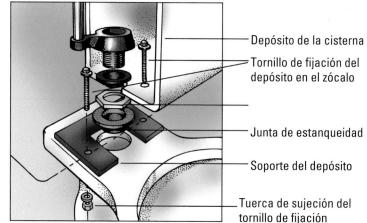

Figura 11-15:
Depósito
que puede
levantarse
fijado a la
taza

Depósito de la cisterna

Tornillo de fijación del
depósito en el zócalo

Junta de estanqueidad

Soporte del depósito

Tuerca de sujeción del
tornillo de fijación

7. Afloja las tuercas que sujetaban la taza al suelo. Normalmente hay un tornillo en cada lado del zócalo. Pueden estar ocultos por una tapa decorativa que debes hacer saltar.

8. Desplaza la taza. Tira de la taza con un movimiento de balancín de izquierda a derecha para liberarla del conducto de evacuación rompiendo la junta que la fija (observa el esquema de la figura 11-15).

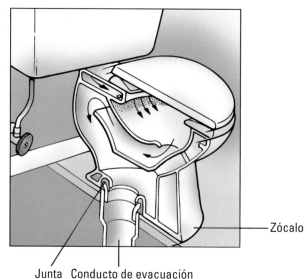

Figura 11-16:
La junta
que hay
que
sustituir
une el
zócalo con
el
desagüe.
En este
caso, es
una
conexión
con el
suelo
(conexión
vertical)

Zócalo

Junta   Conducto de evacuación

Aunque pierda, podría ser que la junta que une la taza con el conducto esté todavía en muy buen estado y, en ese caso, es probable que tengas que recurrir a un gran forzudo para mover la taza. Pase lo que pase, no intentes despegar el inodoro con una palanca. Solo conseguirías estropear la porcelana o resquebrajar el asiento.

9. Rasca la junta existente. Limpia bien cualquier rastro de masilla o de cemento.

10. Coloca la junta; vuelve a colocar el asiento. Según la instalación se tratará de una junta de plástico, de una junta de masilla o de una junta de mortero. Según la unión tendrás que levantar la taza y dejarla descansar sobre la junta en el suelo (conexión vertical), o volver a poner la taza en su sitio levantándola y hundiendo la junta blanda en el conducto de evacuación (conexión horizontal).

Aún existe otro tipo de conexión, llamado *conducto de evacuación de 90°*. Es un dispositivo que permite unir una salida horizontal con una pieza vertical, es decir, cuando la salida del inodoro está situada detrás del zócalo y debería estar unida, por lógica, a la pared (conexión horizontal), pero la entrada del conducto de evacuación está situada en el suelo (y necesita una conexión vertical). Este tipo de conexión puede ser el más apropiado para tu instalación, coméntalo con el vendedor.

11. Vuelve a colocar los tornillos que fijan la taza en el suelo. Intercala anillas de caucho entre cada cabeza de tornillo y la cerámica. Aprieta bien sin pasarte para no romper el asiento.

12. Coloca un nivel de burbuja transversalmente en la taza y verifica el equilibrio del inodoro. Si no está bien equilibrado, compensa el vacío con una pequeña cuña de madera o tapona con el mortero de cemento.

13. Vuelve a montar el depósito o el bajante de la cisterna. Aprovecha que lo has desmontado para inspeccionar las juntas de estanqueidad de los dispositivos y, si es necesario, cámbialas.

14. Abre el paso del agua de nuevo. Y con esto, ya está.

Cómo reparar una cisterna que pierde

Una cisterna que pierde sin parar es un verdadero incordio sonoro. También es un despilfarro totalmente inútil, además de un pozo sin fondo financiero.

¡Anda! ¿Te ha entrado la vergüenza? Quizá ahora ya estés dispuesto a realizar esta reparación que solo requiere, en cuestión de herramientas, un destornillador. Nada más.

Empieza observando el mecanismo de la cisterna después de haber retirado la tapa del depósito (hay que cogerla y levantarla). Déjala en algún sitio plano y seguro, donde no haya riesgo de que se caiga o te estorbe. Acciona el dispositivo de activación de la cisterna —es decir, la varilla que se levanta cuando la pones en marcha— y observa atentamente el baile que tiene lugar ante tus ojos. Los componentes están ilustrados en la figura 11-16.

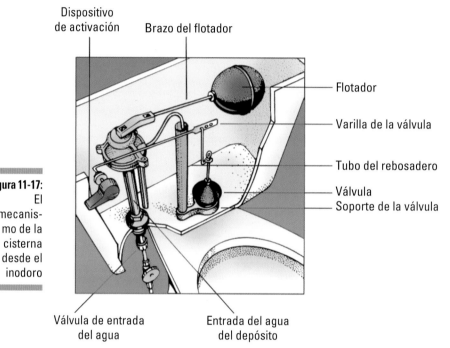

Dispositivo de activación

Brazo del flotador

Flotador

Varilla de la válvula

Tubo del rebosadero

Válvula

Soporte de la válvula

Figura 11-17: El mecanismo de la cisterna desde el inodoro

Válvula de entrada del agua

Entrada del agua del depósito

1. La varilla de la válvula que tapa la salida del depósito levanta la válvula de su soporte y permite la evacuación del agua en los inodoros.

2. A medida que el depósito se vacía, una bola, el flotador, desciende siguiendo el nivel del agua.

3. El descenso del flotador provoca, por contrapeso, la abertura de la válvula de entrada de agua de la cisterna. No hace falta ser ingeniero para comprender que, entonces, el depósito se llena de agua, a través del conducto de entrada de agua.

4. El nivel del agua sube y con él también el flotador, que provoca el cierre de la válvula de entrada de agua. El depósito está lleno.

Cuando la cisterna no deja nunca de soltar agua, puede deberse a cualquiera de esos elementos. A continuación indico algunas verificaciones que debes hacer y las reparaciones que puedes llevar a cabo:

✔ **El flotador hace de Titanic.** Para poder interpretar bien su papel, el flotador debe flotar. ¡Eso es de cajón! Si está estropeado, tiene poros o está pinchado, se hunde. En este caso, es necesario desmontarlo (como en la figura 11-17) y llevarlo a dar una vuelta por la tienda de bricolaje para comprar uno del mismo modelo.

✔ **El flotador tiene el brazo demasiado largo.** Puede que el brazo del flotador sea demasiado largo, lo cual retrasa el momento en el que se detiene el llenado. Tal como puedes ver en la figura 11-18, dobla un poco el brazo hacia abajo para aumentar la presión ejercida sobre la válvula de cierre de la entrada de agua del depósito.

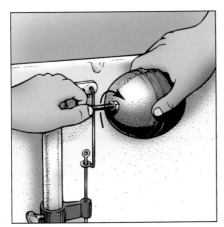

Figura 11-18:
Sustitución
de un
flotador
defectuoso

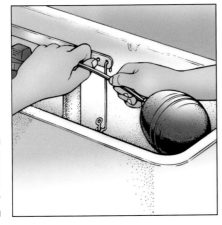

Figura 11-19:
Flexión del
brazo del
flotador

✔ **La varilla de subida de la válvula tiene reuma.** Esa varilla podría estar oxidada o atascada, lo que hace que la válvula no encaje en su soporte y no bloquee el flujo de agua hacia el inodoro. El flotador permanece siempre en una posición baja y el depósito no se llena. Cuando no consigas volver a colocar correctamente el dispositivo de activación de la cisterna y te veas obligado a jugar un poco con el mecanismo, casi seguro que el problema viene de ahí. Ese defecto puede ser también la causa del fenómeno inverso de la fuga, es decir, que la cisterna deje de funcionar, porque no se llena el depósito. Para resolver el problema accede a la varilla y arréglala.

✔ **La entrada del agua es quien monta el follón.** Esto ya son palabras mayores. Esta reparación debes dejarla en manos de tu experto fontanero.

Si todos estos consejos no te han permitido acabar con el lío de la cisterna, es prudente llamar a un profesional, que quizá pueda arreglarlo o te proponga cambiar el depósito.

Consideraciones antes de cambiar un grifo

Antes de instalar un grifo nuevo, debes tomar todas las medidas necesarias y apuntar hasta el más mínimo detalle en lo que respecta a la instalación. Estos datos de configuración son esenciales para elegir un grifo del mismo tipo al que vas a retirar. Es necesario, por ejemplo, tomar la medida del espacio entre los ejes de entrada de agua caliente y de agua fría. Si puedes ir a la tienda con el grifo antiguo, será bastante sencillo. Si no, mide a partir del centro de uno de los mandos hasta el centro del otro (tal como se muestra en la figura 11-19).

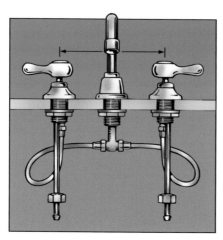

Figura 11-20: Mide la distancia entre los grifos tomando el centro de los mandos como referencia

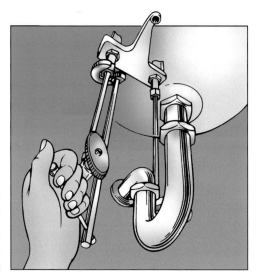

Figura 11-21:
Llave
especial
de lavabo

La medición es un poco más complicada cuando los dos grifos no están separados. Hay que localizar por debajo del fregadero, detrás del sifón, un punto al que que cuesta acceder y que es muy poco práctico para trabajar. Las obras de grifería se caracterizan, de hecho, por los problemas de acceso; siempre es necesario rasparse la piel de los brazos para llegar a rincones imposibles. ¡Maniobrar con herramientas que se usan en otros dominios a veces es una misión imposible!

Por suerte, hay herramientas especiales, creadas a propósito para los trabajos de fontanería. Cuando compres los grifos, recurre al asesoramiento del vendedor; explícale la configuración de tu instalación para ver si hay alguna herramienta que pueda facilitarte la tarea, como la llave especial de lavabo (representada la figura 11-20), que es una llave articulada que permite apretar y aflojar las tuercas empotradas debajo de los grifos.

Si quieres retirar un fregadero o un lavabo, no siempre es útil desmontar primero la grifería. Verifica si no será más fácil desconectar simplemente las entradas y el sifón, y sacar el fregadero y los grifos en un solo bloque.

La instalación de un grifo no es demasiado complicada, pero puede variar de un sistema a otro; pide que te lo expliquen bien en la tienda. El procedimiento es, en grandes líneas, el siguiente:

✔ Cerrar la entrada de agua que alimenta al dispositivo sanitario correspondiente (es un asunto tratado al principio de este capítulo).

✔ Desmontar y retirar la grifería antigua.

✔ Limpiar cualquier rastro de masilla, en caso de que la haya.

✔ Insertar las varillas del nuevo grifo en el orificio correspondiente (agua caliente, agua fría) y fijarlas con los dispositivos suministrados para ese modelo.

Instalaciones y reparaciones eléctricas

- -

- -

esde aquel gran día en que Benjamin Franklin se divirtió haciendo volar su cometa en medio de una tormenta (pero ¿en qué estaría pensando?), la civilización ha desarrollado una curiosa fascinación por la electricidad, acompañada de una dependencia casi enfermiza de ella. Sin embargo, ¿qué pasa si te encuentras de repente sumido en la oscuridad que sigue a un corte de corriente? ¿Cómo reaccionas? Y no me digas que te vas a ver la tele a casa de un amigo. Esa no es la respuesta que espero de ti.

Algunas normas de seguridad

En el campo de la electricidad, más que en cualquier otro campo, hay que cumplir las normas de seguridad. La más importante de todas es jamás tocar un componente por el que pase la corriente eléctrica. Si lo hicieras, recibirías una descarga que podría ser mortal si ciertos elementos favorecieran el paso de la corriente, como el suelo mojado, las baldosas, el cemento. Así que, a menos que seas un fan muy extremado del famoso cantante Claude François en la década de 1960, que murió electrocutado en la bañera cuando, mojado, intentó quitar un foco de luz que fallaba, sobre todo, no juegues con la electricidad.

Aquí tienes, pues, unas cuantas normas básicas que debes respetar imperativamente para evitar los accidentes:

✔ **Respeta las normas establecidas en los documentos oficiales.** Para cumplir las normas de seguridad, basta con comprar únicamente aparatos y material que lleven la mención UNE (siglas del organismo de normalización en España) que garantizan esa conformidad.

✔ **Si tu vivienda es antigua, verifica que la instalación no sea prehistórica.** Si tu vivienda supera los treinta años, tiene todos los números para que la instalación no se ajuste a la normativa (si no la has renovado). Una instalación muy antigua es peligrosa. Olvídate de los fusibles de porcelana o los hilos rígidos forrados de tela. Con una instalación conforme a las normas, el interruptor general debe ser de tipo diferencial de 30 mA; los aparatos eléctricos de los cuartos de baño deben disponer de doble aislamiento... Si, incluso de lejos, tu cuadro eléctrico te parece una antigualla, haz que un profesional le haga un chequeo completo. (Lee el apartado "Cuadro de fusibles e interruptor general", a continuación.)

✔ **Corta la corriente a través del interruptor general antes de tocar nada de la instalación eléctrica.** Este es el primer paso que no debes saltarte nunca si quieres tocar algo relacionado con los circuitos eléctricos. Por precaución, deja una notita sobre el interruptor especificando que estás haciendo unas reparaciones y que no debe restablecerse la corriente.

✔ **Equípate con las herramientas adecuadas para los trabajos de electricidad.** El equipo del electricista es bastante reducido, así que no dudes en comprar las herramientas apropiadas (detector de corriente, destornillador de hoja aislada, etc.).

✔ **Evita los alargadores.** Esos cables que están tirados por el suelo pueden provocar accidentes (si los enchufes están mal conectados en un suelo mojado, por ejemplo).

✔ **No sobrecargues los enchufes múltiples.** Los circuitos que solo contienen tomas no deben sobrecargarse (no más de ocho puntos de alimentación), porque podrían producirse cortocircuitos, o sea, incendios. (Lee el apartado "Enchufes e interruptores"», que está un poco más adelante en este capítulo.)

✔ **No agujerees una pared ni un techo sin haber localizado previamente el recorrido de los cables eléctricos.**

Cuadro de fusibles e interruptor general

Enchufas la nueva cadena de música, que tiene superprestaciones, aprietas el botón y, de repente, toda la casa se sume en la oscuridad. Por supuesto, ya habrás oído hablar de cortocircuitos y de fusibles que saltan, pero ¿sabes cómo repararlos?

El primer paso consiste en localizar el cuadro de alimentación general. ¿El qué? Vale, empecemos por el principio.

En España la electricidad entra en las casas a una tensión de 220-380 V, un amperaje de 15 a 90 A y una potencia que puede estar entre algo más de 1 y alrededor de 15 kW, según las instalaciones del abonado. La corriente llega hasta la casa por cable. Luego se distribuye a través de un entramado de cables, formados por dos hilos, llamado circuito.

Son necesarios varios circuitos para alimentar un hogar. Cada uno de ellos se define por la sección de los conductores (el diámetro de los hilos en mm^2) y la potencia eléctrica de los aparatos que comunica. Solo puede canalizar una cierta cantidad de energía. A partir de ahí, se produce sobrecalentamiento (o sobrecarga). Un circuito de iluminación, por ejemplo, no debe comunicar más de ocho puntos. Si enchufas demasiados aparatos en un circuito, de forma que la potencia absorbida es superior a la capacidad del circuito, los hilos que suministran esa energía se sobrecalientan. Si los hilos que suministran la energía entran en contacto entre ellos, porque el aislante se funde por el efecto del calor antes que el aparato que alimentan, crean un cortocircuito. El circuito se corta bruscamente y los cables pueden calentarse en pocos segundos o provocar chispas que pueden iniciar un incendio.

Cada circuito está protegido por un fusible (o cortacircuitos) o por un pequeño interruptor automático que corta el circuito en caso de anomalía. Es raro que queden cortacircuitos de porcelana tradicionales; los sustituyeron cortacircuitos de cartucho, pequeños cilindros de cerámica que alojan un filamento que se rompe bajo el efecto de la sobrecarga de un cable o de un cortocircuito. También han ido quedando obsoletos y actualmente el cuadro eléctrico está provisto de interruptores automáticos (también llamados diferenciales o magnetotérmicos), que saltan e interrumpen el paso de electricidad si hay una sobrecarga o un cortocircuito.

En la figura 12-1 puedes ver la distribución de los circuitos.

✔ **Fusibles.** Si tienes una instalación controlada y protegida por fusibles de cartucho, para cortar la corriente que alimenta un circuito, debes retirar los fusibles colocados en alojamientos basculantes o deslizantes. Antes de buscar el fusible que ha saltado para poder sustituirlo, debes cortar la corriente con el interruptor general. (Para más detalles sobre el procedimiento, consulta el apartado "Cómo cambiar un fusible", más adelante en este capítulo.)

✔ **Interruptores automáticos.** Lo habitual actualmente es que la interrupción de la corriente de los diferentes circuitos esté garantizada por pequeños interruptores automáticos, que presentan numerosas ventajas respecto a los cartuchos: es fácil identificar el interruptor correspondiente al circuito defectuoso, ya que se coloca automáticamente en posición apagado (posición contraria a los demás interruptores); una vez resuelta la avería, basta con volver a colocar la palanca o el botón de mando del interruptor en posición de encendido, ya no tendrás que comprar ni cambiar más fusibles.

Trabajar con cables bajo tensión nunca es muy buena idea y, a veces, los cables que proceden de varios circuitos pueden estar presentes en un único dispositivo. En ese caso, para asegurarte de que la electricidad está cortada en cada circuito, hazte con un detector de corriente; una pequeña herramienta en forma de destornillador con el mango transparente, que lleva una pequeña resistencia. Cuando la hoja entra en contacto con un hilo bajo tensión, se enciende un piloto (minibombilla de neón). Atención, si te encuentras con un verdadero neutro, la bombilla no se encenderá. En mi opinión, ¡es preferible usar un detector de corriente de verdad!

Cambiar un fusible

Si tu cuadro de fusibles está equipado con pequeños interruptores automáticos, no hay problema. Para restablecer la corriente tras la reparación de la avería, basta con colocar el pequeño interruptor en posición de encendido.

En cambio, si por alguna razón tienes un cuadro equipado con fusibles de cartucho, no tienes modo alguno de localizar el fusible que ha saltado (a menos que dispongas de modelos dotados con una pastilla piloto).

Para encontrar el fusible correspondiente al circuito defectuoso, procede de la siguiente forma:

1. Enciende la luz de todas las habitaciones de la casa y enchufa todos los aparatos.

2. Corta la corriente con el interruptor general y abre todos los soportes fusibles antes de volver a dar la corriente.

3. Ciérralos de uno en uno para identificar el circuito que falla.

   Averigua cada vez qué circuito se pone en funcionamiento y aprovecha la ocasión para etiquetar los fusibles (alumbrado, pequeños aparatos, lavadora, cocina, etc.).

4. Cuando localices el circuito, retira el fusible correspondiente y examina todos los dispositivos conectados a este circuito para averiguar la causa de la avería y repararla.

La causa más frecuente es la sobretensión: se han conectado demasiados aparatos al mismo circuito o bien un aparato demasiado potente o una bombilla fundida. También puede tratarse de un cortocircuito provocado por un enchufe defectuoso. Tendrás que desmontar entonces el aparato (toma, interruptor o bombilla) y colocar correctamente los hilos.

5. Corta de nuevo la corriente, cambia el fusible por uno nuevo y vuelve a encender el interruptor general.

No puedes equivocarte, porque la longitud y el diámetro de los cartuchos varían en función de la intensidad controlada, de forma que no puedes insertar un cartucho cuyo amperaje no sea el adecuado.

 Te iría bien guardar fusibles de recambio junto al cuadro de distribución.

Enchufes e interruptores

Los enchufes, también llamados tomas o bases, se sitúan en circuitos de ocho como máximo, conectados en el cuadro de distribución de circuitos. Se componen de una caja, donde va a alojarse la platina de conexión, y de una tapa, y permiten alimentar con electricidad las lámparas y otros aparatos de la casa.

En una instalación eléctrica, puedes encontrarte varios tipos de enchufes: los de tres alveolos, uno de ellos rectangular; los de dos alveolos sin toma de tierra; los de dos alveolos con toma de tierra; y los simples o dobles.

Como su nombre indica, los interruptores cortan o cierran un circuito eléctrico. Existen diferentes tipos de interruptores; los más comunes son los interruptores de báscula, los conmutadores y los variadores.

Cuando sustituyes un enchufe o un interruptor, te ves obligado a conectar los cables compuestos por hilos de cobre protegidos por un aislante. Los colores de estos recubrimientos aislantes permiten identificar la función de los cables.

✔ El cable neutro es de color azul claro.

✔ El cable de protección para la toma a tierra es bicolor: verde y amarillo.

✔ El cable de fase (y los otros) tienen un color liso cualquiera (excepto azul, verde o amarillo).

Conexión de cables

Para hacer conexiones o para alargar un hilo demasiado corto, debes saber cómo efectuar un empalme. Normalmente se utiliza una caja de conexión o una regleta: bornes de presión metálicos en unas fundas de plástico. Unir hilos entrelazándolos para después cubrirlos con cinta aislante es peligroso y mucho más fácil que se deteriore y te dé problemas.

El procedimiento es sencillo: pelas un tramo de 3 cm, aproximadamente, de los hilos con unas tenazas para pelar cables, después dobla la punta de cada hilo sobre sí misma antes de cortar con las tenazas. Así podrás introducirlo más fácilmente en el borne de conexión. A continuación, basta con tener cuidado y poner en contacto los hilos del mismo color. (Para las regletas compra un pasador cuyo diámetro de abertura corresponda al conductor.)

Colocar un enchufe de superficie

Un enchufe de superficie se fija a la pared con tornillos. Los cables pasan por debajo de un cajetín de madera o plástico. Para colocar un enchufe de superficie y conectarlo a los cables exteriores, procede del modo siguiente:

1. Coloca la caja y mete la mina de un lápiz por los orificios para marcar la ubicación de los agujeros que necesitarás para fijarlo.

   Habitualmente los enchufes se sitúan sobre el zócalo, a 15 cm del suelo (la altura mínima es de 5 cm por encima del suelo), excepto en la cocina, donde es preferible colocarlos sobre la encimera o cerca de los interruptores, y en el cuarto de baño, donde se imponen normas muy estrictas (cualquier toma situada a menos de 1 m de la bañera o del lavabo, debe tener una toma a tierra).

2. Haz los agujeros e introduce los tacos.

3. Atornilla la caja a la pared.

Cambiar un enchufe de pared

Para sustituir un enchufe dañado, procede de la siguiente manera:

1. Corta la corriente con el interruptor general y abre el portafusible o cierra el pequeño interruptor correspondiente.

2. Desmonta la base y sepárala de su cajetín con los hilos aún conectados a los bornes de fijación; utiliza un detector de corriente para verificar que el circuito está abierto.

3. Apunta el número y el color de los hilos conectados a cada borne, desenrosca los tornillos de fijación y suelta los hilos.

4. Conecta los hilos a los bornes de la nueva base y mete esta última en el cajetín.

5. Atornilla la base.

6. Pon en marcha el interruptor general o cierra el portafusible.

Colocar molduras

Si no quieres agujerear la pared para empotrar los cables de un enchufe (o un interruptor), puedes hacer que pasen por las paredes y alojarlos en molduras de madera o plástico. La figura 12-1 muestra las molduras de PVC sujetas por encima del zócalo, a lo largo de las paredes y por el techo para llevar la corriente del enchufe hacia el interruptor o el plafón.

Figura 12-1:
Las derivacio-
nes con
molduras
son
sencillas
de hacer

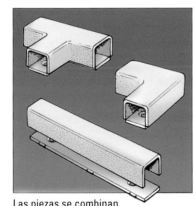

Las piezas se combinan según las necesidades.

Los cables van dentro de las molduras.

1. Decide el mejor camino desde la entrada de la electricidad hasta el enchufe o el interruptor. Los cables deben seguir el camino más sencillo, normalmente por encima del zócalo, a ras del techo o alrededor de las puertas.

2. Mide el itinerario para comprar suficiente moldura y cable para cubrir todo el recorrido. Los cables deben ser de hilos rígidos (un conductor protegido por un aislante), no flexibles (varios hilos pequeños protegidos por un aislante).

   Atención al diámetro de los cables, 1,5 mm^2 para la luz, 2,5 mm^2 para los enchufes de casa. En el caso de los electrodomésticos potentes (como el horno), pide consejo a los vendedores.

3. Fija la base de la moldura. Normalmente van clavadas cada 30 cm. También las hay encoladas. En el caso de las de plástico suelen ser autoadhesivas. Gira en ángulo recto.

4. Mete los cables en el interior de las ranuras adecuadas y fija las tapas. Los cables de tomas ordinarias tienen un diámetro de 2,5 mm² para los enchufes y 1,5 mm² para la luz.

5. Conecta los cables al enchufe.

6. Conecta el otro extremo al fusible del cuadro de distribución de circuitos.

   También puedes conectar los cables a un enchufe ya existente (siempre que los bornes de la platina lo permitan y que no se conecten al circuito más de siete enchufes).

Pero ¿qué es la toma de tierra?

Algunos enchufes tienen una varilla metálica, además de sus dos alveolos: es la toma de tierra. Este dispositivo permite desviar a la tierra la corriente parásita. De hecho, sea cual sea la calidad de una instalación, a veces sucede, por falta de aislamiento, que la corriente se pierde en un circuito y provoca accidentes. Puede tratarse de un simple cortocircuito, si se toca la funda metálica, llamada masa, de un aparato eléctrico bajo tensión por falta de aislamiento o por un contacto mucho más grave en un suelo mojado. La electricidad, que busca siempre llegar a tierra, buscará el camino conductor más corto: ¡tú!

Por eso, los aparatos cuya masa puede someterse a tensión accidentalmente se conectan a tomas de tierra. Estas tomas tienen tres hilos, un hilo de fase, un hilo neutro y un hilo de tierra; los dos primeros suministran electricidad, el tercero conduce la electricidad parásita a tierra.

También existen los zócalos eléctricos modulares que se instalan, en lugar del zócalo ordinario, clavados, atornillados o encolados. Es un material compuesto por una base, en la que se meten los cables y los enchufes preinstalados.

Iluminación eléctrica

Existen, básicamente, dos tipos de iluminación: la incandescente y la fluorescente. La iluminación incandescente se consigue gracias a un pequeño filamento de tungsteno llevado a la incandescencia por el paso de la corriente. Se vuelve de un blanco cegador y desprende calor. Sin embargo, como está dentro de una bombilla llena de gas inerte, la resistencia no puede inflamarse. (Los halógenos forman parte de esta categoría.) Por su parte, la iluminación fluorescente funciona con un gas a baja presión que contiene vapor de mercurio. La descarga eléctrica que se produce al encenderse provoca la fluorescencia del polvo que recubre el interior del cristal. Los progresos electrónicos logrados en el campo de la fluorescencia han dado lugar a una nueva categoría de iluminación: las bombillas fluocompactas, más potentes, económicas y resistentes. Normalmente duran diez veces más y consumen cinco veces menos energía que las bombillas clásicas. La tecnología más moderna en cuestión de iluminación son los ledes (diodos emisores de luz). Una de sus mayores ventajas respecto a las luces incandescentes y fluorescentes es que consumen muy poca energía; además apenas emiten calor.

Retirar una bombilla rota

Imagínate que una bombilla se rompe en su casquillo. Para retirar los trozos de cristal sin cortarte, procede de la siguiente manera:

1. Corta la corriente con el interruptor general.

2. Con unas tenacillas, rompe los trozos de cristal que queden.

Para sacar el casquillo, puedes utilizar una herramienta especial, llamada *tenacillas para casquillos*, o en su defecto unas tenacillas multiusos (que serán menos eficaces). Un buen truco consiste en utilizar una pelotita de goma.

Reparar una lámpara

Las lámparas normalmente son muy fiables y resistentes. Pero puede pasar que su casquillo se rebele: la lámpara parpadea, no se enciende siempre o se niega literalmente a obedecer. Si esta repentina impertinencia te ofrece una excusa perfecta para librar a tu salón de esa horrible cosa, ¡tírala sin remordimientos a la basura! Pero si aún no estás preparado para separarte de tu compañera luminosa, puedes desmontarla sin problemas para someterla a una operación quirúrgica. En general, la operación consiste en cambiar el casquillo; a veces, basta con apretar los tornillos de fijación de sus bornes. En los dos casos, debes saber cómo desmontar el casquillo, una tarea al alcance de todo el mundo.

Existen diferentes modelos de casquillos, que encontrarás en casi cualquier tienda de bricolaje o en ferreterías. Para no equivocarte, probablemente lo mejor será que desmontes la lámpara y te lleves el casquillo defectuoso a la tienda.

Para sustituir un casquillo deteriorado, cuyo modelo se muestra en la figura 12-2, sigue estos pasos:

1. Desconecta la lámpara.

2. Saca la bombilla, el manguito que sujeta la pantalla y la pantalla.

3. Desmonta el portalámparas. Desenrosca la funda para dejar a la vista la platina sobre la que están conectados los conductores.

4. Desatornilla los bornes y desconecta los conductores. Si descubres que los bornes estaban flojos, apriétalos y monta de nuevo la lámpara. A veces, la causa de que no funcione la lámpara es que los conectores están mal fijados. Si la lámpara funciona tras haber apretado los tornillos, ¡genial! En caso contrario, desmóntala otra vez y continúa con el procedimiento.

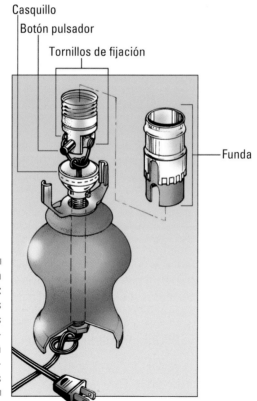

Casquillo

Botón pulsador

Tornillos de fijación

Funda

Figura 12-2:
Los diferentes componentes de un portalámparas

5. Si te parece que el portalámparas está en mal estado (quemado o estropeado), cámbialo. Para ello, desenrosca el capuchón y retíralo.

6. Coloca el nuevo capuchón y enrosca los conectores alrededor de los bornes del nuevo portalámparas. Dobla el extremo de los hilos para que sea más fácil conectarlos y aprieta al máximo los tornillos de fijación.

7. Enrosca la nueva funda sobre el capuchón

8. Vuelve a colocar la pantalla, el manguito y la bombilla.

Sustituir o reparar un tubo fluorescente

Hay dos tipos de tubos fluorescentes, los tubos de clavijas y los tubos de bayoneta. Los primeros son los más extendidos: dos clavijas finas colocadas en los alveolos de la base sujetan el tubo. Si un electrodo del tubo se rompe, tienes que cambiarlo.

Para cambiar un tubo estropeado o gastado, basta con desmontar la tapa (simplemente a presión o enroscada) y levantar un casquillo de la base para retirar el tubo de un lado y luego del otro. A continuación, haz el mismo proceso a la inversa para instalar el nuevo tubo. Para los tubos de bayoneta, basta desenroscar el tubo.

Si, a pesar del cambio, el tubo sigue sin funcionar, tendrás que examinar las conexiones en busca de un falso contacto. Verifica las conexiones en los extremos, quizá el tubo esté mal colocado simplemente.

Si parpadea en los dos extremos sin encenderse, el cebador está defectuoso: tienes que desmontarlo para cambiarlo. Los cebadores están colocados en uno de los casquillos de la base y se desmontan por simple presión o desenroscado, según el modelo. Llévate el cebador a la tienda, así seguro que no te equivocarás de modelo al comprar el nuevo.

Instalar iluminación exterior de baja tensión

Fáciles de instalar y económicos, los sistemas de alumbrado alimentados con una tensión muy baja (MBT), es decir, de 12 V, constituyen una solución ideal para el alumbrado exterior. Los sistema MBT, como el que se muestra en la figura 12-3, son productos modulares fáciles de montar. Sea cual sea su aplicación, estos sistemas incluyen una alimentación de 220 V, un transformador 220/12 V, el cableado y casquillos con sus bombillas.

El cableado propiamente dicho es simple. Lo más complicado es la colocación de esos cables, ya que tienes que cavar una zanja. Aquí tienes el procedimiento que debes seguir a grandes líneas:

Figura 12-3:
Estacas de
jardín MBT
con
transfor-
mador

1. Instala el transformador cerca del enchufe exterior.

   El transformador, que convierte la corriente estándar de 220 V en 12 V, debe estar montado cerca de la toma exterior. Los transformadores equipados con un temporizador pueden instalarse en el interior, a diferencia de aquellos que disponen de un detector fotoeléctrico (que deben instalarse, evidentemente, en el exterior para estar expuestos a la luz y captarla).

2. Extiende los cables por el suelo siguiendo el itinerario que has definido. El camino debe ser lo más corto posible.

3. Conecta los focos de jardín u otros dispositivos de iluminación al cable. Las conexiones de estos sistemas pueden variar según los modelos, pero el procedimiento general consiste en conectar el cable a un pequeño cajetín situado en la base de cada farol.

4. Cuando todos los postes estén en su sitio, conecta el transformador a la toma exterior y prueba el alumbrado. Si todo va bien, puedes cavar las zanjas. Atención, cualquier alumbrado exterior debe cumplir unas reglas estrictas: los cables deben estar protegidos por fundas, enterrados perfectamente estancos y señalizados por una red roja.

5 Cava una zanja del ancho de una pala con una profundidad de hasta 80 cm.

6. Recubre el fondo de la zanja con una capa de 15 cm de arena y coloca el cable dentro.

7. Recúbrelo con una capa de 10 cm de arena.

8. Coloca una red de protección a lo largo y a lo ancho de toda la zanja.

9. Cúbrelo con una última capa de arena (5 cm) y completa la operación con tierra.

Capítulo 13

Mantenimiento
y reparaciones de aparatos
electrodomésticos

- -

En este capítulo

▶ El lavavajillas

▶ La lavadora

▶ La nevera

▶ Los fogones y las placas eléctricas

▶ La calefacción central

▶ La caldera

- -

*L*o creas o no, según los técnicos de electrodomésticos, las causas más corrientes por las que los llaman es, en realidad, aparatos desenchufados, fusibles fundidos o pequeños interruptores en posición de apagado. Antes de llamar al técnico o de arreglar tú mismo el electrodoméstico, verifica que está bien enchufado, que el fusible que protege el circuito de este aparato no ha saltado o que el pequeño interruptor correspondiente está en su posición de encendido.

Si tienes intención de lanzarte a la reparación en serie, invierte en un detector/medidor universal. Este aparato, que controla la continuidad de la corriente e indica el voltaje y el amperaje, entre otras funciones, te permitirá probar y verificar las instalaciones (encontrar los hilos con tensión cuando hagas una conexión) y saber si la corriente pasa por un aparato averiado.

Dos pequeñas normas de seguridad antes de empezar: evita utilizar los electrodomésticos descalzo o con las manos mojadas o húmedas, y no tires del cable de alimentación para desconectarlos. (Si quieres conocer las otras normas de seguridad en el campo de la electricidad, consulta el capítulo 12.)

Lavavajillas

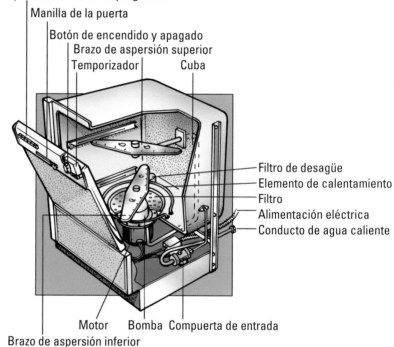

Botones para la selección de programas
Manilla de la puerta
Botón de encendido y apagado
Brazo de aspersión superior
Temporizador
Cuba

Filtro de desagüe
Elemento de calentamiento
Filtro
Alimentación eléctrica
Conducto de agua caliente

Motor
Bomba
Compuerta de entrada
Brazo de aspersión inferior

Figura 13-1: Principales componentes de un lavavajillas

Preaclarado y carga

No todos los lavavajillas son iguales. El tuyo puede necesitar un prelavado más esmerado del que te imaginas o puede que no coloques bien la vajilla. Saca ese viejo manual de instrucciones que has guardado al fondo de un cajón y sigue las instrucciones en lo referente a la carga y el aclarado. Si lo has perdido, dirígete a un distribuidor que trabaje con la misma marca, visita la web del fabricante o llama. El manual contiene todos los detalles útiles para hacer el mejor uso posible de tu lavavajillas.

Presión del agua

Si la presión del agua es demasiado baja puede que el lavavajillas no funcione bien. Sigue estos pasos para verificar la presión del agua del aparato:

1. Enciende el lavavajillas y deja que funcione hasta el inicio del primer ciclo de lavado.

2. Abre la puerta para interrumpir el ciclo.

3. Utiliza una taza para sacar el agua del aparato y ponerla en un recipiente de medición.

   El aparato debería contener 11 litros de agua. Si el volumen es inferior, la presión es demasiado baja.

Si la presión del agua que llega a tu casa es demasiado baja para el rendimiento óptimo del equipamiento, quizá puedas paliar un poco la situación, por ejemplo, evitando utilizar los grifos o accionar la cisterna del váter cuando esté llenándose el lavavajillas.

La presión escasa también puede deberse a que el filtro esté atascado en la compuerta de entrada de agua. Para limpiar ese filtro, tienes que retirar la parte frontal de la máquina. Pero, a menos que cuentes con el manual de instrucciones que identifique los elementos del lavavajillas, es preferible dejar que un profesional se encargue de la tarea.

Si el lavavajillas es un modelo compacto, el filtro taponado puede encontrarse en la entrada principal de agua. Desmonta y limpia todos los filtros con un poco de agua caliente y de vinagre si la capa de suciedad es importante.

Temperatura del agua

Para limpiar bien los platos y disolver la grasa, la temperatura del agua de un lavavajillas no debe ser inferior a 60 °C. Para verificar la temperatura del agua de tu máquina, haz que funcione hasta el final del primer ciclo de lavado, después, abre la puerta. Utiliza, entonces, un termómetro de cocina para medir la temperatura. Si es inferior a 60 °C, aumenta la temperatura del termostato de la caldera para que sea, como mínimo, de 50 °C. Si la temperatura del agua sigue siendo inferior a 60 °C, llama a un especialista para que cambie el elemento de calentamiento del lavavajillas.

El contacto durante algunos segundos con agua cuya temperatura sea superior a 55 °C puede provocar quemaduras graves. Si tienes niños en casa, no programes el termostato de la caldera a más de 50 °C.

Lavado

La limpieza de la vajilla depende, en parte, del detergente que utilices (¡no te lo esperabas!). Si el producto que compras deja la vajilla medio sucia, prueba otra marca hasta que encuentres una que la deje brillante.

El detergente en polvo puede formar grumos en la cubeta del detergente e impedir una buena evacuación del mismo en la máquina. Esto puede significar que el producto es de mala calidad o que pones demasiado. Limpia cualquier resto del detergente en este compartimento y verifica que funciona correctamente.

Si el agua que llega a tu casa tiene mucha cal, seguramente será necesario añadir sal regeneradora para ablandarla y mejorar la limpieza. Otra solución sería instalar un descalcificador en la entrada general del agua de la casa. Perfecto no solo para los electrodomésticos, sino también para la piel y el cabello.

Brazo de aspersión

La causa de que la vajilla no quede bien lavada también puede ser que el brazo de aspersión (o brazo de lavado) esté defectuoso o taponado. El brazo de aspersión es esa especie de pequeña hélice con agujeritos que rocía la vajilla. Utiliza un destornillador para retirar este brazo y deja a un lado las arandelas o las juntas en el orden en que las has desmontado. Si el brazo está doblado o estropeado, cámbialo.

Si el lavavajillas tiene un filtro cilíndrico bajo el brazo inferior, desmóntalo, tal como se muestra en la figura 13-2, para limpiarlo.

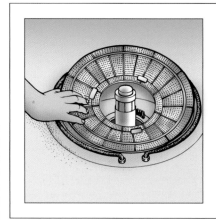
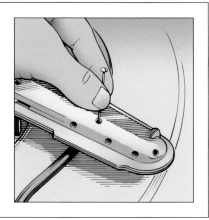

Figura 13-2:
Limpieza
del filtro y
del brazo
de lavado

Para eliminar la cal de los agujeros, pon a remojo el elemento taponado con vinagre blanco diluido en agua. Radical, eficaz y ecológico.

Con la ayuda de un alambre (un clavito, un clip torcido o similar), limpia los alveolos de cada brazo, tal como se indica en la figura 13-2. Enjuaga el filtro y los brazos con agua tibia y vuelve a colocarlos en su sitio.

Sistema de evacuación

Si se va el agua durante el ciclo de llenado, el problema es de una válvula de evacuación. Recurre a un profesional para sustituir la válvula defectuosa.

Si el lavavajillas no desagua correctamente, el problema puede deberse a la válvula de retención, un pequeño bloque de desagüe que se encuentra debajo de los grifos del fregadero y que impide el reflujo del agua y los residuos del fregadero hacia la máquina (mira la figura 13-3). Desmóntala y retira todos los residuos que hayan podido atascarla.

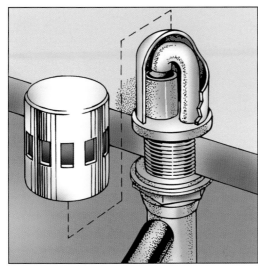

Figura 13-3:
Los grumos de jabón y otros residuos pueden atacar el bloque de desagüe del lavavajillas

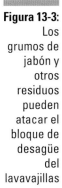

Lavadora

Las lavadoras son muy resistentes y causan relativamente pocos problemas. La primera regla consiste en leer el manual de instrucciones que acompaña a la máquina; la segunda evitar sobrecargarla. Sigue las recomendaciones del fabricante respecto a la capacidad máxima y el tipo de detergente que debes utilizar. Lleva las alfombras, plumones y otras piezas de peso importante a la tintorería.

Aunque sigas al pie de la letra todas las indicaciones del manual, quizá un día tengas que enfrentarte a una lavadora rebelde. Las lavadoras son máquinas complejas. Las más modernas están equipadas con sistemas tan sofisticados que sería necesario hacer un curso intensivo en la NASA para comprenderlas. No obstante, la mayoría de las averías comunes tienen una reparación sencilla. Antes de recurrir a un profesional, intenta hacer tú mismo esas pequeñas reparaciones.

Si la máquina no inicia su programa de lavado cuando aprietas el botón de encendido, empieza verificando que esté bien enchufada. A continuación, comprueba que el fusible o el pequeño interruptor en el origen del circuito no hayan saltado. Si fuera así, cambia el cartucho o vuelve a encender el pequeño interruptor. (En el capítulo 12 tienes toda la información sobre los fusibles y los pequeños interruptores.)

Los empalmes de conductos superiores a 1 m pueden provocar el mal funcionamiento de la bomba. Instala la lavadora lo más cerca posible de la entrada de agua.

Si el sistema se sobrecalienta, un dispositivo incorporado interrumpe el ciclo. Apaga la máquina y deja que el motor se enfríe durante una hora antes de volver a poner en marcha el sistema. Enciende de nuevo la lavadora para ver si reinicia su ciclo de lavado.

Antes de tocar la lavadora, o cualquier otro aparato, apágala y desenchúfala. Cierra también la llave de paso del agua.

¿Te vas de vacaciones? Piensa en las cañerías

Si tienes que ausentarte durante un tiempo, acuérdate de drenar las cañerías de la lavadora. Suelta el conducto de desagüe de su banda de fijación en la parte posterior de la máquina y vacíalo por completo.

Cierra también la llave de paso del agua; los tubos de plástico no son conductos de agua propiamente dichos y pueden aflojarse si están sometidos a una presión constante. ¡No querrás tener que enfrentarte a una inundación recién llegado de vacaciones!

No entra bastante agua

Si la lavadora no se llena de agua, aun cuando el motor esté frío y el circuito eléctrico funciona correctamente, prueba estas otras soluciones:

✔ Asegúrate de que la llave de paso del agua está abierta, endereza cualquier conducto que esté doblado y cambia los conductos o conexiones que pierdan. Si la protección entre la llave y la entrada de agua está estropeada, cámbiala y aprieta al máximo el tubo de llenado de la llave.

✔ Verifica que el piloto se enciende cuando cierres la tapa de la máquina. En caso contrario, la máquina no puede funcionar; llama a un profesional.

El problema también puede estar en un filtro taponado. Para solucionarlo, sigue estos pasos:

1. Cierra la entrada de agua y desconecta los tubos de la máquina.

2. Utiliza un pequeño destornillador para retirar los pequeños filtros. Fíjate en la figura 13-4.

3. Limpia los filtros con un pequeño cepillo y cámbialos si están estropeados. Si la máquina sigue sin llenarse correctamente, recurre a un profesional.

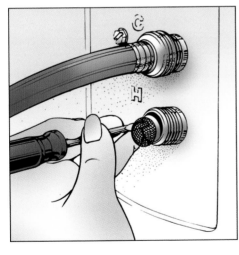

Figura 13-4: Si la máquina no se llena, limpia los filtros de los conductos de entrada del agua

La lavadora no desagua

La máquina está equipada con un filtro especial capaz de retener los objetos más importantes (como las monedas olvidadas en los bolsillos) que podrían obstruir el desagüe y que pueden recuperarse fácilmente. Para evitar cualquier problema de cuerpos extraños en el filtro, debes limpiarlo de vez en cuando respetando las normas de seguridad prescritas:

1. Desenchufa la máquina.

2. Vacía la máquina de cualquier resto de agua.

3. Retira el filtro. Afloja el tornillo que permite bloquear el filtro y retíralo haciendo girar su manilla en el sentido de las agujas del reloj hasta que pare. (Durante esta operación, recupera la pequeña cantidad de agua que quede en un recipiente pequeño.)

4. Limpia el filtro.

5. Monta de nuevo el filtro. Colócalo en posición vertical y enróscalo girando la manilla en el sentido contrario a las agujas del reloj y, luego, aprieta el tornillo.

Si, a pesar de que el filtro esté bien cuidado, la lavadora no desagua, empieza verificando que el conducto de desagüe no esté doblado; si fuera así, enderézalo. Fíjate bien en que esté correctamente enganchado por su extremo acodado al reborde de la cuba de desagüe sin que este tenga pliegues. Si el extremo del conducto de evacuación está demasiado elevado, bájalo.

Los grumos de detergente pueden obstruir los conductos de evacuación. Si encuentras grumos en los conductos, reduce la cantidad de detergente que pones o cambia de producto.

Asegúrate también de que el desagüe fijo de plástico conectado sea de un diámetro mayor que el tubo de desagüe de la lavadora para permitir el paso del aire.

Si has probado estos pequeños trucos y la lavadora sigue sin funcionar, llama a un técnico.

Si, por el contrario, la máquina se vacía un pelín más de la cuenta para tu gusto (encuentras agua en el suelo por todas partes a su alrededor), extrae el exceso de espuma por el orificio previsto para esto situado en la parte posterior y reduce la cantidad de detergente.

Para preservar la lavadora, limpia con regularidad los restos de detergente que se acumulan en el borde de las paredes.

La lavadora no centrifuga

Que la lavadora se niegue a centrifugar implica que hay un problema grave. La agitación de la máquina depende de la buena voluntad del motor, del sistema que acciona el tambor y del sistema de transmisión, y para reparar estos elementos son necesarias las dotes de un técnico profesional.

No obstante, puedes verificar dos o tres cosas antes de pedir ayuda:

✔ ¿Has esperado el tiempo suficiente? Es posible que no se haya acabado el desagüe o que los contactos del programador no estén aún cerrados (si has señalado un programa de desagüe); espera unos minutos.

✔ ¿Llega la corriente a la lavadora? Verifica los fusibles y el cable de alimentación. Comprueba también que la puerta esté bien cerrada y que el programador esté encendido (apretado o girado según el modelo).

✔ ¿Acabas de mudarte? Asegúrate de que las barras de transporte se han retirado bien, de lo contrario la bomba no podrá funcionar correctamente.

✔ ¿La carga está equilibrada? Verifica que la ropa esté bien distribuida en el tambor y no amontonada en un rincón, lo que podría provocar las suficientes vibraciones para activar el sistema de seguridad y hacer que se apague la lavadora. Evita también cargarla solo con prendas de algodón absorbentes que pueden volverse muy pesadas y producir esos mismos resultados.

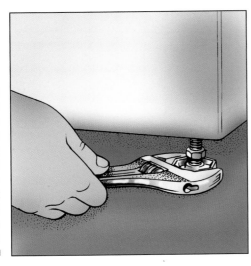

Figura 13-5: Para reducir la vibración durante el centrifugado, haz que esté bien equilibrada

✔ Si la vibración durante el centrifugado es muy fuerte, puede indicar que la lavadora no está bien equilibrada. Ajusta la posición de los pies regulables con una llave inglesa (observa la figura 13-5) o una llave plana girando en el sentido de las agujas del reloj para elevar el pie y en el sentido contrario para bajarlo.

Frigorífico

A los frigoríficos también se les llama neveras. Ese término hace referencia a unos armarios, con frecuencia de madera y aislados con corcho, donde se metía nieve. Son aparatos muy resistentes pero que requieren un mínimo mantenimiento. Por desgracia, las pocas reglas básicas que permiten velar por su buena salud a menudo se descuidan... hasta que se averían. Un mantenimiento regular puede evitar problemas tan diversos como el sobrecalentamiento de la rejilla del condensador, el encendido y apagado frecuentes, un ciclo de enfriamiento constante o insuficiente e, incluso, la parada total de la bestia.

Limpieza de la rejilla del condensador

Las rejillas de nuestras neveras se encuentran al nivel del suelo o en la parte posterior. La figura 13-6 ilustra cómo tienes que limpiarla:

Figura 13-6: Utiliza un aspirador para limpiar la rejilla del suelo y un cepillo de púas duras para la rejilla situada en la parte posterior del frigorífico

✔ Si la rejilla del condensador está situada debajo de la nevera, límpiala con el tubo del aspirador al menos dos veces al año.

✔ Para limpiar una rejilla situada en la parte posterior, separa la nevera de la pared y utiliza el cepillo de un aspirador o uno de púas duras para quitarle el polvo. Elimina también toda la grasa acumulada con una esponja y agua jabonosa una vez al año, como mínimo.

Si tienes animales en casa, debes limpiar los electrodomésticos más a menudo. Los pelos de gato o de perro pueden obturar las rejillas de las neveras, los filtros, los conductos de aireación y otros sistemas.

Adiós a los ruidos y a los malos olores

Si el ruido de la nevera no te deja dormir, antes de tomar somníferos, verifica que esté bien horizontal. Coloca un nivel de burbuja sobre ella y, si constatas que está inclinada, reajusta su posición regulando la altura de los pies con la ayuda de una llave inglesa.

El ruido también puede proceder de vibraciones entre la rejilla del condensador y el sistema de drenaje situado debajo del frigorífico. Verifica la posición de estos dos dispositivos para que no haya ningún contacto entre ellos. Comprueba también que todos los tornillos de fijación de las rejillas estén en su sitio y que no haya ninguno flojo.

En el caso de los malos olores, hay que cumplir ciertas reglas elementales: el pescado, la carne y el queso deben colocarse en las bandejas superiores y aislarlos con envoltorios o en recipientes. No sobrecargues el frigorífico, ya que el aire frío debe poder circular sin problemas; envuelve también los alimentos crudos para que no entren en contacto con otros alimentos; evitarás así la propagación de bacterias.

Fogones y placas de cocinar

Los aparatos de cocción no son muy complicados y pueden durar decenas de años si les haces un buen mantenimiento. Sin embargo, deja cualquier reparación en las buenas manos de un profesional, especialmente la de tecnología sofisticada, como las vitrocerámicas y de inducción.

Fuegos de gas

Para limpiar correctamente un fuego de gas de una placa de cocción o de una cocina, es indispensable levantar la tapa del quemador. Una limpieza periódica con líquido lavavajillas garantiza el mantenimiento regular.

Si la llama no sale por todos los orificios, asegúrate de que el fuego está bien puesto. Si es así, examina los orificios del fuego. Si están taponados, utiliza palillos de plástico para limpiarlos.

Aquí tienes una pequeña receta tradicional sencilla y eficaz para renovar el aspecto de un quemador de gas: pon el quemador a remojo con vinagre de vino de 12 a 24 horas, enjuágalo y déjalo secar.

Para limpiar el fuego de un horno de gas sigue estos pasos:

1. Cierra todos los interruptores.

2. Abre la puerta del horno hasta la primera posición de abertura y tira de la puerta hacia arriba para desencajarla de las bisagras.

3. Levanta la placa situada en la parte inferior del horno (la mayoría se levantan sin más, otras se desatornillan).

4. Enciende el horno para verificar la distribución de las llamas.

    Si las llamas no están distribuidas uniformemente a lo largo de los fuegos, puede que los orificios estén obturados. Apaga el horno y utiliza un pequeño alambre o palillos de plástico para limpiarlos.

5. Vuelve a colocar la placa y la puerta del horno.

Placas eléctricas

Algunas placas están constituidas de un elemento calefactor provisto de dos bornes que se conectan a un receptáculo (mira la figura 13-7). Si tu placa ha dejado de calentar, prueba con este sencillo procedimiento:

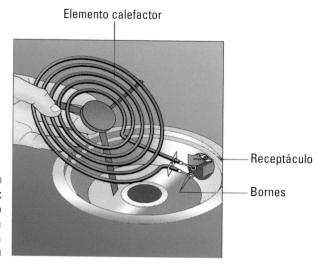

Elemento calefactor

Receptáculo

Bornes

Figura 13-7: Un modelo de placa eléctrica

1. Cierra el circuito eléctrico correspondiente en el cuadro de fusibles o de los pequeños interruptores y levanta la placa.

2. Tira hacia ti para desconectar las clavijas de fijación (como se muestra en la figura 13-7).

3. Utiliza un disco abrasivo para limpiar las clavijas y retirar toda la corrosión. Aprovecha para inspeccionar el dispositivo. Si te parece estropeado, cámbialo por uno nuevo, disponible en distribuidores que comercialicen esa marca.

4. Vuelve a colocar los bornes en su receptáculo.

5. Vuelve a encender el fusible o el pequeño interruptor y gira el botón para verificar que la placa calienta.

Si, después de haber seguido estos pasos, el sistema sigue sin calentar, cierra de nuevo el circuito eléctrico y retira la placa que funciona correctamente. Inserta los bornes del elemento calefactor en el segundo receptáculo y haz una prueba.

✔ Si el elemento sigue negándose a calentar, compra uno nuevo.

✔ Si calienta en otro receptáculo, el problema es de la primera caja de conexión. Desenróscala y examina sus contactos metálicos. Si están doblados o gastados, cámbialos.

Calefacción central

Existen dos tipos de calefacción central: la de aire caliente y la de circulación de agua caliente. Sea cual sea el modo de propagación del calor, es preferible dejar los problemas importantes de la calefacción central en las manos expertas de los fontaneros profesionales en calefacción (un mantenimiento anual es obligatorio). No obstante, aunque las reparaciones no estén al alcance de todos, una vez resueltos los problemas, puedes contribuir en gran medida al buen funcionamiento encargándote de pequeñas intervenciones rutinarias.

La calefacción ha dejado de funcionar

Imagina que te despiertas una mañana en una habitación en la que la temperatura parece haber caído de repente a unas cifras dignas de Siberia. Empieza por abrigarte (el gorro es opcional), después pasa a la segunda parte del plan, la búsqueda del problema:

✔ Comprueba que no haya bajado nadie el termostato por error. Si fuera así, regula la temperatura y colócate cerca de una salida de aire caliente o de un radiador hasta que estés tostado al punto.

✔ Enciende una luz para verificar que no se haya cortado la corriente. Si ese no es el caso, examina el cuadro de distribución de los circuitos para comprobar si el fusible o el pequeño interruptor correspondiente a la caldera no ha saltado. Si fuera así, cambia el fusible o vuelve a encender el pequeño interruptor (en el capítulo 12 se explica el procedimiento). Si vuelve a saltar, llama a un técnico.

✔ Verifica que la caldera está bien encendida. Se trate de una caldera de gas, de fueloil o eléctrica, estos aparatos suelen tener un botón de encendido/apagado. En las calderas de gas o de fueloil con llama, comprueba que la llama está bien encendida. En caso de que no sea así, sigue las instrucciones específicas del aparato para volver a encender la caldera y la llama.

Si estos pequeños trucos no funcionan, llama al técnico encargado del mantenimiento de tu caldera.

Sistemas de aire caliente

La calefacción de aire caliente, menos usada que la de circulación de agua caliente, da también menos problemas. No tienes que temer ninguna fuga ni formación de hielo (en caso de ausencia prolongada en invierno) y el mantenimiento de estos circuitos de distribución es sumamente sencillo. No obstante, para que el rendimiento sea óptimo, comprueba regularmente estos puntos (una vez que hayas apagado la caldera y cerrado la llama en el caso de las calderas que la tengan):

✔ **Limpia y cambia el filtro de aire de la caldera** (mira la figura 13-8). Esta precaución, con frecuencia olvidada, es, sin embargo, muy útil. Si el filtro está obturado, el ventilador se convierte en un sistema de distribución de polvo en vez de aire caliente. Para evitar que un filtro taponado reduzca la entrada de aire en el aparato, además de su rendimiento, es necesaria una limpieza mensual.

✔ **Limpia y engrasa el motor y la hélice del ventilador como mínimo una vez al año.** Asegúrate de que la tapa de protección que oculta el ventilador esté bien cerrado.

✔ **Verifica que todos los conductos están bien conectados y estancos.** Estos conductos son de forma cilíndrica o rectangular, en metal o, a veces, están envueltos en manguitos de aislamiento desde la salida de la caldera hasta las diversas bocas de salida en la casa. Utiliza cinta flexible en lana de vidrio o placas termoaislantes autoadhesivas para proteger los conductos en las uniones.

Parte V

Reformas interiores y exteriores

—Señora Chanmard, no se imagina cómo ayudan a subir
el precio de reventa una buena capa de brillo
y unos cordones nuevos.

En esta parte...

Estanterías, distribución y decoración según tu inspiración. Enlucidos, masilla y cemento para reparar todo con solidez. Aislamiento: adiós a las goteras, viva el ahorro de energía. De la bodega al desván, del sótano al tejado, esta parte te lleva por el buen camino. Aquí encontrarás todo lo que sueñas para reparar, reformar y reavivar tu trocito de paraíso.

Capítulo 14

Reparaciones y decoración de interiores

En el fondo nos encantan la mantita y el sofá. Y por eso nos gusta dedicar un poco de tiempo a mejorar nuestro palacio, que siempre necesita algún retoque. Este capítulo te ofrece consejos para reparar y mejorar tu pequeño universo casero.

Grietas y agujeros en las paredes

Técnicamente hablando, las paredes de la casa proporcionan un apoyo organizado y distribuyen las habitaciones que constituyen el espacio en una vivienda. Desde el punto de vista estético, crean el ambiente de las estancias a las que visten con una paleta de colores y adornos, y sirven de fondo para el mobiliario, las obras de arte y todo eso que se te ocurre poner.

Como todo en una casa, las paredes se desgastan con el tiempo y se deterioran. En esta parte encontrarás todo lo que debes saber para reparar las paredes que sostienen el techo sobre tu cabeza.

Pueden aparecer dos tipos de grietas en el techo o en las paredes: las grietas de superficie y las grietas de estructura. Las primeras son bastante finas y pueden estar causadas por un defecto de construcción, un defecto del material o porque tu hijo baile a menudo el *tecktonic*. Las segundas, que están ligadas a la parte portante de la casa, resultan de la deformación de las estructuras de la vivienda, por ejemplo, por el peso del inmueble en el caso de las construcciones de hormigón, los movimientos del terreno o la deformación de los elementos de madera en el caso de las casas construidas sobre ese tipo de armadura. En este último caso, se trata de movimientos estacionales relacionados con los cambios de la temperatura y de los niveles de humedad que hacen variar las tasas de humedad de la madera de construcción.

A continuación, tienes una lista de las herramientas que puedes necesitar para reparar una grieta:

✔ Rasqueta.

✔ Cepillo para el desempolvado.

✔ Espátula.

✔ Masilla de relleno.

✔ Esponja.

✔ Taco de lijar.

✔ Papel de lija de grano fino.

Para las grietas un poco más importantes, tendrás que añadir calicó. Y para tapar los agujeros, consigue dos trozos de tela de malla de fibra de vidrio y unas tijeras.

Esto es lo que necesitas para tapar agujeros con yeso:

✔ Cincel de albañil.

✔ Cepillo y esponja.

✔ Yeso.

✔ Recipiente y cuchara limpios.

✔ Regleta.

✔ Masilla para alisar (opcional).

✔ Material para lijar (raspador para escayola, papel de lija con o sin taco, o lijadora eléctrica).

Para los agujeros en las placas de escayola, añade escayola, cordel y un clavo.

Las grietas en las esquinas donde se juntan paredes, o paredes y techo, pueden deberse a un exceso de masilla o a un exceso de pintura. Esas grietas superficiales aparecen en los materiales especialmente espesos y no se extienden más allá del calicó de refuerzo.

Para suavizar este tipo de defecto:

1. Coloca un trozo de papel de lija en el extremo de una espátula y lija con cuidado el exceso de material.

2. Coge un taco de lija.

3. Si no tienes uno a mano, un trozo de madera envuelta en papel de lija servirá.

4. Otro truco para improvisar un taco es doblar en tres una gran hoja de forma que sea más rígida y puedas apoyar en ella la mano para lijar del modo más plano posible.

Este truco permite conseguir una superficie lisa y plana. Si no tomas esta precaución y lijas una pared seca sujetando el papel con los dedos, te arriesgas a que queden irregularidades. No vayas más allá del calicó. Cuando te parezca que la superficie está lisa, retócala con la masilla para alisar (o acabado). Al reparar grietas o la construcción de un tabique, es necesario evitar cualquier exceso de masilla en la juntura de las paredes, ya que esos puntos tienden a agrietarse. En cualquier caso, los excesos siempre quedan feos.

Pequeñas grietas

No descuides las grietas finas, porque pueden dar lugar al posterior desgarro del revestimiento (sobre todo si pones papel pintado) o incluso estropear la pintura. Así es como tienes que taparlas:

1. Con la ayuda de un rasqueta, limpia y ensancha la grieta. Con la punta del rascador, debes agrandar el fondo de la grieta para que la masilla se enganche mejor. Despega todos los trozos de escayola que estén mal adheridos o que se deshagan.

2. Quita el polvo con un cepillo o un aspirador.

3. Humedece la grieta con una esponja para favorecer la adherencia de la escayola. La escayola es útil para los agujeros de más de 5 cm. De lo contrario, tápalos con una masilla de relleno sin tener que mojar el soporte.

4. Aplica el producto de relleno. Para las grietas poco importantes, puedes emplear una masilla de relleno en tubo lista para su empleo (para las grietas superficiales). En el caso de grietas más profundas, utiliza una masilla en polvo que puedes preparar tú mismo.

5. Con el cuchillo y una espátula de pintor, aprieta para que la masilla penetre hasta el fondo. Alisa el producto. Una capa de masilla no basta para paliar el fenómeno de encogimiento en el secado, por el porcentaje de agua que contiene el producto de relleno.

6. Si el producto se encoge demasiado, aplica una segunda capa de masilla. Si se encoge más de 3 mm, utiliza masilla de relleno esta segunda vez. Si no, utiliza una masilla de acabado alisado.

7. Deja que se seque la capa aplicada y lija antes de aplicar la siguiente.

Ya está, acabas de hacer lo que tenías que hacer para garantizar la longevidad del revestimiento que vas a colocar en la pared.

Grietas importantes en paredes tradicionales

La técnica que vas a ver no sirve para tabiques secos, también conocidos como placas de yeso laminado.

Los pasos siguientes, que puedes ir siguiendo en la figura 14-1, explican cómo reparar un defecto más importante con un trozo de calicó. El calicó se utiliza sobre todo para las grietas poco estables, es decir, para las que se producen como consecuencia de una deformación de albañilería. Lo que ocurre con este sistema es que el material a los lados de la grieta podrán continuar deformándose porque la tira de tela es lo bastante flexible como para adaptarse al contorno del defecto y seguir ocultándolo.

1. Con una rasqueta, limpia el interior de la grieta. Tienes que retirar cualquier partícula o trozo que ya no se adhiera a la pared.

2. Aplica una primera capa de masilla de relleno en la grieta.

Mejor usar masilla en polvo para este paso. Las masillas listas para su empleo tienen el 50 por ciento de agua y se encogen al secarse.

Para rellenar las grietas tendrás que utilizar un producto adaptado al tamaño de estas: escayola para reparaciones superiores a 5 cm, producto para rellenar si las grietas no llegan a los 5 cm. Una vez más, deberás aplicarle varias capas previendo que el producto pueda encogerse. Y ni se te ocurra escatimar en la calidad de los productos y sus resultados, puesto que te arriesgas a tener que repetirlo todo. Recuerda que las masillas listas para aplicar no son adecuadas para los grandes trabajos de reforma. Este tipo de producto resérvalo para la reparación de pequeños agujeros y grietas.

3. Sumerge una banda de calicó en la masilla. Aplica el producto de relleno y alisa la superficie. Coloca la tira de calicó sobre la masilla fresca, recúbrelo todo con más masilla. Retira lo que sobre al mismo

Figura 14-1:
Aplica una capa ligera y coloca la tira, después aplica por encima una primera capa de masilla (a la izquierda). Cuando la primera capa esté seca, aplica otra bastante final (a la derecha)

tiempo que alisas la superficie. No debe verse la tira de calicó, que tiene que quedar como el relleno de un bocadillo entre las dos capas de masilla.

El calicó tiene que estar bien liso. Si el contorno de la grieta no es limpio, corta el calicó y aplica otro trozo centrado sobre la parte donde la grieta forme un zigzag.

4. Tras el secado, aplica una fina capa de masilla para acabado sobre el calicó. Alisa al máximo esta capa para evitar, en la medida de lo posible, la necesidad del lijado.

Es importante que pienses que esta capa está pensada para alisar y ocultar el calicó. No hagas mucha masa; ¡no vas a decorar un pastel!

5. Espera a que se seque bien, después aplica una tercera capa de masilla si fuera necesario. Generalmente, dos pasadas son suficientes.

6. Lija para uniformizar la superficie. Lo sé, lo sé, vas a pensar que soy un peligroso maníaco del lijado que no hace otra cosa los fines de semana, pero, palabra de manitas, una vez más, el lijado intermedio entre dos capas es indispensable para obtener un resultado impecable.

Consigue un taco de lijar para conseguir que la superficie quede bien plana.

No olvides que es mucho más fácil alisar con cuidado la superficie con una espátula en el momento de la aplicación que después, cuando se ha convertido en una masilla dura como la piedra.

7. Aplica una subcapa de impresión (imprimación) y deja secar.

Defectos provocados por clavos

Este es un paso importante si vas a reformar una pared o un techo instalado con la primera generación de placas de yeso laminado. Si tu casa es más reciente, no tendrás este tipo de problema, ya que el método de colocación por fijación con clavos está obsoleto.

En los tabiques formados por placas de yeso laminado clavadas sobre una estructura de madera (tipo paneles de yeso), los clavos sobresalen y producen una deformación. Esto se debe a que la madera se encoge y se separa del panel y de la estructura.

El fenómeno es menos común con los paneles recientes (por tanto, atornillados), ya que los tornillos tienen, a diferencia de los clavos, mayor capacidad de soporte con menor penetración. El tornillo no puede retroceder.

Los pasos siguientes (que puedes ir siguiendo en la figura 14-2) permiten reparar este tipo de defecto:

Figura 14-2:
Coloca nuevos tornillos por encima y por debajo del clavo que sobresale (a la izquierda). A continuación, hunde este último en el tabique (a la derecha)

1. Coloca tornillos nuevos por encima y por debajo del clavo que sobresale. Eso permite volver a sujetar el panel a la estructura. La ca-

beza del tornillo debe hacer una pequeña hendidura en el revestimiento del tabique, pero no hundirse en él. La cabeza del tornillo deberá estar a ras de la placa de yeso laminado y, sobre todo, no debe perforar la capa acartonada. De lo contrario, no serviría de nada. El panel podría separarse otra vez.

2. Con ayuda de un martillo y de un punzón de clavo, hunde bien el clavo en el tabique. Aplasta bien la cabeza del clavo para que no sobresalga en la pared.

3. Cubre la cabeza de los tornillos nuevos y del clavo con la masilla. Cuidado con las pastas, alisa bien la superficie de forma que no aparezcan defectos en la pared.

4. Cuando la masilla esté seca, lija con el papel de lija fino para alisar el retoque y que se funda con la superficie de la pared.

5. Aplica una segunda capa de masilla, tal como lo has hecho previamente, después lija.

Ya está, ¡arreglado!

 Para detectar los defectos originados por los clavos, recorre el tabique con una lámpara de gran potencia. El haz de luz de la lámpara pondrá en evidencia el más mínimo problemilla. Retira la pantalla de una lámpara provista de una bombilla de 100 vatios, colócala a unos 30 cm del tabique; observarás que esta iluminación lateral no tiene ninguna piedad con las imperfecciones.

Agujeros en la pared

Si bien es cierto que las grietas aparecen por su cuenta en una pared, en el caso de los agujeros, es otra historia: no se hacen solos. Los niños, los animales e incluso los adultos que están en la Luna o que son poco cuidadosos, pueden participar en su aparición sin esfuerzo y en un pispás. Los encontrarás, por ejemplo, detrás de una puerta, producidos por el choque del pomo contra la pared; o por el triciclo descontrolado de una criatura. La causa no importa demasiado, contentémonos con examinar el resultado.

Hay agujeros grandes y agujeros pequeños. Te sugiero que tapes los pequeños con cuadros y los grandes con armarios. ¿No te va bien? Entonces, continúa leyendo.

Agujeros pequeños

Para tratar los agujeros pequeños, hasta 5 cm, procede de la manera siguiente:

1. Lija los bordes del agujero con papel de lija de grano grueso, de 60/80. A continuación, limpia el agujero para facilitar la adherencia con ayuda de un cepillo para limpiar el polvo o de un aspirador.

2. Aplica el producto de relleno sin que se desborde. De lo contrario, te tocará lijar. Será necesaria una segunda aplicación cuando se haya secado la primera capa de masilla.

3. Lija con un taco o una lijadora eléctrica para nivelar y alisar la superficie.

Agujeros grandes

Para tratar los agujeros mayores de 5 cm, ataca directamente con yeso. La colocación y la manipulación del yeso son operaciones bastante delicadas porque es un material que se seca bastante deprisa. Tienes que respetar escrupulosamente las instrucciones del embalaje que serán distintas en función del tipo de yeso.

1. Con un cincel de albañil retira el yeso que esté suelto. No dudes en eliminar todos los trozos de yeso en mal estado. Los bordes y el fondo del agujero deben estar perfectamente sanos.

2. Limpia el polvo con el cepillo, después humedece la cavidad y los bordes con una esponja. En una versión un poco más sofisticada, puedes utilizar el aspirador y un pulverizador para plantas.

3. Mezcla el yeso con el agua hasta obtener una pasta cremosa. La regla de oro para esta fase es verter el yeso sobre el agua como si lloviera, jamás al contrario, porque favorecerías la formación de grumos.

4. En un recipiente, remueve la mezcla con una cuchara; todos estos utensilios deben estar totalmente limpios.

Ahora, hay que actuar rápido.

5. Rellena el agujero con capas de yeso sucesivas. Si es necesario, espera a que se seque bien la primera capa para aplicar una segunda.

6. Iguala el retoque con la ayuda de una regleta o utilizando la arista de la paleta o de un raspador para yeso.

7. Antes de que se seque del todo el yeso, moja un poco la superficie y alísala con la paleta.

Si quieres obtener un acabado más cuidado, puedes aplicar una capa de masilla más fina o de acabado. Atención, en función del espesor del agujero que has rellenado, puede que hagan falta hasta tres semanas de secado para que el agua se evapore por completo y el producto se encoja todo lo que deba encogerse.

8. Lija la superficie para conseguir un acabado perfecto.

¡Hecho! Ahora solo te falta colocar una cuña de puerta o reparar los frenos del triciclo de tu niño para evitar la aparición de nuevos agujeros en tu casa.

A continuación, te daré algunos consejos muy útiles para el rellenado de agujeros grandes. Para que sea más fácil y puedas obtener un resultado impecable, durante la preparación del yeso, todavía líquido, puedes poner a remojo estopa (a menudo en cáñamo) o papel de periódico ya humedecido con agua, directamente en el recipiente del yeso. A continuación, para rellenar la cavidad, hunde el yeso con la estopa en el agujero. Con esto se aumenta el volumen y facilita la reparación de los trabajos. ¡Palabra de manitas!

Agujeros en las placas de yeso laminado

Los agujeros de este tipo pueden repararse con yeso, pero hay que tener en cuenta un pequeño detalle que consiste en reforzar el agujero con un trozo de placa de yeso laminado antes de rellenarlo. Estos son los pasos que te permitirán insertar ese trozo en el agujero:

1. Como muestra la figura 14-3, corta los contornos de la cavidad.

2. Recorta un trozo de placa de yeso laminado. Tiene que ser lo bastante pequeño para pasar en diagonal por la cavidad, pero lo bastante grande para desbordarse unos pocos centímetros por detrás del agujero.

3. Agujerea el centro de la pieza y mete un trozo de cordel.

4. Anuda un clavo o un trocito de madera en el extremo del cordel, por la parte posterior de la pieza. Se trata de bloquear el cordel.

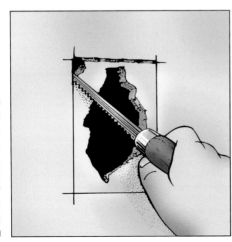

Figura 14-3: La pieza de refuerzo debe cubrir el agujero y un poco más

5. Aplica un poco de yeso o de producto adhesivo en la parte delantera de la pieza. Atención, no te equivoques de lado; se trata de la cara que estará orientada hacia ti una vez la placa esté insertada en el agujero.

6. Sujeta el cordel y haz pasar la placa en diagonal por el agujero. Seguimos de acuerdo, la parte untada hacia ti.

7. Coloca la placa ayudándote con el cordel. Mantén el cordel extendido y rellena el agujero. Deja un poco de espacio para una fina capa de acabado.

8. Cuando la escayola esté seca, corta el cordel a ras y aplica la capa de acabado.

Grietas en el techo

Si tienes el techo en muy mal estado, vas a tener que pensar en encargar su restauración para evitar cualquier peligro. No te aconsejo que te lances a este proyecto solo; déjalo en manos de un buen profesional.

Para las grietas importantes, siempre que no sean peligrosas, puedes utilizar tela de recubrimiento (o de pintar) para todo el conjunto del techo. Atención, la tela no te librará de los preparativos, permite, sobre todo, ocultar defectos que, incluso después de reparados, no quedarían bien estéticamente.

La tela se pega con cola especial, como la del papel pintado y se coloca de lado a lado (para no aumentar el espesor). A continuación, hay que recubrirla o pintarla lo más cuidadosamente posible para que el trabajo de lijado sea más ligero. Preparada de ese modo, puedes pintar la tela con pintura acrílica. Por lo general son necesarias tres capas, una de imprimación y dos para el acabado.

Fijaciones

Tras mantener las paredes en buen estado, puedes pasar a decorarlas. Tienes que elegir el modo de fijación de un elemento a la pared en función de la naturaleza del soporte y del volumen (medida y peso) del objeto que deseas colgar. Por tomar casos extremos, una lámina enmarcada no necesita la misma sujeción que una masa arquitectónica de piedra. Por otra parte, tampoco se procede de la misma manera para anclar un elemento en una pared hueca que en una de ladrillos.

En el momento de comprar las fijaciones, debes conocer los parámetros siguientes:

✔ **Peso aproximado del objeto.** Pésalo en la balanza del cuarto de baño.

✔ **Dimensiones del objeto.** Saca el metro de costura.

✔ **Naturaleza del soporte.** Abre los ojos y agudiza el oído mientras golpeas la pared: ¿escayola, piedra o ladrillo?

En la tienda, lee con atención las instrucciones que figuran en el embalaje de las diferentes fijaciones. Es frecuente que indiquen el peso y las dimensiones máximas que pueden soportar. También debes decidir el número de sujeciones que son necesarias. Para un cuadro grande, por ejemplo, está claro que una sujeción no bastará, debes utilizar, como mínimo, dos fijaciones.

Muros huecos

Empezamos con lo más difícil; de hecho, ¡parece bastante paradójico querer fijar algo justo donde no hay «materia»!

En los tabiques huecos suelen encastrarse los cables eléctricos y los elementos de la fontanería de la casa. A priori, las normas de seguridad exigen que las redes encastradas estén protegidas por fundas de plástico y que puedas perforarlas con todas tus fuerzas sin temer dañarlas. No obstante, ve con cuidado y, cuando agujerees o claves, detente si te encuentras con la mínima resistencia. La piedra, el ladrillo o la escayola son generalmente más blandos que los tubos de acero o de cobre. Si el material se resiste, no lo fuerces; da marcha atrás e intenta averiguar qué provoca la resistencia. Incluso en tus peores pesadillas, ¡estarás lejos de imaginar lo que puede suponer la perforación de un conducto de agua!

Existen aparatos que detectan la naturaleza de los materiales, si hay metal o no. Así que plantéatelo, la inversión puede ser muy acertada.

Para fijar objetos ligeros en tabiques huecos, puedes utilizar las sujeciones siguientes:

✔ Pequeños clavos de acabado o clavos de tapicero plantados perpendicularmente.

✔ Pequeños ganchos atornillados en la pared.

✔ Tacos perforadores para introducir directamente en la pared, acompañados de un tornillo o un gancho.

✔ Ganchos adhesivos.

✔ Tacos de golpe para tabiques huecos, junto a un tornillo...

Para fijar objetos de peso medio, opta por los elementos siguientes (que también puedes ver en la figura 14-4):

Taco de resorte. Utilizado, sobre todo, en los falsos techos. Cuenta con unas aletas plegadas en el momento de la colocación. Para fijar un objeto, debes hacer un agujero adecuado para el taco, introducir el taco (tras haber posicionado el objeto que se va a colgar), después el tornillo. A medida que lo aprietas, las aletas se abren y se incrustan en la pared, lo que asegura el mantenimiento de la fijación.

Taco metálico de expansión (o taco Molly). Fijación destinada a los soportes como la placa de yeso, el ladrillo y el bloque de hormigón huecos.

Taco de resorte

Taco metálico de expansión

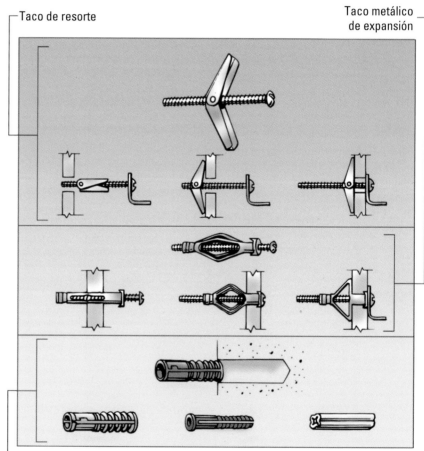

Figura 14-4: Fijaciones para objetos de peso medio y tabiques huecos

Taco de expansión en caucho

El taco cuenta con una parte metálica que, al atornillar, se abre por el centro. Hablamos, entonces, de anclaje paraguas en la medida en que el apoyo se toma lejos de los bordes del agujero. Para fijar un objeto, es necesario agujerear, desenroscar ligeramente el tornillo, hundir el taco en el agujero (tras haber posicionado el objeto que hay que colgar) y, a continuación, atornillar hasta el fondo. El uso de la pinza prevista para esto es más seguro que atornillar directamente el tornillo.

Taco de expansión en caucho. El taco se inserta en un agujero que se ha hecho previamente; cuando se atornilla, sube por la rosca formando una protuberancia con el caucho que bloquea el tornillo.

Cómo encontrar el montante

¡Ten por seguro que no voy a hablarte de un convertidor de euros en pesetas! Pero, a riesgo de colgar algo en una pared hueca, ¿por qué no intentar encontrar los montantes del tabique? Si la ubicación te va bien, parece más acertado utilizar estas superficies macizas que los espacios entre dos montantes.

Si eres fan de los artilugios de todo tipo, puedes localizar los elementos de la estructura del tabique con la ayuda de un artilugio electrónico que verifica la densidad de la pared. Cuando pases el detector por un montante, una luz te indica que has dado en el blanco.

Un medio menos perfeccionado consiste en poner una lámpara de mesa, a la que le hayas quitado la pantalla, a unos 30 cm del tabique. Esta luz debería poner en evidencia las cabezas de los clavos si se han colocado mal previamente. Allá donde veas tornillos separados a intervalos regulares, hay posibilidades de que un montante se encuentre detrás. Allá donde encuentres una cabeza, también hay posibilidades de que un montante se esconda detrás.

Ladrillo y hormigón

Perforar superficies tan duras como el ladrillo y el hormigón requiere un taladro equipado con una broca para hormigón que pueda hacer un agujero guía.

Para colgar objetos ligeros, procede del modo siguiente:

1. Haz un agujero del mismo tamaño (profundidad y diámetro) que el taco.
2. Mete el taco de plástico en el soporte.
3. Coloca un tornillo en el taco y atorníllalo para bloquearlo en la pared.

Los dos ejemplos anteriores de tacos se expanden al atornillarlos garantizando así la sujeción, con la diferencia de que el de nailon se cierra alrededor del tornillo y el de expansión se abre en la pared y no se retrae.

Para los objetos de peso medio, debes utilizar tacos de expansión (que se abren a medida que apretamos, lo que garantiza la sujeción del tornillo):

4. Haz un agujero del mismo tamaño (profundidad y diámetro) que el taco.

5. Hunde el taco de expansión en el soporte.

6. Coloca un tornillo en el taco y atorníllalo para bloquearlo en la pared.

Ya está, solo te queda colgar lo que pensaras que tiene que ir en esa pared.

Estanterías

Una estantería fijada a una pared es a la vez práctica y decorativa. Puede servir para mostrar una colección de pipas o para alojar tus libros de cocina. Un sistema de ordenación más perfeccionado (cremalleras y escuadras) exige algo más de tiempo y de dinero, pero vale la pena.

En cuanto a racionalizar el interior de un armario, es también muy provechoso en la medida en que evitas cualquier riesgo de que los objetos amontonados te sepulten. Las estanterías son siempre el medio más simple y más económico para ordenar un espacio.

Montar una estantería básica

Una estantería simple, como la que muestra la figura 14-5, cuenta con una plancha sostenida por dos escuadras (o palometas) fijadas a la pared. La estantería puede ir atornillada a las escuadras. Para una estantería de tamaño normal (de 60 a 80 cm) con dos escuadras basta. Te harán falta más para una estantería más larga o si el grosor de la plancha es superior a 19 mm.

Encontrarás escuadras simples en todas las grandes superficies de bricolaje, además de una gran variedad de modelos decorativos en los catálogos, las tiendas de decoración y todos los comercios que ofrecen accesorios para la casa.

Estos son los pasos que debes seguir para instalar en un santiamén una estantería sostenida por dos escuadras:

1. Localiza el lugar donde vas a fijar la primera escuadra. Si tus paredes son huecas, estudia la posibilidad de fijar las escuadras en la estructura del tabique (lee el cuadro "Cómo encontrar el montante", que está un poco antes en este capítulo). Verifica también que no haya tuberías ni cables en la ubicación elegida. Cuando tengas decidida la posición, pega la escuadra a la pared, a la altura que te vaya bien, después haz una marca en la ubicación de los tornillos de fijación.

2. Instala la primera escuadra. Si fijas la estantería en la estructura de madera, utiliza tornillos largos, que penetren 2-3 cm en el montante. Para las paredes de yeso y ladrillo, elige tornillos de 45 mm de longitud y tacos para materiales macizos. Para los tabiques delgados y huecos, utiliza los tacos especiales, conocidos como de expansión.

3. Señala la ubicación de la otra escuadra. Elige, por ejemplo, el siguiente montante si la fijas a la estructura del tabique. Pon un nivel de burbuja en la primera escuadra y traza una línea de nivel hasta el otro montante. Sujeta la otra escuadra en posición para marcar la ubicación de los tornillos.

Para evitar pintar una gran línea en la pared acabada, hay numerosas tallas de nivel (1 m, 2 m de longitud).

4. Fija la segunda escuadra.

5. Coloca la estantería sobre las escuadras estabilizándola, en caso de necesidad, con pequeños tornillos.

Figura 14-5:
Si el tabique es hueco, conviene atornillar la estantería en la estructura (para que aguante objetos pesados). No será posible poner tacos, sino que hay que atornillar directamente las escuadras. Práctico, aunque menos seguro con el tiempo

Montaje de una serie de estanterías

Poner varias estanterías juntas es muy práctico para los espacios reducidos, los lavaderos, los roperos, las bibliotecas, entre otros.

Un sistema es montar estanterías móviles colocadas sobre un sistema de cremalleras. Es modulable y permite varias disposiciones. Los elementos de base son los siguientes:

Un par de cremalleras (bandas metálicas verticales intercaladas con muescas y fijadas a la pared).

Las palometas, que se colocan sobre las cremalleras por medio de cuñas y sobre las que se colocarán las estanterías.

La gran ventaja de este sistema es que es totalmente adaptable; las estanterías son móviles, su distancia en altura puede variar en función de los elementos que se van a colocar (mira la figura 14-6).

Antes de lanzarte sobre la primera serie de estanterías que veas, aquí tienes algunos trucos para decidir con total conocimiento de causa:

✔ Sal en misión de reconocimiento a tu tienda de bricolaje preferida y estudia todas las combinaciones propuestas. Intenta encontrar un folleto explicativo o apunta todas las especificaciones relativas a las cremalleras y el modo de sujeción de las palometas. Mete en la mochila un bocadillo y un GPS, porque esta expedición puede llevarte un poco de tiempo.

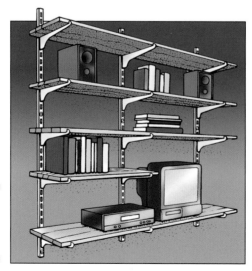

Figura 14-6:
Estanterías
con tres
cremalleras

✔ Calcula el número de estanterías de las que deseas disponer y piensa en su disposición. Si tus paredes son huecas, piensa a ver si te conviene fijar las cremalleras en los montantes del tabique. Si optas por esta solución, haz un plano de la pared marcando la ubicación de los montantes.

✔ Decide las dimensiones y el estilo de las estanterías en función de qué vayan a alojar; los estantes profundos para los objetos pesados y los tableros menos grandes para objetos pequeños. En lo referente a la distancia entre las cremalleras, debe ser de 70 cm, aproximadamente, para los estantes de aglomerado o de madera maciza de, como mínimo, 18 mm de espesor, y de 60 cm para los de 15 mm. No hace falta separarlas más, puesto que las planchas podrían doblarse o romperse. Si quieres que sobresalga un poco por los lados, ese margen no deberá superar una sexta parte de la longitud total de la estantería.

✔ Para fijar las cremalleras en una pared hueca, elige tacos especiales, los de expansión (vuelve a mirar la figura 14-5). Tienes que verificar su capacidad de soporte; no dudes en pedir consejo en la tienda.

✔ Si compras un kit de estanterías en la tienda de tu vendedor de muebles sueco favorito, verifica que están todos los elementos: número de cuñas, número de palometas, capacidad de carga y profundidad, número de estanterías y dimensiones. Algunos kits contienen también los tornillos de montaje, pero no siempre es así. El día que hagas la compra, asegúrate de que tienes todo lo que necesitas antes de salir de la tienda para no enfrentarte a un divorcio porque te falte un tornillo... Comprueba si los tacos incluidos en el kit son adecuados para tu soporte. Ocurre a veces que los que van en el kit están destinados para materiales macizos (hormigón, escayola o ladrillo macizo).

Cuando estés preparado física y psicológicamente para la instalación, sigue estos pasos:

1. Localiza el sitio donde vas a fijar la primera cremallera. Verifica que no haya tuberías o cables donde tienes previsto hacer los agujeros.

Observa la pared en busca de un aplique, una toma, un lavabo en la habitación contigua.

2. Haz una leve marca en la ubicación del primer tornillo de fijación de la cremallera (tornillo de arriba), luego haz en ese lugar un pequeño agujero guía.

3. Introduce el primer tornillo, sin apretar. Coloca correctamente la cremallera verificando que está recta con un nivel.

Cuando la cremallera esté en su sitio, marca la posición de los otros tornillos de fijación metiendo un lápiz en los agujeros correspondientes (mira cómo se hace en la figura 14-7). Todavía mejor, mete un clavo. El lápiz suele ser demasiado estrecho y el clavo evita que la cremallera se mueva de izquierda a derecha.

4. Coloca la cremallera a lo largo de la pared y haz agujeros en los lugares marcados.

5. Hunde los tacos.

6. Vuelve a colocar la cremallera, introduce los tornillos y apriétalos.

7. Marca la ubicación de la segunda cremallera. Coloca una escuadra en la cremallera que acabas de fijar. Apoya la otra cremallera en la pared y coloca la escuadra opuesta, exactamente en la misma muesca. Luego pon un nivel sobre las dos escuadras o sobre una estantería (fíjate en la imagen de la derecha de la figura 14-7) y desplaza verticalmente la cremallera hasta que el nivel indique la horizontal.

No olvides que existen niveles de diversas longitudes. Eso te cambiará la vida como manitas.

8. Marca la ubicación de uno de los tornillos, después fíjalo levemente. Para los otros tornillos, procede como se ha indicado previamente, pero verificando, esta vez, la distancia de las cremalleras a diferentes alturas.

9. Procede del mismo modo para todas las demás cremalleras.

10. Instala las cuñas sobre las cremalleras. La forma de las cuñas suele estar estudiada para que se bloqueen cuando se inserten en las muescas.

Figura 14-7: El equilibrio y la horizontalidad de las cremalleras se comprueba con un nivel

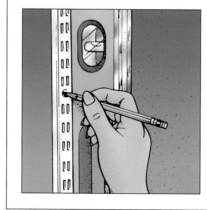
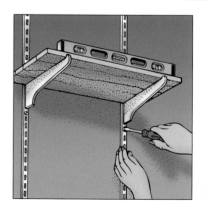

11. Instala las estanterías y relájate. Ya has hecho lo más difícil. Solo te queda la parte agradable del trabajo, que consiste en poner sobre las estanterías lo que te apetezca.

Instalar estanterías en un armario

Ahora te propongo un proyecto con el que ganarás puntos ante tu pareja y pondrás fin al desorden que normalmente reina en los armarios. Consiste en montar dentro del armario estanterías de metal plastificado, tal como se muestra en la figura 14-8. Además de que evita definitivamente cualquier riesgo de avalancha, este sistema permite multiplicar por dos el espacio del armario, un hecho que complacerá... No, más bien, entusiasmará a tu media naranja. Reconoce que vale la pena poner un poco de orden en el caos para permitir la instalación, aunque la fase de ordenar y limpiar será la más ingrata de este proyecto (sobre todo porque hará que te des cuenta de que ya no entras en según qué prendas y de que vas a tener que comprarte otras a la fuerza).

Aquí tienes una lista de lo que necesitas para acondicionar tu armario (excepto el último, todos los elementos los encuentras en cualquier tienda de bricolaje o en una ferretería):

✔ Nivel de burbuja.

✔ Destornillador.

✔ Cinta métrica y lápiz.

Figura 14-8: Las estanterías de armario, una solución simple y flexible para ordenar tus cosillas

> ✔ Sierra para metales para cortar las estanterías a medida.
>
> ✔ Una tarde libre.

La parte menos interesante del trabajo siempre son los preparativos que hay que hacer antes de equipar el armario.

1. **Vacía todo el contenido del armario.** Este es un paso obligatorio. Piensa que vas a tener la oportunidad de deshacerte de un montón de cosas que ya no utilizas. Regala esos tesoros a obras benéficas o a quienquiera que las vaya a utilizar, ¡pero deshazte de ellos! Y no te engañes diciéndote que la moda de las faldas pantalón o la de las camisas con cuellos interminables típicas de la década de 1970 volverán el próximo año. ¡No! La moda necesita veinte años para volver a resurgir, así que, a menos que puedas fechar tu vieja ropa con carbono 14, dala. Si quieres abandonar el mundo de la moda por el bricolaje, que sepas que las fibras se pueden reciclar para hacer materiales de aislamiento.

2. **Desmonta el sistema de ordenación que tengas.** Saca la barra de colgar y las estanterías existentes. Quizá necesites un pequeño cincel para desclavar las estanterías si están fijadas a la pared. Si no es así, bastará con desenroscar algunos tornillos o fijaciones que sujetan las estanterías o la barra de colgar.

3. **Tapa los agujeros que haya.** Utiliza un producto de relleno estándar, tal como se explica en el apartado "Pequeñas grietas", al principio del capítulo. Para ello, las masillas preparadas (en tubo) son muy prácticas.

4. **Limpia las paredes.** Si el interior del armario está un poco roñoso, organiza una pequeña operación de limpieza con detergente; o dale un pequeño toque de pintura si está en buen estado.

Aún puedes hacer un pequeño esfuerzo que apreciarás cuando abras el armario. Para montar las estanterías, sigue estos pasos:

1. Si las estanterías llevan instrucciones especiales, léelas atentamente.

2. Marca la altura de la estantería principal en el fondo del armario, coloca el nivel a esa altura y dibuja una línea con lápiz.

   Atención, dibuja otra línea un poco por encima de la marcada para la estantería si quieres que esté a la altura que deseas. De hecho, si utilizas ganchos, verás que hay varios centímetros de distancia entre el tornillo y el sistema que sostiene la estantería.

3. Marca la posición de los tornillos de los enganches. Coloca la estantería en tu línea de nivel y marca la ubicación de los tornillos con un lápiz.

4. Haz agujeros de 5 mm, aproximadamente en las marcas e introduce los enganches.

5. Clava un tornillo en cada enganche y atorníllalo para fijarlos a la pared. No aprietes demasiado por el momento.

6. Mete las boquillas de protección en un extremo y corta el otro extremo de la estantería según las dimensiones correspondientes.

7. Pon las boquillas de protección en el extremo cortado de la estantería.

8. Coloca la estantería en la U de los enganches del fondo.

9. Levanta la estantería hacia ti para marcar la ubicación de los tornillos de los enganches laterales. Levántala hasta que quede perpendicular a la pared y haz los agujeros correspondientes a los tornillos laterales.

10. Inserta los enganches, después los tornillos.

11. Atornilla sin apretar demasiado.

12.. Cuando estén colocados todos los tornillos, enróscalos al máximo para finalizar la instalación.

Ahora solo te queda volver a colocar todo lo que había en el armario (menos lo que hayas tirado, claro).

Las estanterías en serie son como los perros, hay de todos los tamaños y colores. A veces resulta difícil elegir ante tantas propuestas. De ti depende escoger el modelo más resistente y más práctico de colocar.

Otra sugerencia para la colocación de estanterías:

1. Empieza colgando un riel horizontal en lo alto de la pared con tacos y tornillos.

2. Olvídate de las herramientas. Basta con enganchar la cremallera vertical en el riel de arriba.

3. Inserta a tu gusto las escuadras en la cremallera.

4. Procede del mismo modo con las otras cremalleras y escuadras.

5. ¡Ya está! Has acabado. Con este método, podrás incluso reorganizar tu ropero según la estación del año, alternando invierno y verano. Ya no hacen falta herramientas, el conjunto del montaje y el peso de la ropa darán la estabilidad. Increíblemente práctico, ¿no? Yo soy muy fan de este tipo de organización. ¡Incluso existen cajones para la ropa interior!

Colocación y reparación de baldosas de cerámica

Las baldosas son un revestimiento muy estético y duradero. Gracias a su resistencia, van bien prácticamente en todas las estancias de la casa. Muestra de su éxito es que puedes encontrar una gama enorme de colores, formas y calidades en un montón de tiendas. La única verdadera dificultad para embaldosar una zona es decidir el color, la forma, el estilo y el tamaño de las baldosas. El surtido es verdaderamente impresionante: del revestimiento más sobrio en blanco roto a los tonos o motivos más extravagantes.

Instaladas mayoritariamente en la cocina y en el cuarto de baño, las baldosas sufren las filtraciones del agua. Cuando la estanqueidad de la junta entre ellas disminuye, el agua penetra y acaba por despegar el revestimiento. Los apartados siguientes explican cómo reparar e instalar baldosas de cerámica.

Arreglos de baldosas

Las reparaciones más comunes del alicatado son las siguientes: reparación de las juntas, encolado de una baldosa y sustitución de una rota. Como las baldosas son un material robusto y sencillo de manipular, estas reparaciones puede hacerlas cualquiera, incluso el manitas menos lanzado.

Reparar las juntas entre las baldosas

Los intersticios entre las baldosas se rellenan con una protección que garantiza la estanqueidad del revestimiento. A veces sucede que las juntas, sometidas a la presión de la pared sobre la que reposan las baldosas, se resquebrajan, lo cual puede provocar que se desprendan las baldosas a causa de la filtración del agua. Es posible reparar una o dos baldosas añadiendo algún producto preparado, pero si los daños están más extendidos, será necesario rehacer las juntas de todo el conjunto del revestimiento.

Aquí tienes una lista del material que necesitarás para reparar las juntas entre las baldosas:

✔ Lechada, también llamada borada (puede ser barbotina u otros productos).

✔ Aguja o alambre metálico para retirar los trozos de la junta estropeada.

✔ Llana (para una gran superficie) o paleta de tipo lengua de gato.

✔ Espátula de caucho.

✔ Esponja limpia, toalla de baño limpia y seca.

El procedimiento tiene estos pasos:

1. Limpia la superficie embaldosada para retirar cualquier sedimento o resto de suciedad. La limpieza con un producto que contenga lejía acabará con los hongos que se desarrollan en entornos húmedos. Pasar un producto con alcohol permite eliminar los restos de jabón rebeldes y, de manera general, cualquier residuo graso. Otro truco muy útil: un pequeño toque de vinagre para eliminar las manchas producidas por la cal. Con dinamita conseguirías una limpieza radical, pero no te lo aconsejo; seguro que este deseo se te pasará por la cabeza mientras frotas las baldosas.

2. Con ayuda de una aguja o de un alambre, retira la junta defectuosa alrededor de la baldosa. Fíjate en la imagen de la izquierda de la figura 14-9. Luego pasa una esponja húmeda sobre la baldosa limpia para eliminar cualquier resto de la antigua junta.

3. Mezcla la lechada siguiendo las instrucciones del fabricante que se indiquen en el paquete. Es preferible que uses un producto que se mezcle con látex, porque es más adherente que un cemento de mampostería o una junta sintética al agua.

4. Utiliza una llana para extender el producto sobre toda la superficie que vayas a reparar. Este método es mucho más rápido para hacer que la pasta penetre entre las baldosas, sobre todo, cuando tengas que trabajar una superficie grande (si solo tienes que reparar una o dos baldosas, puedes utilizar una espátula de plástico rígido para no rayar el embaldosado). Para retirar el exceso de producto, pasa una espátula de caucho (o rasqueta) en diagonal, sosteniéndola en perpendicular para repartir la pasta y retirar el excedente. Fíjate en la imagen de la derecha de la figura 14-9.

5. Cuando la junta empiece a secarse, pasa una esponja húmeda para limpiar el exceso de producto. Este paso permite también volver a rellenar las juntas que se hayan endurecido y ahuecado.

6. Puede quedar un leve sedimento en las baldosas; se retira con una toalla de rizo limpia y seca.

El intersticio entre la bañera y la primera hilera de baldosas debe rellenarse con un producto especial. Como este punto está especialmente castigado (peso de las personas y el agua del baño), la lechada ordinaria corre el riesgo de resquebrajarse y dar lugar a filtraciones de agua. Es necesario aplicar una junta especial con silicona. Para alisar esa junta, pasa un dedo mojado con agua jabonosa (la parte posterior de una cucharita de plástico o un trozo de patata pelada funciona aún mejor), después retira lo que sobre con una esponja húmeda.

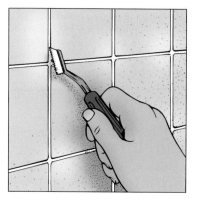

Figura 14-9
Cómo
retirar la
junta
estropeada
(a la
izquierda);
cómo
rellenar las
juntas con
una llana
(a la
derecha)

Colocar una baldosa desprendida

Cuando las juntas de un alicatado no son estancas, el agua no dejará de filtrarse y hará que las baldosas se desprendan. Para volver a pegar una baldosa, sigue estos pasos:

1. Retira la baldosa con precaución haciendo palanca con la ayuda de una espátula. Retira con cuidado los restos de cemento y de cola que queden en la parte posterior de la baldosa y en la pared. Tendrás que rascar con un rascador manual. Normalmente será necesario lijar la parte posterior de la baldosa con un papel de grano muy grueso, como del 40, o bien con una muela de disco. Limpia también los bordes de las baldosas colindantes, que no deben presentar ningún resto de junta. Vuelve a colocar la baldosa en seco en su lugar para verificar si se adapta al hueco.

2. Aplica cola en el dorso de la baldosa con un peine o una espátula dentada. Asegúrate de que el espesor de cola es adecuado para la colocación de la baldosa, que no debe hundirse ni sobresalir más que las demás.

3. Coloca la baldosa en el hueco presionando con un pequeño movimiento derecha-izquierda para garantizar una buena distribución de la cola sobre el soporte y las baldosas adyacentes. Si es necesario, pega bien la baldosa golpeando levemente por encima con el mango del martillo o protegiéndola con un taco de madera.

La principal dificultad es saber si has hundido la nueva baldosa lo suficiente, si te has pasado o si te has quedado corto. Para saber si cuadra al pelo con la altura correcta, el truco consiste en coger una plancha, una cuña o una regla y deslizarla por el conjunto de las baldosas para verificar que las que has sustituido están al mismo nivel que las otras.

4. Retira el exceso de cola. Por lo general los adhesivos son lo bastante potentes para que la baldosa se adhiera inmediatamente al soporte. Si no es el caso, sujeta con cinta adhesiva la baldosa durante el tiempo de secado de la cola.

5. Cuando se haya secado, aplica la lechada , tal como se explica en el apartado sobre la reparación de las juntas.

6. Limpia los restos de lechada con una esponja húmeda, después, tras el secado, pule la baldosa con una toalla limpia y seca.

Sustituir una baldosa rota

Este es el procedimiento que tienes que seguir para extraer o sustituir una baldosa resquebrajada o desportillada:

1. Rasca las juntas alrededor de la baldosa que tengas que sustituir (si lo necesitas, repasa el apartado "Reparar las juntas entre las baldosas", que está un poco antes en este mismo capítulo.

2. Retira la baldosa rompiéndola con el cincel. Coloca el cincel en el centro de la baldosa y golpéalo fuerte con el martillo hasta hacer un agujero (fíjate en la figura 14-10). También puedes perforar el centro de la baldosa con una broca para hormigón.

Ponte gafas para protegerte los ojos de los fragmentos de esmalte que pueden saltar.

3. Ve rompiendo la baldosa a trocitos avanzando desde el centro hacia el exterior. Utiliza para ello el cincel o una varita metálica. Ten cuidado de no estropear las baldosas adyacentes. A continuación, comprueba que el soporte esté intacto.

4. Con un rascador metálico o un cincel bien afilado, retira cualquier resto de baldosa, residuo de cola y de lechada. Ver capítulo 14 «Colocar una baldosa desprendida».

   Coloca a continuación la nueva baldosa en el hueco para ver cuánta cola tienes que poner para que quede al mismo nivel que las baldosas contiguas. Asegúrate de que la forma de la baldosa se adapta perfectamente a esa ubicación.

5. Aplica la cola a la baldosa, colócala en su sitio y, tras el secado, haz la junta. Para ello, sigue las instrucciones del apartado «Reparar las juntas entre baldosas», que está un poco antes en este capítulo.

Proteger con baldosas la pared donde está el fregadero

Una franja de baldosas por encima del fregadero, en el espacio entre la encimera y los armarios superiores, añade un toque decorativo y proporciona grandes ventajas para el mantenimiento. Se puede hacer de materiales y colores muy variados: loza, gres, terracota o pasta de vidrio, en baldosas individuales o en placas (mosaico sobre malla o papel); deberías encontrar sin problemas un alicatado que se adapte a tu estilo.

La elección de la decoración es cosa tuya pero te conviene optar por baldosas cuyas dimensiones cuadren con tus medidas para evitar tener que hacer muchos cortes. Cuando tomes las cotas, no olvides tener en cuenta el espacio entre las baldosas (como mínimo 3 mm).

La colocación en la pared se puede hacer directamente sobre el hormigón o sobre yeso. Hay que empezar por limpiar escrupulosamente la superficie, que debe estar libre de residuos de pintura, de grasa o de cera para garantizar una buena adherencia de la cola (un detergente común irá bien). Si pones las baldosas sobre una superficie de plástico, primero límpiala con disolvente y después frótala con papel de lija para favorecer el efecto de la cola. Limpia enseguida el polvo generado por el lijado. (Busca una cola apropiada para PVC.)

La colocación puede variar según el tamaño y la naturaleza del revestimiento; en grandes líneas, el procedimiento es como sigue:

1. Traza el primer eje de colocación (vertical). Se parte generalmente de un eje vertical situado en el centro del panel. En la figura 14-11, por ejemplo, el centro del banco de trabajo es lo que sirve de referencia. Puedes decidir las dimensiones de la parte que hay que alicatar. Ingéniatelas también para que entre un número exacto de baldosas enteras, tanto en altura como en anchura. Primera regla que debes respetar: tiene que haber el mismo número de baldosas a una parte y a la otra del eje vertical, sin olvidar el espacio entre las baldosas.

2. Calcula el número de baldosas que tendrás que poner a lo ancho (mira el dibujo de la izquierda de la figura 14-11). Coge dos baldosas, coloca la primera en seco (es decir, sin cola) sobre el eje vertical, después haz una señal a cada lado. Coloca otra baldosa junto a la que sujetas (a la derecha, por ejemplo), haz una señal y ve alternando las baldosas hasta que llegues al final de la parte que vas a alicatar. Haz lo mismo por el otro lado (a la izquierda). Ingéniatelas para que entren el mismo número de baldosas a una parte y a la otra del eje vertical.

3. Señala, a continuación, el número de baldosas que debes instalar en altura (imagen de la derecha en la figura 14-11). Procediendo del mismo modo, es decir, alternando las baldosas una detrás de otra, marca las referencias de la primera columna de baldosas. El límite en altura de la parte embaldosada lo marcará el punto en el que ya no hayas podido encajar una baldosa entera.

4. Partiendo de la referencia que indica la última fila en altura, traza el primer eje horizontal de colocación, sin olvidarte del espacio entre las baldosas, es decir, en nuestro ejemplo sería 3 mm multiplicado por el número de espacios; digamos que son tres, por tanto, sumará 9 mm. Coloca un nivel de burbuja sobre tu referencia, dibuja una línea, mueve el nivel para prolongar la línea, y así en adelante, todas las veces necesarias hasta llegar al final. Pon el nivel sobre la referencia de debajo y dibuja el segundo eje horizontal. A partir de ahí, debes tener dos trazos en ángulo recto. Empieza, entonces, por el eje central de la referencia en ángulo recto.

5. Con una espátula dentada, extiende la cola sobre el soporte (como en la figura 14-12). La capa de cola debe estar bien repartida para evitar las diferencias de nivel entre las baldosas. Sobre todo, procura que las estrías de la cola sean uniformes al aplicarlas. Ve con calma con la espátula dentada para que el encolado quede bien homogéneo.

La espátula dentada es una herramienta muy útil. Debes elegirla en función de la cantidad de cola que debas aplicar en la pared o en el suelo. Sus dientes definen la longitud y la profundidad de la cola que

Figura 14-11:
Se define la posición de la primera hilera y el número de baldosas a lo largo en función de un eje vertical, situado en el centro de la parte que hay que recubrir (a la izquierda). Luego se verifica el número de baldosas que irán en altura (a la derecha)

Figura 14-12:
La cola para el alicatado se aplica con una espátula dentada

aplicarás en la pared. Cuanto más grandes sean las baldosas, más grandes deben ser los dientes. Así que acuérdate de informarte al respecto cuando compres la cola.

6. Coloca la primera baldosa presionando con un pequeño movimiento de derecha a izquierda para asentarla bien en la cola. No olvides el primer hueco de la junta, si la colocación empieza por debajo.

En cuanto a los espacios, lo más sencillo es elegir un alicatado cuya forma incorpore ese espacio; dicho de otro modo, baldosas con los bordes biselados. Para las baldosas con los cantos en ángulo recto (bordes rectos), debes utilizar crucetas de separación para asegurarte de que todas las juntas sean iguales. En función del grosor de las crucetas, podrás o no retirarlas, o dejarlas en las juntas si has sido tan cuidadoso como te decía que lo fueras tu mamá y las has puesto bien...

7. Coloca el resto de las baldosas, después deja secar la cola según las instrucciones del fabricante.

8. Remata las junturas. Para ello, sigue las instrucciones del apartado "Reparar las juntas entre las baldosas" por el que quizá ya has pasado porque está un poco antes en este mismo cpaítulo.

Ancho de las juntas: hasta el momento, te he aconsejado que hagas unas juntas de 3 mm. Es lo mínimo, ya que ese intersticio sirve, al mismo tiempo, de espacio de dilatación y de estanqueidad. A partir de ahí, es una cuestión de gusto... Eres libre de decidirte por la anchura máxima, pero esa distancia suele aumentar en función del tamaño de las baldosas. Cuanto más grande es la baldosa, más ancha la junta. El máximo utilizado es de 15 mm y para esa medida, tendrás que pensar en cambiar el tipo de lechada; de lo contrario, las juntas se agrietarán y te verás obligado a volver a pasar por el rascado y la colocación de una nueva junta. Sería una lástima, porque una pequeña visita a las estanterías de tu tienda de bricolaje preferida te evitaría este mal trago...

Aislamiento

Esta es una de mis mejoras más simples e importantes que todo manitas de fin de semana puede llevar a cabo: aislar térmicamente una habitación. Claro que hay cosas más glamurosas que arrastrarte a cuatro patas por el desván, y ninguno de tus invitados verá el resultado de tu gran trabajo. No obstante, tu cartera sí que te lo agradecerá mucho cuando vayas a pagar la factura de la calefacción.

Aislamiento del armazón del tejado

Desde hace años la fibra de vidrio es el material más utilizado para el aislamiento; el motivo es que cuenta con las características siguientes:

✔ **Inalterable y duradero (no se pudre).** Esto es esencial sabiendo que el aislante, a menudo, está expuesto a la humedad del hormigón.

✔ **Resistente al fuego.** La resistencia al fuego se indica con la letra M seguida de una cifra del 1 al 5. En las viviendas solo se autorizan los aislantes clasificados como M.0 (incombustible) y M.1 (no inflamable).

✔ **Conductividad térmica baja.** Es una propiedad expresada por un coeficiente (λ, que es la letra griega lambda); cuanto más bajo es el coeficiente, más aislante es el material.

Por otra parte, la capacidad de aislamiento es función de la zona climática en la que esté la edificación. La clasificación en zonas climáticas responde a parámetros objetivos, como altitud y variación térmica anual, entre otros. Para saber en qué zona vives puedes consultar los organismos competentes que se encarguen de velar por eficiencia energética.

Aunque la fibra de vidrio cuenta con todas las características requeridas para ser un aislante ideal, tiene como inconveniente que es muy irritante. Su manipulación es más o menos como acariciar un erizo con las manos desnudas. Además, tiene tendencia a dispersarse por el aire bajo la forma de partículas muy finas y la inhalación de estas partículas podría, según los especialistas, representar un peligro para los pulmones. Por tanto, no asumas ningún riesgo. Antes de la colocación, equípate con un kit de guantes, gafas y máscaras de protección.

Por suerte, ha aparecido una nueva generación de aislante: la fibra de vidrio de contacto, que está protegida por una tela protectora imputrescible en tres caras, que permite la manipulación del material sin contacto directo con la fibra y sin que se disperse por el aire. La tela no afecta en absoluto a las prestaciones termoacústicas del aislante. Atención, la tela tampoco actúa como barrera de vapor.

La barrera de vapor es una pantalla estanca que se instala entre el aislante y el lado caldeado de la habitación para evitar que la condensación en la estancia caldeada penetre en la capa aislante. Ciertos rollos de fibra de vidrio están ya recubiertos de una barrera de vapor en papel kraft estanco o en aluminio (los fabricantes, además, han tenido la buena idea de dibujar una cuadrícula sobre el kraft para ayudar a cortarlo). Si añades una capa aislante a un aislamiento ya existente, elige una que no esté recubierta por una barrera de vapor. Para los lugares en los que sea necesaria una barrera de vapor, no olvides que tienes que instalarla con esa barrera hacia el interior (dicho de otro modo, hacia el lado caldeado de la vivienda).

Para reforzar el aislamiento del armazón del tejado, puedes añadir una segunda capa de fibra de vidrio. Tal como puedes ver en la figura 14-13, esta segunda capa debe estar colocada perpendicularmente respecto a la primera. Para cortar el rollo de fibra, utiliza un serrucho de dientes gruesos.

Si necesitas aislar tu casa, pero te da miedo manipular la fibra de vidrio, no dudes en buscar un profesional

Figura 14-13:
Extensión cruzada de una segunda capa de aislante

Aislamiento de los suelos

No olvides las pérdidas térmicas por la parte inferior de la vivienda. Si el edificio está construido sobre un sótano o sobre un forjado sanitario, el calor se escapará por el suelo.

Busca asesoramiento para saber cuál es el medio más apropiados para garantizar un buen aislamiento de los suelos según el tipo de construcción de tu casa. Si, por ejemplo, tienes un suelo colocado sobre las vigas, lo ideal es elegir fibra de vidrio del mismo grosor que ellas. Habrá que instalarla a lo ancho por subcapas, entre las vigas. Fíjate en la figura 14-14: la fibra se sujeta con grapas a las vigas. La continuidad del aislamiento es indispensable para evitar las pérdidas de calor y la humedad. Presta especial atención a los huecos y a los pliegues durante la colocación del aislante. Asegúrate también de que la barrera de vapor esté totalmente en contacto con el techo.

Figura 14-14:
Colocación del aislante entre las vigas del suelo. La barrera de vapor está colocada hacia arriba (hacia el lado caldeado de la vivienda)

Capítulo 15

Reparaciones y reformas exteriores

· ·

· ·

E l mantenimiento exterior de una vivienda requiere algunos conocimientos. Básicamente, se trata de mantener la construcción libre de agua: hay que verificar con regularidad la fachada, el sótano y la cobertura de la casa, en busca de cualquier problema que pueda dar lugar a filtraciones de agua. Sé muy bien que preferirías pasar el domingo en la playa o recorriendo rutas rurales en moto, pero antes de ponerte a todo gas, date una vuelta por la casa y localiza todos los signos reveladores de desgaste o de deterioro. Tratándose del mantenimiento exterior de una casa, actuar pronto es la mejor garantía contra un deterioro y una devaluación precoces.

Revestimientos de fachada

Los deterioros exteriores más fáciles de detectar son los defectos en la fachada. Cualquier parte corroída o manchada indica un problema, ya ni hablar de los lugares donde el hormigón se ve, porque el revestimiento que debía protegerlo se ha desprendido.

Si eres afortunado y, sobre todo, previsor, encontrarás en el garaje o en el cobertizo del jardín, viejos materiales de construcción de la fachada. Si te ves obligado a volver a comprar estos materiales, comienza por sondear a los proveedores de la zona que lleven en funcionamiento mucho tiempo. Sin duda, habrán recibido peticiones similares y encontrarás más fácilmente lo que necesitas.

El acabado de la fachada

El revestimiento de un fachada es una capa de acabado; como los materiales de construcción modernos son menos estéticos y, casi siempre, porosos, es necesario recubrir las paredes con un revestimiento de protección impermeable. Este acabado debe proteger la construcción de las inclemencias del tiempo, pero, al mismo tiempo, debe permitir que respire el hormigón. Para hacer lo útil agradable, el revestimiento puede, incluso, ser decorativo.

Entre los acabados tradicionales, se encuentra el mortero, que se compone de una mezcla de arena y agua unidas con un aglutinante; será cemento para el mortero de cemento; sus características son la resistencia, el secado rápido y la impermeabilidad, o bien cal para el mortero de cal, que es un enlucido menos resistente, pero de un secado más lento y de aspecto menos rústico. Por otra parte, el mortero de cemento apagado contiene cal y cemento, y equilibra así las cualidades y los defectos de los otros dos tipos. El acabado con mortero se suele aplicar en tres capas: una capa de fijación, el cuerpo del enlucido y una capa de acabado.

Los enlucidos modernos se basan en resinas sintéticas, lo que les confiere propiedades muy interesantes: estanqueidad, elasticidad (se adaptan a las microgrietas de la estructura que se deforma) y simplicidad de la aplicación (listos para su empleo, aplicación en una o dos capas).

Rellenar un agujero en un revestimiento de mortero

Los retoques sobre acabados de mortero no forman parte de las reparaciones más sencillas, pero, bueno, ¡tampoco es una operación a corazón abierto!

La humedad es la causa principal de los daños: el revestimiento se vuelve poroso y se suelta del soporte de la pared. Es imprescindible que averigües y elimines las causas que provocan las humedades antes de comenzar la reparación.

No hace falta empezar los trabajos si el pronóstico del tiempo dice que la temperatura será inferior a 7 °C durante la reparación. El frío amenaza con convertir en hielo el agua del mortero y provocar grietas prematuras.

Esta es una lista de las herramientas y los materiales que necesitarás:

✔ Gafas y guantes de protección.

✔ Cincel y maza (o martillo).

✔ Cepillo.

✔ Esponja o vaporizador de agua.

✔ Recipiente para yeso o tabla porta mortero (un listón claveteado perpendicularmente a una tablilla puede servir).

✔ Paleta.

✔ Listón de madera o llana.

✔ Tabla o esponja limpia.

✔ Revestimiento de mortero.

En lo referente a las proporciones, respeta las indicaciones del fabricante y prepara justo la cantidad de producto que necesites para cada fase. Aquí tienes el procedimiento que debes seguir para rellenar un agujero en un enlucido de mortero:

1. Con un cincel y una maza, despeja y agranda el agujero que vayas a reparar. Dale con ganas, agranda el agujero sin miedo. Prueba la zona alrededor de la cavidad golpeando con un martillo; las partes sanas deben emitir un sonido sordo sólido, las partes dañadas uno hueco.

   Ponte gafas para protegerte los ojos de los fragmentos que puedan saltar. Usa también guantes sólidos, similares a los de un jardinero, por si se te escapa algún martillazo a los dedos.

2. Retira los desechos y el polvo con un cepillo.

3. Moja la superficie que quieres reparar con una esponja o un vaporizador. Déjate cerca un vaporizador de agua para poder humedecer el revestimiento, si es necesario. El material tiene, en efecto, tendencia a absorber rápidamente la humedad y un secado demasiado rápido puede dar lugar a grietas.

4. Aplica la primera capa. Se trata de lanzar, literalmente, el revestimiento contra la pared. El gesto es bastante simple, hay que coger la mezcla del recipiente para el yeso con el extremo de la paleta de albañil y lanzar el mortero contra la pared. El grosor de la capa debe estar alrededor de 5 mm.

   Puedes hacerte tu propia paleta o tabla porta mortero claveteando un listón (que servirá de mango) perpendicularmente a una pequeña tabla de madera. Esta herramienta es, en efecto, práctica para tener el producto al alcance de la mano y evitar las idas y venidas. Te servirá de reserva en las cercanías.

5. Cuando el mortero empiece a endurecerse (tras veinte minutos, aproximadamente), araña la superficie para facilitar la fijación de la capa siguiente (observa la figura 15-1). Usa para ello la paleta de albañil, un fragmento de madera, un rascador o tu cincel. Todo depende de la dureza de tu antiguo revestimiento.

6. Deja secar la primera capa durante catorce horas, como mínimo.

7. Para la capa de acabado, prepara una mezcla con las mismas proporciones que la primera capa.

   Aplica el mortero con la paleta de albañil formando un pequeño montículo respecto a la superficie a su alrededor.

8. Espera quince minutos aproximadamente y, después, pasa un listón de madera o una llana para igualar bien la superficie (como en la figura 15-2).

   Hay escofinas perfectas para igualar los revestimientos, pero no es necesario invertir en ello si tienes que hacer pocas reparaciones.

9. Cuando el mortero empiece a endurecerse (alrededor de veinte minutos tras su aplicación), alisa de nuevo pasando levemente una esponja o una tabla húmeda sobre la superficie.

Figura 15-1:
Se araña la superficie para facilitar la fijación de la capa siguiente

Para que el retoque se funda bien con la superficie, puedes teñir directamente el mortero en la masa, mediante colorantes. Si prefieres pintar el retoque, debes darle antes una buena pasada de detergente a alta presión y después una subcapa de impresión.

Figura 15-2:
La
superficie
se iguala
con la
llana

Pequeños retoques del revestimiento

Si la pared tiene un agujerito a causa de un golpe, pero el revestimiento de alrededor está bien, puedes limitarte a rellenar el hueco con una sola capa de la siguiente forma:

1. Retira las partes que ya no se adhieran.

2. Humedece el defecto antes de aplicar el enlucido.

3. Iguala la llana y alisa.

Fachadas de madera

En este apartado, hablaremos de las reparaciones concernientes a los daños que pueden aparecer en las fachadas de madera. Se necesitan las siguientes herramientas y materiales:

✔ Para los pequeños daños: rascador, espátula, pasta de madera, papel de lija y pistola con cartucho de cola.

✔ Para la sustitución de un listón entero: pequeños fragmentos de madera (que servirán de cuñas), listón nuevo, serrucho o sierra circular, sierra de vaivén, sierra de metales, imprimación o barniz, cuña de madera, martillo, clavos idénticos a los ya utilizados para el revestimiento y masilla.

Pequeños daños en una fachada de madera

Cuando el defecto es menor, no hace falta retirar el listón de madera entero (maniobra que verás un poco más adelante). Puedes limitarte a rellenar el agujero con las herramientas adecuadas, es decir: un rascador, una espátula y pasta de madera. Si el revestimiento es antiguo y está sometido a las inclemencias del tiempo, utiliza un producto de rellenado que incluya un endurecedor y que permita estabilizar la madera antes de la aplicación de la pasta.

El procedimiento es el siguiente:

1. Con el rascador, limpia la superficie que vayas a reparar. Retira del agujero cualquier partícula o fibra de madera que esté suelta.

2. Con una espátula, aplica un revestimiento de dos componentes o una pasta de madera natural y a base de resina epoxi. El producto debe tener la consistencia de una pasta para untar. Quizá sean necesarias varias aplicaciones para rellenar por completo la cavidad. En ese caso, deja secar la primera capa hasta que se haya endurecido antes de aplicar el resto de producto. Hay que rellenar el hueco y adaptarse a sus contornos para que quede totalmente invisible tras el lijado.

3. Cuando el retoque esté seco, lija. Una vez más, sé que no es la fase más divertida, pero es la que permite mezclar la unión con el revestimiento.

4. Aplica una primera capa sobre la parte retocada, deja secar y después dale una capa de pintura o barniz. Es mejor que uses una pintura de subcapa para los revestimiento de dos componentes y resina epoxi.

5. Acaba con barniz o lasur sobre la pasta de madera.

Reparar un listón sin retirar

Un listón se ha partido pero no del todo o la dilatación ha formado un espacio demasiado grande entre dos listones. Puedes rellenar, encolar y devolver la estanqueidad en un solo paso sin tener que retirar el listón. Para ello, utiliza masilla de sellado en cartucho.

Para continuar con la reparación, tienes que asegurarte de que el soporte esté bien seco, limpio, libre de telas de araña, de polvo e incluso de masilla antigua. Sigue el mismo procedimiento descrito en el apartado anterior "Pequeños daños en una fachada de madera".

Tras haber limpiado la superficie que tengas que reparar sigue estos pasos:

Si es de madera natural, aplica antes barniz o lasur.

Si es madera pintada, aplica antes la pintura de subcapa para madera exterior. Si no estás seguro de que se te vaya a dar bien lo de aplicar masilla en cartucho, puedes proteger las zonas exteriores que haya que tratar, bordeándolas con cinta de carrocero.

Después de la aplicación que corresponda, inyecta la masilla en la cavidad.

Sobre los listones que queden de madera natural

1. Bordea las partes exteriores con cinta.

2. Inyecta una masilla para madera que sea similar a tu color.

3. Con un pulverizador lleno de agua jabonosa, alisa la masilla con el dedo o con una cuchara de plástico por el lado abombado.

4. Retira la cinta.

5. Pulveriza de nuevo con agua jabonosa.

6. Alisa de nuevo la masilla insistiendo levemente en los bordes.

Sobre los listones que queden pintadas

1. Inyecta la masilla en las cavidades.

2. Puedes alisarla con el dedo, tal como se ha indicado previamente o dejar que sobresalga un bultito, que después cortarás con un cúter, una vez que se haya secado por completo, unas 24/48 horas más tarde.

3. No hace falta que pongas cinta, ya que pintarás todo el conjunto. Puedes dejar que se desborde la masilla cuando la apliques, pero si no quieres cortarla, extiende los bordes de la masilla sobre los lados exteriores.

4. Tras el secado, aplica la subcapa.

5. Proceso de pintura normal.

Sustitución de un listón

Si un parte entera del revestimiento se estropea por el agua, tiene una grieta o está dañada, sigue los pasos siguientes para sustituirla (mira la figura 15-3):

1. Con ayuda de una palanca y de unas pequeñas cuñas de madera, levanta la parte por encima o por debajo de la sección que debe

repararse para poder acceder a esta última. Este paso puede ser delicado.

A continuación, ya puedes desclavar el listón defectuoso. Retira los clavos con cuidado; la madera puede resultar quebradiza y, si arrancas los clavos bruscamente, no será un listón, sino toda la fachada lo que tendrás que reparar.

2. Mide el espacio que separa los dos montantes sobre los que está clavado el listón que vas a sustituir.

   La nueva tabla también se fijará a esa estructura. Tienes que serrar como mínimo a 30 cm de cada lado de la parte dañada de la parte que vas a reemplazar.

   Necesitas un serrucho para el corte o, mejor aún, una sierra circular (si tienes una y si sabes cómo usarla). Ajusta la altura del corte al mismo grosor que el revestimiento. Termina el corte (parte superior) con una sierra de mano. Corta los clavos que sujetan las lamas adyacentes deslizando la hoja de una sierra para metales por debajo de la lama que está montada por encima de la que quieres extraer.

3. Limpia el espacio de trabajo de cualquier viruta de madera. Comprueba que el soporte por debajo está intacto. En caso contrario, soluciona el problema antes de colocar la nueva lama.

4. Mide con cuidado la tabla de recambio, restando un margen de 10 mm de cada lado para la junta de dilatación. Corta la nueva tabla para que se adapte a esas dimensiones. Pasa una capa de imprimación o de barniz sobre los bordes cortados para evitar que se desmenucen o se pudran con el tiempo.

5. Pon la nueva tabla en su lugar y fíjala. Para colocar la lama, protege el canto con una cuña de madera y dale unos golpecitos de martillo hasta que la tabla de unión esté bien alineada. Fija el nuevo listón con unos clavos similares a los utilizados para el resto del revestimiento.

6. Tapa con burletes las juntas entre los listones y oculta las cabezas de los clavos con ayuda de una masilla de poliuretano o acrílica. Elige una masilla que pueda pintarse; de lo contrario, tendrás que aplicar una subcapa de imprimación.

7. Aplica una capa de imprimación sobre la unión. Después pasa una capa de barniz o de pintura en función del acabado existente. Si tienes que sustituir listones, sigue el mismo procedimiento. Para que el resultado quede mejor estéticamente, procura que las juntas de todas los nuevos listones estén alineados verticalmente.

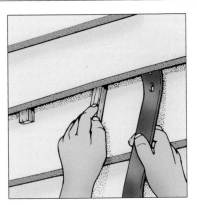

A. Inserción de cuñas de madera para extraer la lama defectuosa haciendo palanca (paso 1).

B. Corte del trozo estropeado (paso 2).

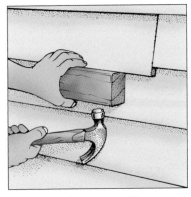

C. Inserción de la nueva tabla cuyo canto está protegido por una cuña de madera.

Figura 15-3:
Si la superficie que hay que reparar es grande, se coloca una lama de recambio

Reparar las juntas en una pared de ladrillo o de piedra

Rellenar las juntas de los ladrillos o de las piedras es una reparación a la vez necesaria y estética.

1. Empieza por hacer saltar todas las juntas que no se adhieran bien. Vacía las antiguas juntas utilizando un cincel de albañil. Retira todos los trozos sueltos.

2. Limpia el polvo con cuidado y moja la superficie en la que tengas que rellenar las juntas.

3. Aplica, a continuación, el mortero de cemento apagado con una paleta lengua de gato o una paleta para juntas.

   Si luego revestirás la superficie, tienes que igualar las juntas al mismo nivel de las piedras o los ladrillos, y no hacia dentro.

Canalones y bajantes

La verdad es que los trabajos relacionados con los canalones no tienen ningún encanto, pero eso no es excusa para no afrontarlos dos veces al año: una vez en primavera y otra en invierno. ¿Por qué? Pues porque es imprescindible retirar las hojas muertas, las ramitas y los otros dones del cielo acumulados en el sistema de evacuación. Si no realizas esta pequeña tarea de mantenimiento bianual, prepara los cubos y las esponjas para los estragos causados por el agua, que serán difíciles de olvidar.

Inspección y limpieza

Recorre la casa en busca de posibles problemas: fugas procedentes de agujeros en los canalones o los bajantes, tramos de canalón hundidos, porciones de bajantes abolladas o cortadas, un gancho, una abrazadera o una brida de fijación que falte o esté defectuosa, rastros de óxido en los canalones de metal.

No juegues a Tarzán sobre los canalones; coge una escalera y haz que alguien la aguante (¡preferiblemente una persona robusta!). Utiliza un separador de pared o un gancho de techo para que la escalera no repose directamente en el canalón, puesto que podría aplastarlo. No subas a una escalera de metal si existe riesgo de descarga eléctrica. Por mi parte, prefiero alquilar un andamio, más práctico y sobre todo más seguro. Pero, por desgracia, según dónde tenga que trabajar, a veces me veo obligado a utilizar una escalera para los puntos más inaccesibles y sin suficiente espacio para montar un andamio.

Para retirar las marranadas acumuladas en el canalón, coge una palangana o un cubo de plástico, que servirá para guardar y evacuar los desechos. Para raspar opta por una gran cuchara, una pala de jardín o incluso un verdadero raspador de canalón, de plástico. Utiliza una espátula de cristalero para rascar los desechos endurecidos o empapados de agua. Finalmente, utiliza el comodín de la llamada para pedir ayuda a un amigo; así contarás con cuatro manos y dos cubos, y avanzarás más rápido. El menos afortunado de los dos se sube a la escalera y friega el canalón (si la suerte te ha dado la espalda y estás ahí, ponte guantes de plástico), mientras que el otro se encarga de recuperar el cubo lleno que cambiará por el otro vacío sin soltar la escalera. Este plan permite librarse rápidamente de esta faena con total seguridad. Mueve la escalera a lo largo del canalón hasta que quede totalmente limpio.

Si el bajante está taponado, utiliza un alambre o un raspador de fontanero para sacar el tapón. A continuación, coge la manguera de riego, dirige el chorro dentro del bajante (desde arriba), después abre el agua con una presión fuerte para asegurarte de que el bajante esté bien despejado.

Los tapones se forman con más frecuencia en los ángulos o los puntos de unión del canalón o del bajante. Si puedes desmontar el codo de unión del bajante, saca la obstrucción con una varilla y luego límpialo con la manguera de riego antes de volver a montar los elementos.

Para evitar que se repitan ese tipo de problemas, ten la precaución de instalar un dispositivo de protección (filtro o rejilla), en particular en los muñones de unión del canalón y en los conductos del bajante. Si los tapones se forman a causa de algún árbol en concreto, pódalo a la espera de tomar otras medidas.

Reparación de canalones

Los canalones bien mantenidos pueden durar toda una vida. No obstante, podrían aparecer fugas (algunas gotas causadas por un punto oxidado o más) provocadas por agujeros, juntas rotas o desaparición de trozos del canalón.

Taponar una fuga

Si el canalón está perforado, pero el agujero no es demasiado grande, basta con taponar la fuga con masilla especial de cobertura. Las operaciones son las mismas para los canalones de cinc y los canalones de PVC. Puedes hacerlo del siguiente modo:

1. Con un cepillo de metal, limpia la superficie estropeada. Cepilla el interior y el exterior del canalón. No dudes en limpiar también la superficie que rodea el agujero. Acaba con un enjuague con agua.

2. Decapa la superficie para que quede rugosa y la masilla se adhiera mejor. Puedes utilizar, por ejemplo, un estropajo de los que se usan para fregar las cacerolas.

3. Cuando no sea estación de lluvia, aplica una o dos capas de masilla

especial para cubrir sobre la cara interna del canalón (mira la figura 15-4). Una pequeña espátula de cristalero bastará para recubrir los pequeños agujeros. Alisa bien la superficie para que el agua pueda circular libremente y no forme charcos de agua estancada.

Para los agujeros más grandes, en esta fase, puedes colocar un trozo de fibra de vidrio tras haber encolado la superficie que había que reparar con masilla especial de cobertura. Haz que la fibra se adhiera frotándola con un pincel limpio y seco. A continuación, aplica una capa de masilla sobre toda la superficie, igual que para las carrocerías de los coches.

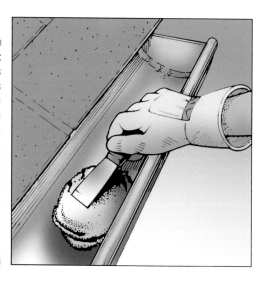

Figura 15-4:
Las pequeñas fugas se tapan con una masilla adecuada. Hay que alisar bien el retoque para que el agua circule sin problemas

Sustituir un tramo de canalón

Los canalones de PVC pueden reventar en puntos localizados; en ese caso, será necesario desmontar y sustituir el tramo dañado. Procede del siguiente modo:

1. Corta la parte estropeada con una sierra para metales. No olvides protegerte los ojos. Sujeta bien la parte sana del canalón para evitar dañarlo (despegado, rotura, etc.).

2. Corta un tramo nuevo de canalón. La longitud del tramo debe ser ligeramente inferior a la de la parte que debe sustituirse.

3. Lija los bordes del canalón y los del tramo de recambio con tela esmerilada (papel de lija sobre una tela de fibra) para dejarlos rugosos y que se adhieran mejor.

4. Limpia el polvo de las zonas de encolado, ya que deben estar totalmente limpias.

5. Monta el trozo de repuesto sin poner cola.

6. Tras verificar que encaja, encola los bordes exteriores de la pieza de recambio con la cola de PVC.

7. Coloca el tramo nuevo en el interior del canalón y pega en el exterior los elementos de unión de PVC a los puntos de conexión entre el canalón y el nuevo tramo.

Para los canalones de zinc, existen elementos de canalón que se unen con clips y que llevan juntas incorporadas (se habla, entonces, de canalón de zinc sin soldadura). A diferencia de los canalones de zinc ordinarios, siempre instalados por profesionales porque requieren soldaduras, este sistema puede instalarlo un aficionado, puesto que basta con unir con clips cada pieza para conseguir un ensamblaje perfecto. Tan fácil como un juego de construcción.

Solventar fugas

Sucede que, aunque la superficie esté en perfecto estado, el agua se filtra por el canalón en lugar de evacuarse por el bajante. En ese caso, casi seguro que la causa es un elemento de conexión que une el canalón con el bajante. Una grieta o incluso el óxido, en el caso de los canalones de zinc, pueden ser el motivo de fugas en el punto de conexión. Si el defecto es muy importante, habrá que sustituir el tramo de conexión. En la figura 15-5 se ve que, si los daños son menores, no es complicado solucionar el problema.

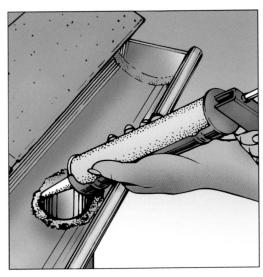

Figura 15-5: Se refuerza el punto de unión del canalón con el bajante añadiendo masilla alrededor de la entrada del bajante

Bastará con tapar el borde de la entrada (o cubeta) del bajante para reforzar el punto de conexión con masilla especial de cobertura. Para que quede más reforzado, puedes tapar los agujeros con pequeños trozos de rejilla metálica, que sumergirás en la masilla. Evita que se formen bultos con la masilla, porque retendrán los residuos de los desechos en el canalón y dificultarán la circulación del agua y su evacuación.

A continuación del último tramo del bajante, puedes instalar un sistema de protección contra salpicaduras; una especie de embudo grande de cemento, de fibra de vidrio o de plástico que permite alejar el agua de la lluvia y proteger los cimientos de la casa.

Problemas de humedad en el sótano

La mejor forma de evitar la humedad en el sótano, es vivir en un piso. ¡Es broma! Ahora en serio, el sótano (o el garaje) es la parte de la casa más expuesta a la humedad. Para mantener esa zona seca, es necesario alejar como sea cualquier posible fuente de humedad. Para ello, hay trucos bastante simples y poco costosos, que te explicaré en este apartado.

Cómo evitar la condensación

Si hay humedad en una zona cerrada como el sótano o el garaje, puede que tengas un problema de condensación. Si hay mucha humedad en las paredes calientes o en los conductos fríos, verifica que la ventilación de la secadora no se haga en el interior de la estancia. En ese caso, modifica la instalación para que la evacuación se haga en el exterior. Si el aire húmedo penetra en el interior de las aberturas que no puedas tapar, compra un deshumidificador.

¿Cómo se sabe si la humedad procede del interior o llega del exterior por filtración del agua por las paredes y el suelo? La prueba siguiente te lo dirá: recorta dos cuadrados de un rollo de papel de aluminio doméstico. Pega un trozo a la pared, sujetándolo bien con cinta adhesiva para que la superficie quede bien pegada a la pared. Haz lo mismo con el otro trozo, pero en el suelo.

Espera varios días, después despega los cuadrados de aluminio. Si el papel presenta signos de humedad sobre el lado de la habitación, es un problema de condensación; la humedad procede del interior de la casa y es necesario mejorar el sistema de ventilación. Si el papel presenta signos de humedad en la otra cara, el problema se debe a que falta impermeabilización de las paredes y del suelo. En ese caso, es necesario localizar las posibles fuentes de la humedad y neutralizarlas o alejarlas de la casa.

Alejar los cimientos de las fuentes de humedad

La humedad es un enemigo que hay que tomarse en serio, puesto que, lenta pero inexorablemente se filtrará y corroerá todo lo que encuentre a su paso (observa la figura 15-6). Cuando se trata de los cimientos de una construcción, hay que ponerse manos a la obra para solucionarlo:

✔ El primer agente responsable de sótanos húmedos es el sistema de evacuación del agua de lluvia. Hemos visto, en el apartado anterior, que era necesario limpiar con regularidad, desatascar y mantener en buenas condiciones los canalones encargados de recuperar las aguas pluviales. Además, tienes que controlar que el agua que desciende por los bajantes quede alejada de los cimientos de la casa. Por ello, encontrarás en las tiendas elementos prefabricados que permiten una buena evacuación del agua recogida.

✔ Un alicatado de superficie, instalado en una pendiente de varios centímetros, contribuye también a dirigir el agua hacia los canales y las bocas de recogida. Colocar un revestimiento en pendiente alrededor de la casa permite, efectivamente, evitar la acumulación de tierra o incluso resistir a la tentación de dejar apoyados elementos en la fachada que amenazan con favorecer la formación de charcos de agua. La pendiente protege también de las presiones ejercidas sobre los cimientos por los caminos, las terrazas y todos los elementos que van a parar a la casa.

✔ Una pendiente suave permite atenuar los riesgos, pero no siempre basta. Para alejar el vertido de las aguas de la vivienda es útil un canal colocado ligeramente en pendiente, en una zanja situada a dos metros, como mínimo, de los cimientos. El canal recoge el agua y la dirige hacia el dispositivo de evacuación adecuado.

✔ La tierra que rodea la vivienda puede drenarse gracias a materiales naturales, sobre todo gravas. No obstante, hay que desconfiar de la naturaleza cuando se acerca a hacer cosquillas a los cimientos de la vivienda. Planta los árboles y los macizos lejos de la casa; las raíces retienen la humedad, pueden hacer presión contra los cimientos y quizá incluso perforar las tuberías. Si alejas los árboles, podrás evitar también la acumulación de hojas en los canalones y los bajantes.

Estas son las medidas que puedes tomar, pero si tienes problemas más serios, es mejor que recurras a los especialistas. Ellos harán un diagnóstico de tus instalaciones y te propondrán el sistema de drenaje y de impermeabilización más apropiado para tu situación.

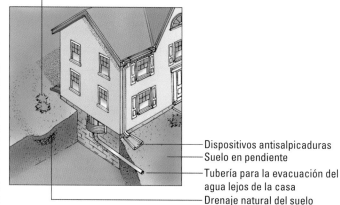

Plantas alejadas de los cimientos

Figura 15-6:
Medidas
que alejan
las fuentes
de
humedad
de los
cimientos

Dispositivos antisalpicaduras
Suelo en pendiente
Tubería para la evacuación del
agua lejos de la casa
Drenaje natural del suelo

El tejado

Antes de iniciar el trabajo, no dudes en alquilar una escalera para tejado. Su particularidad es que debe ser plana, ya que se coloca directamente sobre el tejado y evitará que tengas que trabajar sobre una
superficie resbaladiza y, por tanto, con seguridad. Este objeto ineludi-
ble para los trabajos que vas a realizar también evitará que se rompan
las tejas cuando subas, porque reparte la masa de tu peso en toda su
longitud.

Un tejado puede tener fugas por muchos lugares y por muchas razones.
Para tratar a fondo las reparaciones de las cubiertas se necesitaría un
libro completo; sobre todo, para abarcar todas las especificidades de las
formas y los materiales.

En este apartado, me contentaré con presentar las causas principales de
las fugas que tienden a aparecer en un tejado, los agentes que favorecen
su aparición, los indicios que permiten detectarlas y las diversas reparaciones posibles. Todo ello para que puedas decidir si quieres repararlo tú
mismo o llamar a un profesional.

La condensación que se crea por mala ventilación bajo los alfarjes parece
una fuga, pero no lo es. Para solucionar el problema, se realizan una serie
de agujeros de 2-3 cm de diámetro en los alfarjes.

Lo primordial del tejado

En líneas generales, un techo se compone de tres niveles:

✔ Revestimiento exterior.

✔ Capa de refuerzo textil o de fibra de vidrio impermeable.

✔ Estructura.

El tejado es, por definición, la superficie que recubre un edificio y que lo protege de las inclemencias del tiempo. Está protegido por una cobertura, que debe ser totalmente impermeable. Lo ideal sería una superficie de una sola pieza, inexpugnable. Ahora bien, también es cierto que una casa necesita aeraciones, conductos de evacuación, e incluso ventanas para las buhardillas habitables. Las discontinuidades en el material de cobertura representan un riesgo potencial de fuga; en la figura 15-7 se indican estos puntos débiles.

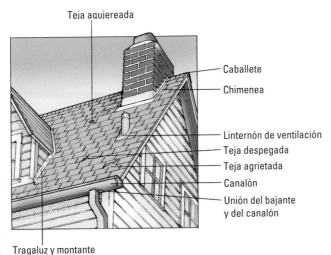

Teja aquiereada

Caballete

Chimenea

Linternón de ventilación

Teja despegada

Teja agrietada

Canalón

Unión del bajante y del canalón

Figura 15-7:
Puntos
débiles de
un tejado

Tragaluz y montante

Proyecto para un domingo lluvioso: buscar fugas

Si puedes acceder a la buhardilla, aprovecha un día en el que llueva mucho para buscar fugas. Sigue el recorrido del agua ascendiendo por el largo de la estructura hasta el origen de la fuga. Mete una pequeña ramita en el agujero, o un alambre, para poder localizar ese punto desde el exterior. En el interior, marca el sitio de la fuga con rotulador indeleble. No te fíes, porque, como puedes constatar en la figura 15-8, el origen de la fuga no siempre es el punto exacto en el que el agua se filtra por el techo. Puede ser que el defecto se encuentre mucho más arriba y que el agua chorree por la estructura.

Figura 15-8:
Repara las fugas del tejado desde la buhardilla; el agua se filtra por un agujero, se desliza por la estructura y deja un rastro por el techo

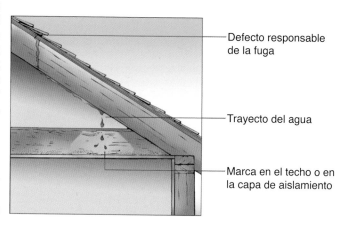

Defecto responsable de la fuga

Trayecto del agua

Marca en el techo o en la capa de aislamiento

Examina con atención las juntas alrededor de las aberturas: tragaluces, montantes, remate de la chimenea, linternones de ventilación. Cualquier rastro de humedad indica una grieta en el revestimiento de cobertura o un defecto de impermeabilización de la junta que protege el elemento incluido en la techumbre.

Ese día lluvioso comprueba también que no rebose ningún canalón. Para desatascarlo y evitar nuevos problemas, consulta el apartado "Reparación de canalones" en este mismo capítulo.

Reparación de urgencia

Incluso una pequeña fuga puede, con el tiempo, provocar daños considerables. No es difícil detener una fuga, pero la reparación solo será temporal. Si una de las tejas del revestimiento se suelta, seguro que hay dos o tres alrededor que están a punto de caerse. Por consiguiente, si el truco que te voy a explicar a continuación te permite reparar provisionalmente el daño, debes llamar cuanto antes a un especialista para que examine el tejado y ofrezca un diagnóstico de su estado.

Para empezar, no hagas nada si el tejado está mojado. Piensa que no te ahorrarás mucho dinero si, por hacer el retoque, tienes que llamar a un profesional desde la cama del hospital.

Si has seguido los consejos del apartado anterior y has introducido una pequeña referencia que permita localizar la fuga desde el exterior, ahora puedes aventurarte al tejado (seco). Antes de subir, consigue una hoja de aluminio (u otro material impermeable y rígido) de 1 m de largo por 30 cm de ancho, un martillo y un trozo de madera.

Localiza los elementos de revestimiento defectuosos y mete por debajo la hoja de aluminio. Empuja la hoja por debajo del revestimiento, lo más lejos que puedas. Para ello, coloca la pequeña cuña de madera en el borde de la hoja y hazla avanzar golpeando con el martillo, de forma que se adapte perfectamente a las tejas vecinas. Ciertas hojas de aluminio tienen por un lado una capa de alquitrán que las hace más impermeables y más resistentes al paso del tiempo. Para poder adherir ese bocadillo, caliéntalo todo con un soplete o una pistola térmica, a fin de reblandecer el alquitrán. Esto fijará la placa durante mucho tiempo.

La reparación no debe modificar el nivel del revestimiento para que el agua pueda circular libremente por el techo. En otras palabras, no levantes las tejas, porque si lo haces, el agua se filtrará por los lados de los elementos que sobresalgan.

Sella el retoque con masilla en cartucho especial de cobertura poniendo atención para que no quede ningún bulto. Sigue las instrucciones especificadas en el apartado "Reparar un listón sin retirarlo", de este mismo capítulo. Pon especial atención en el tramo situado arriba; un burlete servirá de protección aprisionando el agua en un pequeño charco que acabará filtrándose bajo las juntas, provocando el desprendimiento del retoque. Es imprescindible que el agua circule libremente sobre el retoque y no encuentre ningún obstáculo ni huecos que puedan detener el flujo.

Debes desprender todas las juntas o enlucidos destruidos antes de hacer las juntas. Recubre las cabezas de todos los clavos visibles y, de forma general, el más mínimo milímetro de refuerzo protegiendo las aberturas.

Con una pizca de masilla especial de cobertura, vuelve a sellar las tejas sueltas examinando el soporte por debajo para evaluar los daños. Sustituye las tejas con grietas o agujereadas, y busca las tejas deformadas que, en la mayoría de los casos, indican una filtración de agua.

Finalmente, estudia con atención las tejas que componen el linternón, puesto que están más expuestas que el resto. Para las tejas con grietas, si no tienes bastantes de recambio, puedes volver a pegarlas, siempre con esa misma masilla en cartucho especial para pegar y calafatear las juntas e impermeabilizarlas. Antes de encolar, debes cepillar con el cepillo metálico y, por supuesto, limpiar el polvo que haya quedado.

Limpiadores de alta presión

El limpiador de alta presión se encuentra entre las herramientas más útiles que un manitas puede tener. Estos aparatos eléctricos son, además, superdivertidos de utilizar: es el arma definitiva de Don Limpio. Atención, es peor que una droga, una vez que lo pruebas, es difícil dejarlo porque terminas a menudo hecho una sopa pero feliz como un niño que ha jugado a saltar en los charcos... Ten en cuenta las medidas de seguridad. Recuerda, ¡hablamos de alta presión!

Entre los pequeños limpiadores, el precio aproximado de un modelo de buena calidad es de 85 euros; para adquirir el Rolls Royce de los limpiadores, con un equipo que no puede mejorarse (por un poco más hará incluso la cocina), cuenta 1.000 euros de presupuesto.

Los aparatos generalmente tienen una rueda de control que permite variar el caudal del agua. El caudal se define en litros por hora y la presión máxima del aparato se expresa en bares. El tipo de chorro proyectado por la boquilla normalmente es regulable, así como la presión. Existen toda clase de accesorios que se pueden fijar a la boquilla, como los cepillos de limpieza o la turboboquilla, que propulsa el agua con un movimiento rotativo, excelente para desincrustar la mugre más persistente y el moho más rebelde.

El chorro proyectado por un limpiador a alta presión puede ser mortal. Un pequeño limpiador es tan peligroso como un modelo de lujo. Considera siempre los riesgos antes de utilizar el aparato y, sobre todo, no lo uses jamás cuando haya personas o animales cerca. Léete el manual del usuario entero y con atención.

Para el mantenimiento de la fachada, puedes mezclar los productos detergentes con agua pulverizada. Estos productos se conectan al chorro mediante un bidón unido al tubo o se aspiran desde un depósito de detergente.

Preparación del lugar

El agua propulsada a alta presión se mete por todas partes. Por tanto, debes proteger los elementos situados cerca de la zona que vas a limpiar:

✔ Tapona con bolsas de basura todas las aberturas hechas en las pare-des, es decir, los conductos de ventilación de la secadora o de la calefacción, la evacuación de la chimenea, el sistema de ventilación del desván, etc. Protege también con plástico y cinta adhesiva los interruptores y las tomas de exterior. Corta previamente la corriente que alimenta estos elementos. Cuando hayas acabado la limpieza, retira enseguida las protecciones.

✔ Retira todos los muebles, herramientas o materiales que se encuen-tren en la trayectoria del chorro o los alrededores.

✔ Protege las plantas y los setos con lonas, que puedes sujetar con piedras (mira la figura 15-9). Retira las protecciones cuando hayas acabado.

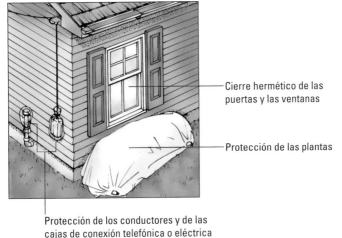

Cierre hermético de las puertas y las ventanas

Protección de las plantas

Figura 15-9:
Protección de la zona que se va a limpiar

Protección de los conductores y de las cajas de conexión telefónica o eléctrica

¡A regar!

Estas son algunas reglas que debes respetar antes de abalanzarte sobre el aparato:

✔ No realices este trabajo un día que haga mucho viento.

✔ Lleva ropa para la lluvia, sobre todo botas, así como gafas de seguridad.

✔ Haz pruebas de presión y ajusta la fuerza del chorro antes de dirigir-lo sobre la fachada (¡y lanzar por los aires el revestimiento!). Consi-dera, además, la distancia a la que vas a propulsar el chorro. Prime-ro, pasa el chorro por un rincón escondido para dosificar la presión y la distancia. Si el revestimiento de la casa se cae a trozos, reduce la presión o retrocede un poco.

✔ El ángulo de proyección también tiene su importancia. Haz también pruebas sobre una porción que no se vea demasiado.

Ten buen cuidado de no dirigir el chorro directamente sobre los cristales o sobre los montantes de la puerta (efecto bomba atómica garantizado). Si tu vivienda es antigua, ve despacio. El revestimiento ha vivido mucho y puede ser frágil; es muy posible que un chorro demasiado potente lo arranque a trozos. Empieza la limpieza de la fachada a un metro, aproximadamente, por la parte de arriba de la pared y moviéndote en horizontal.

Para limpiar una terraza, como en la figura 15-10, empieza por la parte contigua a la casa, después continúa la limpieza alejándote de ella.

Figura 15-10: Aléjate progresivamente de la casa para limpiar una terraza cubriendo pequeñas superficies

Parte VI
Las pequeñas ventajas del manitas

En esta parte...

Cumpliendo con la tradición en la colección... *para dummies,* la última parte siempre es un compendio de pequeños trucos y tácticas destinados a facilitarte la vida. Desde el ahorro de energía a la elección de un contratista, desde la protección de tu casa contra los ladrones a las medidas preventivas para los más pequeños, esta parte del libro contiene una gran cantidad de ideas simples, a veces evidentes, que pueden marcar una gran diferencia en ese reino que nosotros llamamos hogar.

Capítulo 16

Lo esencial para la pintura

· ·

En este capítulo

▶ Preparar, aplicar, limpiar y todo lo demás

▶ Lo más importante sobre la pintura

· ·

El arte de pintar es muy difícil, pero también es muy hermoso; todo el mundo estará de acuerdo con esto. Y bien, ¿tienes el material? ¿Cepillos, pintura, cinta protectora? ¡Perfecto! Pero antes de ponerte en la piel de Miguel Ángel, no olvides leer este capítulo para no cometer algunos errores, tan típicos como fáciles de evitar.

No te saltes los trabajos de preparación

La preparación es la fase más aburrida en los trabajos de pintura y muchos se la saltan solo porque prefieren lanzarse directamente sobre los pinceles y empezar a pintarrajear. Pero un manitas prevenido vale por piezados: si no le dedicas un poco de tiempo a limpiar y tratar las paredes que vas a pintar, te encontrarás con las burbujas, los pelos pegados a la pintura o incluso los desconchados de todos los tipos en las paredes recién pintadas. ¡Un asco de resultado garantizado! Tendrás que volver a hacer el trabajo antes de lo previsto y, entonces, sí que te verás obligado a solucionar los daños ocasionados por tu negligencia.

Para que eso no suceda, empieza por tapar las superficies que haya que proteger (como cristales, interruptores y zócalos) con papel adhesivo impermeable. Y ahí no tienes excusa, porque hay una gran variedad de opciones (los fabricantes se dejan la piel en ello): protección para las líneas rectas (papel adhesivo no elástico), protección para los contornos redondeados (papel elástico), protección para los papeles pintados, protección para los cristales, protección para los zócalos y los ribetes (gran talla). Desmonta también los pomos de las puertas y los objetos colgados en la pared.

Esas precauciones bastan para obtener resultados satisfactorios y duraderos.

No la he inventado yo, pero te puedo asegurar que esta ecuación se confirma en todos los casos: nada de preparación = imperfecciones. Preparar una pared no es lo más divertido, lo reconozco... Ten en cuenta que, si no te gustan los preparativos pero sí pintar, ¡todas las imperfecciones en las paredes te darán la oportunidad de volver a hacerlo en pocos meses!

Pinta hacia la pintura fresca

No pintes nunca empezando por una zona con la pintura fresca, sino al contrario, yendo hacia ella. Empieza a pocos centímetros de la zona que acabas de pintar y dirige las pinceladas (o el rodillo) hacia esa zona. De esta manera, la capa que aplicas se fundirá más fácilmente con la superficie ya pintada. Si empiezas a partir de esta superficie, como ya estará un poco seca, en realidad, estarás aplicando una segunda capa; ¡y ahí es cuando aparecen las diferencias de tono y los rastros de superposición!

No seas tacaño con la pintura

Oye, que la pintura no está hecha a base de champán, es un producto asequible, ¡así que no seas tacaño con la cantidad! Te arriesgas a tener que aplicar dos capas, cuando una sola habría sido más que suficiente. Sin importar lo que utilices, una brocha o un rodillo, carga bien la herramienta con una buena cantidad de pintura y, para que la aplicación sea uniforme, fíjate en que esté bien repartida.

Tampoco seas demasiado generoso

Frente al típico ahorrador de pintura, está el exagerado que sumerge las herramientas en la cubeta como si removiera la sopa y saca la brocha o el rodillo goteando por todas partes. ¡No pintes como si lanzaras la comida a los cerdos! Escurre la brocha con un pequeño golpe en el borde de la cubeta para desprender el exceso de pintura, y permite que se empape de uniformemente. ¡Ojo, en ningún momento he hablado de frotar la brocha por el borde del bote de pintura!

Si trabajas con rodillo, fíjate bien en que no haya pintura acumulada en los laterales del rulo. Este exceso de pintura puede dejar chorretones en la

superficie pintada, ¡y no es ese en absoluto el efecto buscado! Para evitarlo, limpia los bordes del rulo con una brocha limpia y seca, sin pintura.

Dosifica la fuerza con el rodillo

Esta regla parece estúpida, pero ten en cuenta que la aplicación con rodillo exige un poco de práctica si se quiere obtener una capa uniforme. Hay que adaptar la presión ejercida sobre el rulo según la forma de sostener el rodillo (con la mano derecha o la mano izquierda, con o sin alargador) e, incluso en función de la fatiga. No es broma: es casi seguro que al principio de la jornada empieces con ganas, pero que, a medida que transcurra el día, tu entusiasmo y tus fuerzas disminuyan y varíe también la regularidad de la aplicación.

Presta atención en todo momento a la forma en que pasas el rodillo y esfuérzate por mantener siempre la misma presión. Trabaja dividiendo en partes la superficie, eso evitará que tengas que repasar lo que ya has pintado.

Cuidado con el efecto absorbente de los tabiques nuevos

Los tabiques se comportan como verdaderas esponjas: absorben cualquier producto líquido aplicado a su superficie. Antes de pintar, es imprescindible utilizar una capa base, específicamente concebida para este tipo de fondo. La capa base, o fijador, uniformiza la superficie de absorción y garantiza la regularidad de la siguiente capa de pintura que aplicarás. Sin fijador, verás aparecer trazos e irregularidades, sobre todo, en la zona de las uniones de los paneles. Recuerda que todo el material debe estar recubierto por una capa base o imprimación para que el resultado sea mejor.

Eliminar las manchas

Es posible pintar sobre marcas de carmín, de bolígrafo u otros, pero si no utilizas un producto especial para neutralizar la mancha, podría volver a aparecer en la pared recién pintada. Por mucho que pases y repases por encima, reaparecerá siempre, ¡como si estuvieras viviendo una pesadilla! Para evitar ese efecto sobrenatural, antes de pintar trata las zonas man-

chadas con un producto de imprimación especial (generalmente vaporiza-
do o aplicado con pincel).

No te dejes la cinta de carrocero en los cristales

Supongo que habrás seguido mis consejos y habrás protegido los cristales para no mancharlos de pintura. Eso está muy bien, pero también es
importante no tardar demasiado en retirar la cinta. De lo contrario, en
lugar de raspar los restos de pintura, ¡habrá que rascar el adhesivo! De
hecho, el sol seca la cinta y la deshace. En cuanto la pintura esté un poco
seca, retira la protección de los cristales para ahorrarte un trabajo engo-
rroso en los días siguientes. Utiliza la cinta adecuada y te evitarás sorpresas desagradables.

No compres material barato

Hay brochas desechables y cubetas o rodillos tirados de precio, pero
siempre sale a cuenta comprar algunas herramientas de calidad. El material desechable, o barato, es, sin duda, tentador, pero no aconsejable. Es
mejor adquirir pocas herramientas, pero de buena calidad (que limpiarás
cuidadosamente tras su uso). Son la garantía de un acabado profesional y
duradero. Una brocha ya usada que hayas limpiado bien te resultará más
agradable a la hora de trabajar que cuando era nueva. No perderá pelo y
sus cerdas proporcionarán un acabado estupendo.

Limpia las herramientas

Otra tarea ingrata pero necesaria. Está claro que, al final del día, cansado
y con el trabajo ya hecho, no tienes ningunas ganas de ponerte a limpiar
el material. No dejes que te venza la pereza y hazlo. La pintura fresca es
más fácil de limpiar que la seca y, tratándose de herramientas, su vida útil
depende de ello. Para las brochas y los rodillos, un simple desengrasado
con el disolvente adecuado para la pintura utilizada es imprescindible.
Rasca el excedente de pintura, después limpia las herramientas con
abundante agua y jabón de Marsella. Una vez limpias, sumérgelas en agua.
Cambia con regularidad esa agua si no vas a usarlas en breve. Si no tienes
previsto volver a lanzarte como pintor de brocha gorda hasta dentro de
un año, puedes dejarlas secar.

Para que el acabado sea de mejor calidad, no mezcles las herramientas. Las brochas y los rodillos que has utilizado con la pintura al agua trabajarán durante el resto de su vida con pinturas al agua. Lo mismo sucede con las herramientas usadas para las pinturas con base de aceite (disolvente aguarrás); solo deben utilizarse con este tipo de pintura.

En muchas tiendas de pintura se usan códigos de colores para identificarlas mejor:

✔ El azul para las pinturas al agua.

✔ El rojo para las pinturas con base de aceite.

✔ El marrón para los barnices y lasures.

Capítulo 17

Medidas preventivas contra los robos

¿Dónde está la gracia de reformar totalmente tu casa si no la proteges de los amigos de lo ajeno? Por supuesto que hay que protegerla de los elementos naturales, pero también de aquellos humanos que pueden reducir a nada todos tus esfuerzos. Este capítulo te ofrece algunos consejos juiciosos para que los ladrones se queden fuera de tu casa y tus pertenencias en el interior.

Y como más vale prevenir que curar, antes de salir, haz una lista de los aparatos que posees, con la marca y el modelo (televisión, lector de DVD, los electrodomésticos, el ordenador, y todo lo que tengas).

Piensa también en guardar todas las facturas de tus compras. Haz fotos de los muebles y de otros objetos de valor, como las joyas. Lo ideal es que un profesional te las tase para tener pruebas tangibles que puedas usar para que el seguro cumpla con su parte en caso de robo. Y si los tesoros que guardas en casa son de gran valor, aún no se ha inventado nada mejor que la caja fuerte.

¡Las aberturas bien despejadas!

¿Qué tiene que ver el jardín con la protección antirrobos? Es muy sencillo: las puertas y ventanas ocultas por la vegetación facilitan la tarea del ladrón, porque le permiten entretenerse con la cerradura o desprender un cuadrado de cristal sin llamar la atención de los vecinos ni de los tran-

seúntes. Para mayor seguridad, recorta la vegetación que rodea los accesos a la casa, de forma que queden bien visibles desde la calle.

Vete de vacaciones con discreción

No hagas publicidad cuando te vayas de casa. Evita explicárselo a todo el barrio y haz que parezca que hay alguien en casa. No dejes que el correo y los folletos se acumulen en el buzón. Si estás suscrito a algún periódico, solicita que interrumpan las entregas durante tu ausencia. Mejor aún, dale la llave del buzón a una persona de confianza que pase a recoger el correo.

Durante tu ausencia, que la casa no se convierta en una vivienda sin vida. Arréglatelas para dar la impresión de que está habitada: utiliza dispositivos de programación eléctrica para encender y apagar ciertas luces en diversos momentos del día. Para elegir los intervalos de encendido, básate en tus costumbres habituales. Sería una buena idea que les pidieras a tus vecinos que aparquen de vez en cuando delante de tu casa. La presencia de coches delante de una vivienda es señal de actividad normal. Pide que te corten el césped como siempre y que limpien tu camino de entrada. Eso si tienes una casa con jardín, claro.

En el contestador, no dejes un mensaje explícito informando de que te has marchado durante un tiempo. Opta por un mensaje vago del estilo "te llamaré en cuanto pueda" o, mejor aún, no grabes ninguno. Atención también a lo que cuentas en las redes sociales; no dejan de ser la plaza pública.

Estos son algunos trucos que evitarán que cualquiera sepa que la casa está vacía y que deberían ahorrarte sorpresas desagradables.

Enciende luces exteriores

Si, como mucho, cuentas con un sistema de iluminación exterior, instala un dispositivo de detección que haga que se encienda la luz cuando alguien pase por delante. Otra solución es una luz con detector fotosensible que se encienda automáticamente cuando se ponga el sol.

Refuerza las ventanas del sótano

De acceso fácil y a menudo ocultas a la calle, las ventanas del sótano son las más sencillas de romper para un ladrón. Protege esos accesos instalando barrotes o una reja de protección.

No olvides las ventanas de la planta baja y del primer piso

Si vives en una casa unifamiliar, las ventanas de la planta baja, a menudo a la altura de un hombre, ofrecen un acceso fácil a tu palacio. A veces, las ventanas del primer piso también son fáciles de alcanzar sin mucho esfuerzo. Existen numerosos dispositivos que permiten proteger esas aberturas, por ejemplo, alarmas, detectores de movimiento o cerraduras con fallebas.

Protege las ventanas correderas

Los ventanales correderas pueden ofrecer a los ladrones un acceso lo bastante grande para que pase un coche; basta con sacar el ventanal del raíl guía y ya está. Hay cerraduras de seguridad que permiten bloquear el panel corredero sujetándolo firmemente al marco o al panel adyacente. También puedes poner una barra en el raíl de deslizamiento, de forma que resulte imposible mover el panel.

Sea cual sea el dispositivo elegido, asegúrate de no tener dificultades para neutralizarlo si tienes que abrir la ventana en caso de urgencia.

Asegura las puertas exteriores

Atención a las puertas del sótano, del garaje o de acceso al jardín: olvídate de las tablas de madera sujetas por pequeños pestillos. Una buena patada y adentro El ladrón entrará en tu casa sin ningún esfuerzo. Elige las puertas de madera maciza, o incluso de metal, y ponles cerrojos sólidos.

Cuidado con el garaje

Un garaje no protegido puede ser la vía de entrada más rápida a tu casa: una vez en él, un profesional no tendrá ningún problema en forzar la puerta de la casa si, además, puede trabajar a salvo de miradas indiscretas. Dale mucha guerra instalando una puerta de madera maciza equipada con un buen cerrojo o una puerta blindada.

Además del punto de acceso más débil, el garaje constituye una cueva de Ali Baba para los ladrones. Escaleras, tenazas, martillos; si almacenas ahí el material de bricolaje puede volverse en tu contra: tu adorado martillo será una herramienta temible en las manos de visitantes malintencionados. Piensa también en la seguridad en el garaje antes de marcharte. Sujeta con cadenas las escaleras y guarda las herramientas bajo llave.

Adopta un perro imaginario

Pues disuadir a los ladrones, puedes instalar un perro imaginario. Pon en la verja de entrada o no muy lejos de una entrada un cartel que diga CUIDADO CON EL PERRO y, bien a la vista, coloca una gran palangana de agua. La idea de que un *pitbull* pueda ser el guardián de la casa podría bastar para disuadir a un ladrón de colarse en ella.

Por supuesto, también puedes adoptar un perro de verdad, si tienes la posibilidad de hacerte cargo de él y suficiente espacio para que brinque y corra.

Saca la artillería pesada

¿Te imaginas que pudieras combinar el perro guardián con la policía? Es posible y se le llama televigilancia. Conectada con un sistema de detección de intrusos, la televigilancia permite activar, a la mínima alerta, un dispositivo de alarma que tiene como objetivo hacer huir a los intrusos al mismo tiempo que avisa a distancia a una empresa de seguridad. En caso de alarma, una persona, generalmente un adiestrador de perros, se desplazará a tu domicilio y llamará a la policía si fuera necesario. Este sistema de protección se está popularizando cada vez más y los precios están bajando. No dudes en pedir información a los profesionales.

Las llaves están debajo del felpudo

En ese caso, ¡por qué no enviar una invitación a los ladrones! Descarta por completo el sistema de las llaves bajo el felpudo, en una maceta de flores o en el buzón.

Si es absolutamente necesario que dejes una llave, échale imaginación y escóndela en un lugar insospechado y de difícil acceso.

Capítulo 18

Guía para el ahorro de energía

· ·

En este capítulo:

▶ Trucos que ahorran energía

▶ Consejos que acaban con el derroche

· ·

Y a sea por convicción ideológica o por reducir las facturas, hoy en día, es difícil no intentar ahorrar agua o aislar mejor la casa. En esto, el bricolaje también puede ayudarte. A continuación, te propongo ser responsable, seguir la moda y, además, ahorrar dinero; ¡todo eso en un solo capítulo!

¡Viva el termostato!

Primer objetivo para reducir las facturas: la calefacción. Antes de lanzarte a hacer obras, empieza por adquirir buenos hábitos. No caldees las habitaciones que no estén ocupadas a jornada completa (dormitorio o despacho). Utiliza el programador de la caldera para activar una subida de la temperatura durante las horas en las que estarás en casa. Por la noche, baja el termostato antes de acostarte. Cuando airees la casa, apaga los radiadores. Si vas a estar fuera un par de días, baja la temperatura 3-4 °C. ¿Te convence? Entonces, no lo dudes, cómprate un termostato. Ese aliado para lograr un gran ahorro de energía puede reducir el 20 o el 30 por ciento la factura de la calefacción. Se trata de un dispositivo provisto de un reloj programable que permite controlar la temperatura de la vivienda en todo momento.

La instalación de los nuevos dispositivos es muy básica y su rendimiento en lo concerniente al ahorro de energía (ahorro a corto plazo) debería motivarte para llevar a cabo este proyecto, que te llevará... menos de una

hora. Después, no tendrás que hacer nada más que programar la temperatura ideal para el salón, 19 °C. Para las habitaciones, mejor de 16 a 18 °C y 22 °C en el caso del cuarto de baño.

 Para que tengan un rendimiento óptimo, no escondas los radiadores. Evita colocar muebles delante de ellos ni sobrecargarlos con objetos, y límpialos regularmente. Serán más eficientes.

¡No caldees el jardín!

En tu vivienda hay orificios; es inevitable, así que busca cualquiera abertura que pueda dejar que se escape la calefacción (o el aire acondicionado). Busca bien porque esos orificios no siempre son fáciles de detectar. Rodea la casa por fuera y tapa todas las brechas prestando especial atención a los lugares siguientes:

Alrededor de la llave de paso del agua, del conducto de aireación de la secadora, de las diversas tuberías y de cualquier abertura hecha en el revestimiento.

En los puntos de unión de los revestimientos diferentes: los empalmes entre madera y ladrillo, por ejemplo, el ensamblaje ladrillo-cemento entre la pared y la chimenea, etc.

Bajo los rebordes de la ventana y entre el marco de la ventana y la pared.

En el umbral de las puertas, cuidado con las grietas de la madera y los espacios que hayan podido dejarse debajo.

Los puntos de acceso a los espacios no caldeados también son una fuente de filtraciones de aire. Tapa con burletes el contorno de la trampilla de acceso al desván y el de la puerta que lleva al garaje de la casa.

Una masilla de silicona servirá, a poco que sea de buena calidad. Para las grietas con formas extrañas en lugares difíciles de alcanzar, utiliza un sellador aplicado con una pistola o una espuma expansiva, que adopte, rellenándola, la forma de la cavidad en la que se vaporiza.

Sella las ventanas y las puertas

Existen juntas de aislamiento especiales que permiten tapar las puertas y las ventanas en las que el material se ha deformado. Baratas y fáciles de colocar, cumplen su función de manera muy eficaz.

Recuerda rellenar el vacío que casi siempre hay entre la puerta de entrada y el suelo. Puedes comprar una protección para la parte inferior de la puerta, una especie de placa o de cepillo, que se fija casi al borde de la puerta, o utilizar una tira de tejido en forma de salchicha para impedir la entrada del aire.

Si tienes garaje, no olvides aislar la puerta que, sin duda, dejará pasar mucho aire. Para ello, existen juntas especiales y kits destinados a estas puertas de grandes dimensiones.

Para garantizar la estanqueidad de los enchufes e interruptores, ya que a veces el aire se filtra alrededor de estos elementos, encontrarás piezas en espuma ya cortadas que se insertan en ellos.

¡Hay que a... is... lar!

Añade trozos de fibra de vidrio en los lugares donde el aislamiento ya no es eficaz y te verás recompensado con un ahorro notable en calefacción. Recuerda que la fibra de vidrio de contacto no es irritante; como está cubierta por tres caras con una tela protectora imputrescible, no presenta ningún problema de manipulación. Basta con cortar trozos de las dimensiones que te convengan y extenderlos (en el capítulo 14, que habla de las reformas de interiores, encontrarás todas la información sobre el aislamiento).

Las bombillas te ayudan a ahorrar

Las bombillas de bajo consumo cumplen la función de iluminar como las incandescentes. Duran de 9 a 13 veces más tiempo y, en comparación con sus primas hermanas, suponen un ahorro de energía del 64 al 84 por ciento. Son más caras, sí, pero no hay duda de que a largo plazo representan un ahorro notable. Además ahora ya son corrientes las bombillas de led, también caras al comprarlas pero cuyo ínfimo consumo marca una diferencia abismal con todos los otros sistemas de iluminación.

Claro que no hay mejor forma de ahorrar energía y dinero que no tener la luz encendida. Apaga siempre la luz cuando salgas de una habitación y evita encender luces en pleno día. También puedes instalar detectores de infrarrojos en los lugares de paso.

Otros trucos que pueden ayudarte son, por ejemplo, orientar los muebles para aprovechar al máximo la luz natural. Piensa, además, en adaptar la potencia de las bombillas a tus necesidades. Seguro fuera un teatro musical.

Si limpias el polvo de las bombillas con regularidad, su flujo luminoso aumentará el 40 por ciento.

Baja la temperatura del agua

Baja la temperatura de la caldera. Ponla a unos 50 °C. Esta medida tendrá, sin duda, un efecto en tu consumo de energía (sea electricidad o gas) y elimina, además, el riesgo de que alguien se queme con el agua caliente. Si cuentas con un viejo depósito de agua no aislado, compra una cobertura aislante en la que puedas envolver a tu ancianito para que esté bien calentito.

Desconfía de las lucecitas rojas

Para conseguir un verdadero ahorro, apaga del todo los aparatos, por mucho que te tiente usar el mando a distancia y dejarlos dormidos. Gracias al gesto de acercarte a apagarlos podrás ahorrar hasta el 10 por ciento del consumo eléctrico. Piensa que hasta el 90 por ciento del consumo anual de un televisor o un magnetoscopio que se dejan siempre con el piloto rojo se debe a la pequeña lucecita.

Presa de una pereza insuperable, ¿te niegas a agacharte para apretar el interruptor de cada uno de los aparatos? Agrupa tus enchufes en una regleta de esas que reúnen varios y que tienen un interruptor. De esa forma, con un solo gesto ahorrarás.

Y si vas a ausentarte durante un tiempo prolongado, desenchufa todos los aparatos.

Una pantalla de televisión de led es más cara que una de otro tipo, pero consume mucha menos energía.

Otra medida muy sencilla: contrata la luz con discriminación horaria y utiliza la lavadora, la secadora o el lavavajillas por la noche. Además, puedes lavar en frío o a baja temperatura.

Limpia el filtro del polvo tras cada uso de la secadora y, de vez en cuando, verifica el conducto de ventilación y limpia cualquier suciedad que pueda haberse quedado.

Verifica y limpia los aparatos

No es un pasatiempo muy emocionante, pero no olvides comprobar todos los dispositivos que cuenten con filtros; si los desengrasas regularmente, te lo compensarán bien (¡en moneda contante y sonante!).

Durante el invierno, mantén la caldera y los radiadores en perfecto estado. No tapes los radiadores ni lo uses como estanterías. En verano limpia o cambia los filtros del sistema del aire acondicionado, si es de los que tienen filtros.

Cada dos meses, aproximadamente, separa la nevera de la pared y con un cepillo limpia la rejilla que se encuentra en la parte posterior. Aunque te parezca que tu casa está fría, no cierres nunca las rejillas de ventilación.

Cuidado con el agua

Cambia la alcachofa de la ducha por una económica e instala dispositivos de ahorro de agua que reduzcan la presión. No dejes que corra el agua mientras te enjabonas ni mientras te cepillas los dientes ni mientras frotas los platos. Si el grifo de tu ducha no es monomando y la idea de buscar a tientas unos minutos con los ojos llenos de jabón hasta que encuentres la temperatura buena no te hace gracia, que sepas que existen los interruptores de caudal de ducha; se trata de una válvula que detiene el flujo del agua sin torsión del flexo y que permite volver a conectarla a la misma temperatura. El agua caliente representa el 20 por ciento del consumo total de una casa; por consiguiente, reduciendo su uso, ahorras.

La cisterna no es muy ahorradora. Con cada pulsación, salen de 10 a 12 litros de agua de media. Coloca una botella llena de arena o un ladrillo en el depósito. Reducirás de 1 a 2 litros el consumo de agua en cada rellenado de la cubeta.

Cuando instales un nuevo váter, que tenga cisterna con dos botones, uno pequeño y otro grande; es decir, un sistema que permita elegir el volumen de agua según lo que haya que arrastrar.

Un grifo que gotea durante todo un día consume hasta 300 litros de agua y una cisterna que pierde deja correr hasta 35.500 litros al año. Compara tus facturas del agua para detectar un exceso de consumo causado por una fuga. Haz un mantenimiento de las conducciones de la cocina y del cuarto de baño. Sustituye las juntas gastadas; así combatirás el despilfarro.

Un baño consume cinco veces más agua que una ducha. Una ducha son unos 50 litros, mientras que si decides llenar la bañera es posible que no gastes menos de 250 litros.

En busca de un profesional de las reformas

S i tienes intención de realizar obras importantes o menos importantes —o no tan importantes pero prefieres que trabajen otros—, la elección de un contratista es crucial. En este capítulo encontrarás algunos trucos para ayudarte a elegir la empresa adecuada. También te ayudará a reunir la información que deberás proporcionarle para que las obras se desarrollen según tus deseos.

Planifica con antelación

Planifica las obras con mucha antelación respecto a la fecha en la que deseas que se finalicen. Necesitarás tiempo para encontrar contratistas y reunirte con ellos, verificar sus referencias, clarificar las etapas necesarias y solicitar presupuestos. A continuación, tendrás que comparar las ofertas y programar las obras. ¡Todo ello teniendo en cuenta la disponibilidad de los operarios!

Hay quien dice que el truco infalible para protegerse de sorpresas desagradables cuando se emprenden obras; consiste en contar con el doble de presupuesto de lo que habías previsto inicialmente y triplicar el plazo que de entrada parezca razonable. Lo sé, es exagerado, pero cuando uno se embarca en una obra, jamás está a salvo de una sorpresa desagradable...

Haz fotos

Primer truco para realizar obras rápido y bien: estar seguro de que te entiendes bien con el contratista y los operarios. Y para explicar cómo se quiere algo concreto, una bonita foto normalmente es mejor que largos discursos. Así que coge las tijeras y no dudes en recortar imágenes de las revistas de decoración o de los catálogos profesionales. Hazte un cuaderno de obra con tus deseos y tus ideas. Anota en él los productos que deseas, como referencias de los colores para las paredes, la del grifo o incluso los interruptores... Estas referencias visuales te permitirán estar seguro de que hablas el mismo idioma que los profesionales. En la aventura de las obras, todo debe quedar claro; no dejes lugar a la ambigüedad.

Si se trata de poner baldosas y quieres algo especial, nada mejor que sacar algunas baldosas de la caja y colocarlas como deseas. A continuación, haz fotos de tu diseño y fija con chinchetas esas imágenes por encima de la superficie que vas a embaldosar. Con la foto ante los ojos, no hay margen de error.

Compara las ofertas

Si tienes varias ofertas, compáralas fijándote bien en que los presupuestos cubran los mismos trabajos. El proyecto puede tomar mayor magnitud de lo previsto a medida que vayas hablando con el contratista. El consejo de un profesional puede, de hecho, modificar el carácter de la obra. Para que la comparación entre las ofertas sea justa, es necesario que cubran las mismas prestaciones.

No pierdas detalle de la obra

Deja de fantasear con todos esos programas de televisión en los que, durante la ausencia de los propietarios, todo se hace por arte de magia. Por muy cualificado y motivado que esté tu contratista es muy poco probable que pueda hacerte el numerito del antes y el después en una tarde, y eso mientras tú estás desaparecido. En la vida real, si quieres que la obra vaya bien, debes estar ahí físicamente, pasando con regularidad por el lugar, pero también intelectualmente, es decir, para responder a las preguntas de los obreros o del contratista.

Es imprescindible que la empresa tenga un contacto que pueda tomar decisiones en caso de que surja un imprevisto. Si no puedes estar en la obra, como mínimo, tienes que poder atender al teléfono. El imprevisto,

no necesariamente un sinónimo de catástrofe, siempre está a la vuelta de la esquina; por ejemplo, la empresa puede requerir tu opinión porque, al mover la bañera, ha descubierto un hueco que puede convertirse en un armario o una estantería. Hace falta que haya alguien siempre disponible para este tipo de decisiones, que deben tomarse rápidamente.

Elige profesionales expertos

Elige siempre una empresa en función de su trayectoria. Debe tener cierta experiencia en obras como la que deseas realizar. No contrates un carpintero que esté acostumbrado a hacer techos para hacer pequeños trabajos de carpintería en los que se requieran recortes de precisión u otros detalles. Un chapuzas tampoco parece el más idóneo para realizar una barra de marquetería.

La forma de pago

Un pago típico de este tipo de prestaciones es el que se efectúa en tres fraccions: al contratar los servicios, a la mitad de trabajo y la última cuando se han finalizado las obras y verificas que responden a tus expectativas. El contrato debe definir con precisión los elementos siguientes: la forma de pago, las prestaciones previstas, los materiales (marca, referencia, cantidad) que se usarán y el calendario de ejecución del proyecto.

Antes de firmar el contrato, solicita ver las garantías del contratista. Verifica, sobre todo, que esté asegurado y que tú no seas el responsable en caso de que algún obrero que trabaje en la obra en tu propiedad sufra un accidente, al igual que los subcontratistas, si los hay, y las personas encargadas de las entregas.

Haz sitio

Encontrar un lugar donde guardar el material no es demasiado complicado cuando se trata de un nuevo inodoro. Pero si tienes previsto rehacer el suelo, instalar armarios o una nueva bañera, la cosa se complica. Debes disponer de un espacio que permita guardar el material que se te entregue a salvo de las inclemencias del tiempo y de los robos.

En la actualidad, hay bastantes empresas que alquilan espacio de almacenamiento (de 5 a 10 m^3) para períodos más o menos largos. Si te lanzas en

grandes obras, guardar en otro lugar tu mobiliario puede evitarte muchos problemas y degradaciones.

Prepárate para el polvo

Las obras generan polvo y bastante saturación, incluso en las estancias en las que no se están haciendo. Cuando se realizan reformas en una parte de la casa, el resto se ve inevitablemente afectada, aunque tengas mucho cuidado. Lo peor son las fases de lijado (en los suelos y paredes); prepárate para encontrarte con polvo por todas partes.

Prepárate para emigrar

Durante las obras, es posible que te veas obligado a contribuir a la economía del barrio si las reformas afectan a la cocina. Corres el riesgo de tener que comer fuera de casa durante algún tiempo.

Si realizas obras de fontanería, seguramente tendrás que visitar la lavandería de la esquina. Y si solo tienes un cuarto de baño, haz amigos entre tus vecinos; podrías acabar retorciéndote ante su puerta. Para llevar bien las obras, lo ideal es prepararse bases de repliegue logístico. Vale, imagina que la escalera está en obras y para ir del cuarto de baño a la habitación tienes que ponerte botas de obra. Para vivir mejor esta reforma, intenta reservar ciertas zonas, como el dormitorio y el aseo en este ejemplo, colocando bayetas ligeramente húmedas en la entrada de las habitaciones para evitar llenar todo de yeso y deja las botas siempre en el mismo sitio. Evita también desperdigar las cajas de almacenaje por todas las estancias. Si mantienes un lugar en condiciones para pasar veladas agradables cuando el resto de la casa parece una escombrera, te lo prometo, la obra no te parecerá tan larga...

Espera lo peor

Imagina siempre el peor de los escenarios: retrasos, problemas y decepciones. Dicho esto, quizá tengas suerte y todo vaya sobre ruedas (y ya que estamos, quién sabe, quizá el pelo te vuelva a salir, adelgaces por arte de magia y los One Direction aparezcan en el cumpleaños de tu hija).

Capítulo 20

Una casa más acogedora

En este capítulo

▶ Seguridad, accesibilidad y convivencia

▶ Adaptarse a los mayores y otras limitaciones

A continuación, te ofrezco algunos trucos para hacer que tu castillo sea más práctico, más acogedor o incluso totalmente seguro para las personas mayores, discapacitadas o despistadas.

Uno puede caerse a cualquier edad. Los niños, los adultos y los ancianos, todos pueden caerse. Cuando somos jóvenes, el hecho de caernos no tiene mayor importancia, pero pasada cierta edad, las consecuencias de una caída pueden ser más graves. Se calcula que las caídas son, en sí mismas, la causa de muerte de muchas personas mayores de sesenta y cinco años. El riesgo de caída aumenta con la edad y en el caso de los ancianos, la gran mayoría de las caídas se producen en su domicilio y con frecuencia están relacionadas con el acondicionamiento de la casa. Así que saca el destornillador y la caja de herramientas para hacer lo más segura posible tu casa.

¡Ilumínate!

Al envejecer, necesitamos mejor iluminación para ver bien; una persona mayor necesita tres veces más luz que un joven. Verifica las lámparas y no dudes en utilizar bombillas más potentes o más puntos de luz. Una fuente única, como la de un plafón, deja rincones una penumbra o en la oscuridad. En ese caso, es mejor utilizar iluminaciones indirectas. Opta por lámparas suaves, que no cieguen, o que dirijan un haz de luz concentrado para iluminarte en las actividades de lectura, costura y otros trabajos de precisión.

En la cocina, instala neones o leds bajo los armarios colgados y sobre las encimeras. En el cuarto de baño, ilumina los laterales del espejo para

evitar los efectos del deslumbramiento. No olvides el principio y el final de las escaleras, que deben estar bien iluminados para que nadie tropiece. Finalmente, un último detallito que tiene su importancia: pon una luz nocturna en el pasillo que lleva hasta el baño.

Un suelo sin obstáculos

Elimina todas las alfombras que puedan causar tropiezos. Si te gustan como elementos decorativos, ponlas de pelo corto, muy finas, para evitar las acrobacias. En el suelo del cuarto de baño —escenario de numerosos accidentes—, opta por un revestimiento antideslizante (y que siga siéndolo incluso mojado). Los lugares de paso deben estar despejados.

Los muebles pequeños, las plantas u otros objetos instalados en los lugares de paso pueden provocar tropiezos, por ejemplo, cuando te apresuras para ir a abrir la puerta o responder al teléfono. Para evitar engancharte los pies con los cables eléctricos del televisor, las lámparas o el teléfono, puedes sujetarlos a la pared o bien utilizar alguno de los muchos sistemas de recogerlos y ocultarlos.

El buen interruptor

Cambia los interruptores de tipo botón por modelos de conmutador, mucho más sencillos de manipular, sobre todo para las personas que sufren artritis; podrás encender y apagar las luces con la palma de la mano o incluso con el codo.

Baños seguros

El cuarto de baño es especialmente peligroso, ya que casi la mitad de las caídas de los mayores se producen allí. Así que prepara el terreno:

✔ Mejor plato de ducha con la pared baja, o incluso construido directamente sobre el suelo, que bañera.

✔ Mejor los suelos plásticos antideslizantes a los embaldosados.

✔ Coloca una alfombra antideslizante en el fondo de la ducha.

✔ Fija una barra de apoyo para poder salir más fácilmente de la bañera o la ducha.

✔ Opta por un grifo monomando para poder mantener la temperatura del agua.

✔ Evita dejar objetos en las zonas de paso, como la báscula o el toallero.

✔ Puedes utilizar un elevador para la taza del inodoro, junto a unas asas que ayuden a levantarse.

✔ Evita chapotear en el agua jabonosa.

Adiós a los pomos

Si estás a punto de cambiar los grifos de la cocina o del cuarto de baño, opta por monomandos, ya que son sencillos de manipular. De hecho se pueden abrir y cerrar con el dorso de la mano, mucho más fácil que girar y apretar una pieza de tipo pomo.

Lo mismo sucede con los pomos de las puertas, que puedes sustituir por picaportes. La abertura de la puerta será más fácil, puesto que no requerirá ningún esfuerzo muscular. Los picaportes son también más prácticos cuando uno va cargado o tiene las manos sucias; se puede abrir la puerta con el dorso de la mano, el codo o la rodilla.

Despeja el espacio

No dejes trastos viejos en los pasillos o en las escaleras. Si eres de los míos, a lo largo de la escalera tendrás objetos que esperan eternamente que los suban o los bajen; ese es el ejemplo que no hay que seguir. Para evitar cualquier accidente, despeja los lugares de paso y fíjate bien en qué queda en ellos. Piensa además en iluminar bien esas zonas.

Una entrada más chula

Haz más acogedor el porche o la entrada. Encontrar la llave de casa siempre es una hazaña, que aún lo es más si llevas los brazos cargados con paquetes. ¿Por qué no añadir un banco o una silla en la entrada de la casa para poder dejar las bolsas o las maletas? Otro consejo: no bloquees la entrada con macetas de flores o plantas que puedan hacerte caer.

Ilumina los caminos

Instala un sistema de iluminación de baja tensión para alumbrar permanentemente el camino de entrada o el que lleva al garaje.

Para el revestimiento de los caminos, no te compliques la vida con un material diferente; el cambio de superficie siempre es una oportunidad de tropezar.

Para los mayores, la jardinería es una actividad de ocio muy apreciada, pero también hay que tener cuidado ahí. Sí, sí, el jardín puede estar lleno de obstáculos. Verifica que no haya obstáculos en el suelo, como utensilios o una manguera mal guardada o incluso baldosas mal colocadas. También es preferible no tener plantas reptantes, ya que puedan provocar caídas.

Organiza el garaje

En el garaje, arréglatelas para poder abrir las puertas del coche sin golpear nada. Deshazte de los objetos que ya no utilizas y organiza los demás junto a la pared. Coloca estanterías donde sean necesarias. Procura que se pueda circular alrededor del coche; presta especial atención a objetos como el cortacésped, la bicicleta y otro material guardado en el garaje.

Lo mismo es aplicable a los trasteros y cuartos de limpieza.

Capítulo 21

La seguridad de los pequeños

En este capítulo

▶ Pestillos, protecciones y dispositivos de seguridad

▶ Evitar los accidentes domésticos con los niños

L os críos son los principales protagonistas de los accidentes domésticos y a veces la cosa acaba con una visita a urgencias. Los niños menores de cuatro años son los más vulnerables. En el caso de los menores de un año, los accidentes se producen, sobre todo, en la cocina, el dormitorio y el cuarto de baño. Y los que afectan a niños de uno a cuatro años, normalmente ocurren en la cocina y en la sala de estar. A medida que aumenta la edad, los accidentes disminuyen y se producen cada vez más en el exterior de la casa.

Para muchas personas, los planes de reforma de una vivienda son proyectos destinados a hacer que el hogar sea más atrayente, más práctico y más agradable. Sin embargo, las mejoras más valiosas son las que protegen a tus hijos de los peligros domésticos. Si tienes pequeños en casa, en este capítulo encontrarás los consejos prioritarios al iniciar obras. No deberías dejar justo estas acciones para más adelante.

Instala pestillos de seguridad

En la cocina, es necesario instalar pestillos (o picaportes, bloqueos para los cajones, etc.) de seguridad en los armarios inferiores y, sobre todo, en aquellos que contengan productos de limpieza o disolventes y otros productos peligrosos. Encontrarás esos dispositivos de seguridad en las ferreterías, las grandes superficies y las tiendas de bricolaje; son muy sencillos de instalar y muy eficaces.

Si quieres hacer feliz a un niño, puedes cederle un armario de la cocina y colocar viejos envases vacíos y otros utensilios inofensivos con los que le encantará jugar.

Seguridad alrededor de la cocina

Sin matices: no permitas que los niños se acerquen al lugar donde estés calentando algo (cocina, vitrocerámica, horno). Si estás solo con el niño y debes cocinar, mételo en el parque. Cuando vayas a comprar un horno, da preferencia a los que dispongan de una puerta con aislamiento térmico para evitar que el niño se queme al pegar las manitas a ella.

Si se trata de un horno de una generación más antigua, hay rejillas de protección, así como sistemas de bloqueo para que el niño no pueda abrir la puerta durante su utilización. Date una vuelta por el pasillo de los artículos de ferretería de tu tienda de bricolaje favorita para asegurar los aparatos de cocción.

Recuerda girar los mangos de las cacerolas y de las sartenes que estén al fuego de forma que no sobresalgan y no tienten a los pequeños explorado-res. Cocina preferentemente en los fuegos del fondo u opta por una nueva batería de cocina con los mangos desmontables.

Cuando hayas acabado de preparar la comida, no olvides cerrar el gas si el botón se encuentra en la parte frontal de la encimera.

Nada de tentaciones

En la cocina, debes prestar atención y no dejar nada a su alcance. Guarda fuera del alcance de las manitas inquisitivas todos los objetos que puedan representar un peligro: los cuchillos y demás utensilios que corten, los aparatos eléctricos, los que estén equipados con un cable de alimentación largo, etc. No tientes a los niños dejando a la vista objetos codiciados, como tarros de cristal que contengan pasteles o cajas de colores que puedan recordar a las golosinas.

Un cuarto de baño seguro

Con los pequeños en casa, hay que prestar especial atención a la tempera-tura del agua. Para evitar riesgos de quemaduras en el baño o en la ducha, baja la temperatura de la caldera a 50 °C, aproximadamente. Evitarás riesgos de quemaduras y ahorrarás. También puedes equipar la instala-ción con un interruptor de caudal de ducha, es decir, una válvula que permite detener el flujo del agua y volver a abrirlo a la misma temperatura (¡sin que por ello sometas a ninguna tortura al flexo de la ducha!).

El cuarto de baño también es una zona de riesgo. Unos pocos centímetros de agua bastan para que se ahogue una persona, sobre todo un pequeño. Nunca dejes agua en el fondo de la bañera y mantén la tapa del inodoro cerrada, si es posible con un pestillo especial.

Cierra los armarios del baño con pestillos de seguridad y guarda bajo llave medicamentos, tijeras, accesorios de maquillaje, cuchillas de afeitar y otros objetos potencialmente peligrosos. Guarda todos los productos de limpieza en un armario cerrado con llave o inaccesible.

Enchufes cubiertos

Tapa los enchufes con dispositivos de seguridad (tapas protectoras) en toda la casa. Estos accesorios son muy baratos y basta con insertarlos en la toma para evitar que los deditos, un tenedor u otros objetos acaben jugando con la corriente mortal que circula en la instalación eléctrica de la casa.

Decora pensando en los pequeños

Las mesas bajas, a menudo, tienen ángulos afilados situados justo a la altura de las pequeñas cabezas. Cubre esas esquinas con dispositivos de protección especiales, de espuma o de plástico, de forma que el inevitable impacto no haga pupa.

No coloques una silla o un taburete junto a una ventana abierta, una baranda o incluso una encimera sobre la que se dejen objetos que pueden suponer un peligro. Verifica que todos los muebles sean estables; presta atención a los objetos pesados o peligrosos (plancha, televisión, ventilador, etc.) colocados a cierta altura y que podrían caer a la cabeza a los niños. No te fíes tampoco de los objetos colocados sobre un sofá (libros gordos, vajilla o demás), ya que podrían salir volando cuando alguien se siente.

Evita los manteles y protectores impermeables de las que el niño se sentirá inevitablemente tentado de tirar.

El fuego de la chimenea es ideal para las veladas de invierno pero, para un niño, es una zona muy peligrosa. Plantéate instalar una puerta de cristal, una rejilla de protección o un cortafuego fijo; o reserva las llamas para los momentos en los que el bebé duerma.

Algunos muebles pueden ser peligrosos, incluso si están destinados a los niños. Es el caso de los arcones para los juguetes, por ejemplo. Elige un modelo cuya tapa esté provista de un dispositivo de seguridad que la mantenga levantada para que no se cierre sobre las manos de los niños que buscan algo dentro. Fíjate en que disponga de orificios de ventilación en caso de que el pequeño aventurero decida deslizarse dentro y cerrar la tapa. Si no los tiene, puedes hacerlos tú mismo.

Asegúrate de alejar la cuna, la cama o la trona del niño de cualquier mueble o accesorio provisto de ligaduras largas, por ejemplo, los cordones de las cortinas o de los estores, el teléfono, los cables del vigila-bebés o los cables eléctricos. Los niños siempre consiguen liarse con ellos y puedes imaginar el riesgo que eso implica. Sujeta los cables con cinta adhesiva una vez enrollados y guárdalos fuera del alcance de los pequeños. En cuanto a luces, en una habitación infantil, son más seguro los apliques que las lámparas con cables.

Cuando el que era tu bebé pase de la cuna a la cama de mayor, las barreras adaptables evitarán muchas caídas.

Cuidado con las puertas

Las puertas, objeto de gran tentación para los pequeños espíritus investigadores, son un gran peligro para las manos de los niños. No obstante, algunos accesorios permiten limitar los riesgos haciendo que las puertas (normales o correderas) sean más difíciles de abrir o evitando que se cierren con fuerza en las manos de los niños. Piensa en una barrera de seguridad y un dispositivo de bloqueo.

Artilugios muy útiles

Instala detectores de humo y de gas. Coloca esos dispositivos en la entrada de cada habitación y junto a las estancias que contengan aparatos que puedan generar humo, como la cocina, el lavadero o el garaje.

Ten siempre a mano una linterna; resultará muy útil en caso de que se produzca un corte de corriente. Las luces nocturnas son también muy prácticas para evitar que te abras la cabeza si tu pequeño te llama por la noche.

Equípate con un teléfono inalámbrico para poder vigilar a la prole mientras charlas con tu tía María. Deja que el teléfono suene cuando estás

cambiando al bebé o bañándolo. Unos segundos de distracción pueden costarle la vida a tu pequeño y seguro que no era tan urgente contestar.

Protege las escaleras y el balcón

Asegura la escalera instalando, arriba y abajo, barreras de protección que impidan el acceso. No dejes objetos tirados en los escalones si no quieres que los miembros de tu familia se hagan acróbatas.

En el balcón es conveniente colocar una red de protección en la baranda para que nadie (ni niños ni animales) puedan deslizarse entre los barrotes.

Pequeños objetos = peligro

Debes guardar todos los objetos de un tamaño pequeño fuera del alcance de los niños. Los niños adoran meterse cosas pequeñas en la boca: joyas, clips, monedas, croquetas para gatos. De lo más peligroso a lo más desagradable, la lista de los objetos que pueden ingerir es absolutamente increíble. Hay cosas más emocionantes que vigilar de cerca al niño para intentar encontrar tu anillo preferido.

Por supuesto, cualquier padre o madre debe saber cómo ayudar a un niño que se asfixia, pero es preferible no dejar al alcance nada que pueda llevarnos a esos extremos.

Pequeños detalles que lo cambian todo

¿Quieres cambiar toda la decoración interior de tu casa sin tener que recurrir a la dinamita? Las modificaciones que te propongo en este capítulo son de lo más sencillas y transforman una estancia en un pispás sin soltar un céntimo. Además, están al alcance de todos. De verdad, ¡incluso de los más holgazanes!

Mueve los muebles

Mover los muebles de una estancia, va bien para la moral aunque no sea bueno para la espalda. Siempre es divertido jugar a la casa de muñecas, ¡incluso cuando ya no se tiene edad para hacerlo! Te sorprenderá cómo puedes reavivar una estancia y transformarla por completo con un simple cambio de disposición del mobiliario:

✔ Coloca el mueble más imponente contra la pared más grande y que sea lo primero que se vea cuando se entre en la estancia. Eso contribuye a crear un cierto equilibrio y un primer efecto bastante impresionante.

✔ No pegues los muebles a las paredes. Las sillas, las butacas y los sofás alineados a lo largo de la pared dan sensación de sala de espera no muy acogedora.

✔ Encuentra un punto de convergencia (por ejemplo, una ventana con una bonita vista, una chimenea o un gran cuadro en la pared), que

> utilizarás como centro alrededor del que disponer otros elementos, como un sofá, los sillones o las sillas y una mesa baja.
>
> ✔ Coloca un diván o un canapé en diagonal en uno de los ángulos de la estancia; después añade una mesa y una lámpara detrás.

Ya que estás, limpia un poco las pelusas que se acumulan bajo los muebles. Seguro que también encuentras alguna vieja zapatilla que buscabas desde hacía lustros. En lo referente a la decoración, estos últimos años, nuestros interiores han vivido una verdadera revolución. Nuevas tendencias, nuevas revistas de decoración con muebles y accesorios de diseño a precios asequibles... cambiar radicalmente el interior de tu casa en poco tiempo y por menos de 1000 euros, hoy en día, es posible. Adiós, pues, al salón de papá, que no ha cambiado desde hace décadas y bienvenida la nueva decoración, alegre, lúdica y barata.

Y si eres un adicto al cambio, ¿por qué no tener dos ambientes en la misma habitación? Según la estación del año, puedes transformar tu salón simplemente cambiando las cortinas, los cojines y la alfombra. El salón, azul marino en verano, puede convertirse en rojo en invierno. Inventa tú mismo tu propia decoración.

Nada de desorden

Un lugar para cada cosa y cada cosa en su lugar, estaría bien aplicarnos a nosotros mismos lo que normalmente predicamos a los niños. Créeme, una buena clasificación de los papeles viejos, revistas, periódicos y otras antiguallas que están casi por todas partes, cambiará el paisaje. Tira todo eso al cubo de reciclaje y cómprate una bonita cesta donde organizar tus futuras adquisiciones, que colocarás junto a tu sillón de lectura favorito.

Los niños son los campeones del mundo en la invasión del espacio. Si no quieres acabar invadido, debes organizarles su propio espacio de almacenaje (arcón, armario, cubetas o simples cajas) y mantente muy firme.

La gran operación de limpieza de primavera

Las madres siempre tienen razón. La mía tenía la costumbre de lavar los estores y cortinas todos los años, normalmente en primavera. Bueno, quizá tú no tengas esa cuerda en el jardín en la que tender las cortinas para que huelan bien, pero una pasada por la lavadora y otra por la secadora bastarán. Aprovecha también para darle un toque a los cristales y

limpia los marcos de las ventanas, además de la madera contrachapada de las puertas. Eso le gustará a tu madre.

¡Oh, la preciosa alfombra!

Las preciosas alfombras son caras, pero también son únicas para transformar la estancia más tristona. No obstante, puedes encontrar alfombras bonitas y coloridas por dos cifras que pueden animar una decoración un poco sosa. Si tienes un revestimiento de suelo horrible o una moqueta que se ve ajada, la alfombra lo disimulará de maravilla. Elige un diseño y un color que combine con el mobiliario.

Una alfombra completa de un modo ideal el ambiente clásico de canapé, mesa baja y sillones de un salón o una habitación de estudiante, y ayuda a delimitar un rincón especial reuniendo alrededor de ella los muebles que componen este espacio.

En el comedor, una alfombra resalta la mesa y las sillas. Además, evita que se raye el suelo al arrastrar las patas de las sillas.

Una alfombra en un recibidor también ayuda a definir el espacio. Elije un material resistente, ya que se encontrará en primera línea después del felpudo. Una moqueta de entrada debe poder absorber el agua, la nieve, en fin, todo lo que pueda llegar en la suela de unos zapatos.

Existen alfombras especiales, muy largas, que se utilizan para adornar los pasillos. Son muy agradables, sobre todo, cuando vas del dormitorio al cuarto de baño, en medio de una fría noche de invierno (¡brrrr!).

Recoge las cortinas

Puedes utilizar cualquier accesorio para recoger las cortinas; quedará siempre bonito. Añadir alzapaños para despejar las ventanas, le da luminosidad a una estancia. Deja a un lado el estilo clasicorro y échale imaginación. Elige accesorios divertidos, como pompones, cintas, lazos, fulares o rafia, conchas, arandelas o incluso telas metálicas. Aparte de los recogidos, las tiendas de muebles y de telas venden, hoy en día, modelos muy bonitos de cortinas en gamas muy amplias. Seguro que tendrás suerte y encontrarás la que te guste.

Personaliza la habitación de los niños

En el espacio infantil aún más que en el resto de la casa, es la imaginación quien debe tener el poder. Déjate llevar, permite que participen los niños y crearéis una decoración a medida única en el mundo.

Tu hijo tiene talento, así que por qué no colgar sus dibujos en una minigalería. Agrupados juntos o ampliados con el escáner, los dibujos de los niños, con frecuencia, decoran una pared de maravilla. Para pegarlos, utiliza esos adhesivos especiales para los materiales ligeros que no dejan marcas. También puedes, con ese mismo tipo de adhesivo, hacer recortables y pegarlos al techo con un cordón a modo de móvil.

Escribir en las paredes es el sueño de todos los pequeños. Dales el gustazo y permíteles que lo hagan en una pared especialmente hecha para ello. Invierte en la pintura que hará de pizarra; puedes utilizarla detrás de una puerta o en una de las paredes de la habitación. Dos capas bastan para transformar una pared muy sosa en una maravillosa pizarra gigante.

Decora el techo con pegatinas que brillan en la oscuridad. Estrellas, lunas, galaxias: encontrarás estos accesorios en las jugueterías y otras tiendas. En esta misma línea, sucumbe a la moda de las pegatinas. Hay autoadhesivos bonitos, de diseño u horteras en todos los tamaños y en infinidad de modelos y colores. Harán maravillas para decorar una habitación y los tienes disponibles en internet o en la mayoría de las tiendas de decoración. Lávate las manos antes de aplicarlos para no manchar la pared y, en cuestión de segundos, ya está. Y si los pequeños se cansan, con una buena pasada de aire caliente del secador de pelo, las pegatinas se despegarán sin problemas y sin dejar rastro.

Si quieres divertirte y hacer felices a tus hijos, ¡déjales poner su autógrafo en la pared! Sumérgeles las manitas en la pintura y, con sus huellas, traza un camino por los tabiques y a través del techo.

¡Lavado de cara!

Para cambiarlo todo al momento en un cuarto de baño o una cocina, sustituye todos los picaportes de los armarios y los cajones. Encontrarás modelos muy divertidos de plástico, de madera e incluso de piedra: desatornillar-atornillar es el único ejercicio que esta operación te exigirá. Para darle un aire totalmente renovado a esas estancias, puedes cambiar también las puertas de los armarios y los cajones.

Dale un toque verde

Adornar una habitación un pelín demasiado amueblada con vegetación es una idea que no te arruinará. Elige plantas de tamaños y colores diversos, pero colócalas en maceteros a juego. Aumentarán el calor y el color de la estancia, al mismo tiempo que purifican la atmósfera. Recuerda: ¡exigen unas pocas atenciones!

Mueve los cuadros

Haz remar a la marina del dormitorio al salón o envía la reproducción de Matisse al cuarto de baño. El grabado de botánica puede ir del comedor a la entrada... En pocas palabras, crea espacios nuevos con objetos antiguos. Seguro que podrás renovar la decoración de la casa con cuadros a los que estás tan acostumbrado que ya ni los ves.

Si te parece que tu baño o tu escalera están un pelín tristones, transfórmalos con una galería de retratos como en los castillos. Unas fotos de familia, muchos cuadros, un martillo, clavos y un metro (el metro solo lo necesitas si deseas alinearlos bien). Es un pasatiempo ideal para un sábado lluvioso del mes de noviembre.

Índice